S0-BKZ-782

ХОЛОДНЫЙ ОГОНЬ

ДИН КУНЦ

ЖИВУЩИЙ В НОЧИ

ЭКСМО-ПРЕСС
1999

УДК 820(73)
ББК 84(7 США)
К 91

Dean Koontz
FEAR NOTHING

Разработка серийного оформления
художника *В. Щербакова*

Серия основана в 1997 году

Перевод с английского *А. Новикова*

Кунц Д.

К 91 Живущий в ночи: Роман. – М.: ЗАО Изд-во ЭКСМО-Пресс, 1999. – 544 с. (Серия «Холодный огонь»).

ISBN 5-04-001491-0

28-летний Кристофер Сноу страдает редким заболеванием, в связи с которым вынужден проводить всю жизнь в темноте. В день смерти отца Кристофер становится свидетелем необъяснимой жутковатой сцены: неизвестные похищают тело покойного из морга. Зачем? Но разгадка этого преступления скрыта за чередой страшных, сверхъестественных событий. И, может быть, когда пелена таинственности рассеется, привычному нам миру суждено прекратить свое существование...

Роман впервые публикуется на русском языке.

УДК 820(73)
ББК 84(7 США)

ISBN 5-04-001491-0

РОБЕРТУ ГОТТЛИБУ,
проницательности гению,
преданности и дружбе которого
я благодарен каждый день

Несу свое уродство,
Мой груз незримых мук
И грех, в котором сходство
С грехами всех вокруг.
Мне горький выпал жребий —
Покинуть отчий дом.
И на земле, и в небе
Для всех я стал врагом.

«Книга Скорбей»

Часть первая

СУМЕРКИ

1

Телефон, стоявший на письменном столе в моем кабинете, освещенном лишь пламенем свечей, зазвонил, и я уже знал, что близится нечто ужасное.

Я — не медиум, мне не являются знамения с небес, линии на ладони не говорят мне ровным счетом ничего о будущем, и я не обладаю способностью цыган предсказывать судьбу по мокрым чайным листьям.

Мой отец умирал уже довольно долго. Почти всю предыдущую ночь я провел у его изголовья, утирая пот с отцовского лба и прислушиваясь к его затрудненному дыханию, так что теперь понимал: отцу осталось совсем немного. При мысли о том, что я вот-вот потеряю его и останусь — впервые за свои двадцать восемь лет — совершенно один на всем белом свете, душу мою пронизывал ужас.

Я — единственный сын и единственный ребенок в семье. Моя мать переселилась в лучший мир два года назад. Ее смерть потрясла нас с отцом, но маме хотя бы не пришлось страдать от долгой и изнурительной болезни.

Прошлой ночью я вернулся домой перед самым рассветом — измученный, валясь с ног, но выспаться так и не сумел. Теперь, подавшись вперед на стуле, я мысленно молил, чтобы телефон умолк, но он продолжал надрываться.

Орсон, мой пес, тоже знал, что означают эти звонки. Выйдя из тени в дрожащий круг света, он поднял морду и сочувственно уставился на меня.

В отличие от своих собратьев он способен выдерживать человеческий взгляд сколь угодно долго. Другие животные обычно быстро отворачиваются, не в состоянии долго смотреть человеку в глаза, словно что-то заставляет их нервничать. Возможно, и Орсон, подобно своим собратьям, видел там то же самое, однако это «что-то» если и нервировало, то не пугало его.

Он вообще необычный пес, но он — мой пес, мой самый преданный друг, и я люблю его.

После седьмого звонка я сдался перед неизбежным и снял трубку. Звонила сиделка из больницы Милосердия. Я разговаривал с ней, не спуская глаз с Орсона. Мой отец угасал, и я должен был безотлагательно приехать к нему.

Когда я возвратил трубку на место, Орсон приблизился и положил свою здоровенную черную башку мне на колени. Негромко поскулив, он лизнул мою руку, однако хвост его оставался неподвижным.

Несколько мгновений я сидел, будто лишившись слуха, не в состоянии двигаться и даже думать. Тишина, стоявшая в доме, была глубока, словно океанская бездна, и я почти физически ощущал ее всесокрушающую тяжесть, парализовавшую меня. А потом я позвонил Саше Гуделл, чтобы попросить ее довезти меня до больницы.

Обычно она спала с полудня до восьми вечера, а в темное время суток — с полуночи до шести утра, — будучи ди-джеем, крутила музыку на «Кей-Бей» — единственной радиостанции Мунлайт-Бей. В начале шестого в этот мартовский вечер она скорее всего спала, и мне было неловко оттого, что приходится ее будить.

Так же, как печальноглазый Орсон, Саша была моим другом, к которому я мог обратиться в любой момент. Однако машину она водила гораздо лучше пса, поэтому я и был вынужден ее побеспокоить.

Она сняла трубку после первого же звонка, причем в голосе ее не было ни капли сонливости, и, прежде чем я успел сообщить, в чем дело, произнесла:

— Мне очень жаль, Крис.

Как будто она ждала этого звонка и услышала в его звуке ту же обреченность, что и мы с Орсоном.

Я прикусил губу, отказываясь думать о неизбежном. Пока папа оставался жив, оставалась и надежда на то, что врачи ошибались. Даже при раке в последней стадии в ходе болезни могла наступить ремиссия.

Я верю в чудеса.

В конце концов, даже мне, несмотря на то состояние, в каком я находился, удалось прожить целых двадцать восемь лет, и это тоже являлось своего рода чудом, хотя многие, глядя на меня со стороны, могли подумать, что такая жизнь — хуже любого проклятия.

Я верю в чудеса, но еще больше я верю в то, что они нам очень нужны.

— Я буду у тебя через пять минут, — пообещала Саша.

Ночью я мог бы дойти до больницы и пешком, но в этот предзакатный час мое передвижение по городу на своих двоих стало бы не просто спектаклем для прохожих зевак, но и представило бы серьезную опасность для меня самого.

— Не торопись, — сказал я. — Поезжай осторожнее. Мне все равно понадобится не меньше десяти минут, чтобы собраться.

— Я люблю тебя, Снеговик, — сказала она.

— А я — тебя, — ответил я.

Надев колпачок на ручку, которой писал в тот момент, когда меня прервал звонок из больницы, я вместе с желтым блокнотом отложил ее в сторону, а затем с помощью бронзового стержня с длинной рукояткой погасил три толстых свечи. В окутавшей комнату мгле в воздух, подобно серым призракам, взвились три волнистых дымка. До наступления сумерек оставался всего час, и солнце уже спустилось к краю небосклона, но даже теперь оно все еще таило для меня опасность и угрожающе просвечивало сквозь щели по краям створчатых ставен.

Как всегда, заранее предугадав мои намерения, Орсон уже вышел из комнаты и теперь топал где-то в холле второго этажа. Орсон — метис лабрадора весом почти в полцентнера и черный, словно ведьмин кот. Поскольку ставни в нашем доме всегда закрыты, он практически невидим, и о его присутствии мне говорит либо шлепанье большущих лап по коврам, либо клацанье когтей по паркету там, где ковров нет.

Войдя в спальню, находившуюся напротив моего кабинета, я не позаботился о том, чтобы включить регулируемые реостатом светильники из мутного, словно подмороженного стекла. Мне хватало и того рассеянного мутно-желтого света от заходящего солнца, что пробивался сквозь закрытые ставни. Мои глаза гораздо в большей степени привычны к мраку, нежели у большинства людей, но хотя меня, фигурально говоря, вполне можно назвать родным братом филина, я не обладаю каким-либо особым даром ночного видения. Нет-нет, мне несвойственны никакие леденящие кровь паранормальные способности. Просто за двадцать восемь лет, прожитых без света, мое умение видеть в темноте сильно обострилось.

Орсон вспрыгнул на скамеечку для ног, а потом — в кресло, где и свернулся, наблюдая за тем, как я готовлюсь к выходу в освещенный мир. Из выдвижного ящика в примыкавшей к спальне ванной я достал флакон очень сильного лосьона для защиты кожи от солнечных лучей и щедро намазал им лицо, уши и шею. От лосьона исходил слабый запах кокосового молока. Он рождал в моей голове образы пальм, качающих ветвями, яркого тропического неба, океана, залитого ослепительным светом полуденного солнца, — короче, всего того, что мне никогда не суждено увидеть. Для меня это запах желания, неосуществимости и безнадежного томления, терпкий аромат недостижимого.

Порой мне снится, что я иду по карибскому пляжу, омываемый водопадом света, а под моими ногами — покрывало из сияющего в солнечных лучах белоснежного песка. Ощущение тепла на коже куда более эротично, нежели любовные прикосновения женщины. В этих снах я не просто купаюсь в свете, он буквально пронизывает меня. А когда я просыпаюсь, то чувствую себя так, будто меня ограбили.

Лосьон, хотя и пах тропическим солнцем, холодил лицо и шею. Я натер им также кисти рук и запястья.

В ванной комнате имелось одно окно. Ставни на нем были сейчас открыты, однако здесь царил сумрак. Во-первых, стекло было матовым, а во-вторых, солнечный свет с трудом пробивался сквозь изящные ветви росшего за окном кедра. За непрозрачным оконным стеклом угадывались резные очертания листьев.

В зеркале над раковиной мое отражение выглядело бесплотной тенью, однако, даже включи я свет, все равно не смог бы толком рассмотреть себя — лампочка была слабенькой и к тому же матовой. Мне вообще редко доводилось видеть свое лицо при нормальном освещении.

Саша говорит, что я напоминаю ей Джеймса Дина — кумира пятидесятых, причем таким, каким он был скорее в «Восточном Эдеме», нежели в «Мятеже без причины». Лично я не нахожу между нами большого сходства. Да, у нас одинаковые волосы и похожие светло-голубые глаза, но он выглядел каким-то пришибленным, несчастным, а я себя таковым не ощущаю.

Я не Джеймс Дин. Я — это я, Кристофер Сноу, и меня это вполне устраивает.

Покончив с лосьоном, я вернулся в спальню. Орсон приподнялся в кресле и потянул носом, учуяв запах кокоса.

На мне уже были надеты спортивные гольфы, кроссовки «Найк», джинсы и черная футболка. Теперь я натянул поверх нее черную джинсовую рубашку с длинными рукавами и застегнул ее под самым горлом.

Орсон как привязанный шел следом за мной до прихожей. Козырек над крыльцом был длинным и низким, во дворе рядом с домом росли два громадных калифорнийских дуба, так что прямые солнечные лучи не попадали на маленькие мозаичные окошки по обе стороны от входной двери. Геометрически правильные, составленные из разделенных проволокой бесцветных, зеленых, красных и янтарных стекол, они тускло мерцали подобно драгоценным камням.

Из стенного шкафа я вынул черную кожаную куртку на «молнии». Мне придется возвращаться уже в темноте, а вечера на центральном побережье Калифорнии даже в эти мягкие мартовские дни бывают пронизывающе холодными. С полки стенного шкафа я взял голубую кепку-бейсболку с длинным козырьком и натянул ее по самые уши. Спереди, над козырьком, рубиново-красными буквами были вышиты два слова: «ЗАГАДОЧНЫЙ ПОЕЗД». Я нашел эту кепку в Форт-Уиверне — давно закрытой военной базе поблизости от Мунлайт-Бей. Бейсболка оказалась единственным предметом в холодном сухом помещении с бетонными стенами, расположенном на трех уровнях под землей. И хотя я понятия не имел, что означают эти таинственные слова, я сохранил бейсболку, поскольку она заинтриговала меня.

Я повернулся к входной двери, и Орсон умоляюще заскулил, прося взять его с собой. Наклонившись, я погладил его.

— Папе наверняка хотелось бы повидаться с тобой напоследок. Я это точно знаю, приятель. Но тебя не впустят в больницу.

Его угольно-черные, устремленные на меня глаза поблескивали во мгле, и я мог поклясться, что в них светились боль и сочувствие. Возможно, такое ощущение создалось у меня потому, что я и сам глядел на него сквозь пелену слез, застилавших мне глаза.

Мой друг Бобби утверждает, что я склонен очеловечивать животных, приписывая им людские способности и психические свойства, которыми они на самом деле не обладают.

Может быть, это связано с тем, что животные в отличие от многих людей всегда воспринимают меня таким, какой я есть. Похоже, четвероногие обитатели Мунлайт-Бей обладают гораздо более сложным восприятием жизни и, кстати, большей добротой, нежели многие из моих соседей.

Бобби считает, что очеловечивание животных, вне зависимости от того, насколько тесные отношения связывают меня с ними, свидетельствует о моей незрелости. В ответ на это я предлагаю ему пойти в задницу.

Я попытался успокоить Орсона, погладив его по блестящей шерсти и почесав за ухом. В нем чувствовалось какое-то странное напряжение. Пес дважды склонял голову набок, словно улавливая какие-то звуки, недоступные моему слуху. Он будто чувствовал некую подбиравшуюся к нам опасность — даже более страшную, нежели смерть моего папы.

В тот момент меня еще не мучили никакие подозрения по поводу грядущей кончины отца. Рак — это судьба, а не убийство, если, конечно, вам не взбрело в голову предъявить уголовное обвинение самому Всевышнему.

Да, я потерял обоих родителей за каких-то два года, да, моя мать умерла всего в пятьдесят два, а отец в свои пятьдесят шесть уже находится на смертном одре... Что ж, возможно, все это — составные части извечного невезения, которое преследует меня с момента моего зачатия.

Позже мне не раз придется вспомнить напряжение, овладевшее в тот момент Орсоном, и задуматься, не почувствовал ли он уже тогда страшную волну беды, готовую обрушиться на нас.

Бобби Хэллоуэй наверняка посмеялся бы над этим, заявив, что теперь я не просто очеловечиваю своего барбоса, а пытаюсь приписать ему еще и сверхчеловеческие качества. Возможно, в душе я и согласился бы с этим, но все равно непременно посоветсвал бы Бобби пойти в задницу, причем как можно глубже.

Так или иначе, я поглаживал и чесал Орсона до тех пор, пока с улицы не послышался автомобильный гудок. Буквально через пару секунд он повторился, но теперь уже с подъездной дорожки. Приехала Саша.

Хотя мое лицо и шея были намазаны солнцезащитным лосьоном, я вдобавок к этому поднял воротник куртки, а со столика, стоявшего в прихожей прямо под репродукцией с картины Максфилда Пэрриша «Рассвет», взял глухие черные очки.

Уже положив руку на круглую медную дверную ручку, я в последний раз обернулся к Орсону и сказал:

— У нас с тобой все будет хорошо.

На самом деле я не представлял, как мы сумеем жить без отца. Он был единственной ниточкой, связывавшей нас с миром света, с людьми, живущими в этом освещенном мире. Более того, он любил меня так, как не в состоянии любить ни один из оставшихся в живых, так, как только отец может любить своего обиженного природой сына. Он понимал меня так, как не сможет больше понять никто и никогда.

— У нас все будет хорошо, — повторил я.

Пес удостоил меня печальным взглядом и тявкнул — глухо, почти снисходительно, будто знал, что я лгу.

Распахнув дверь, я вышел за порог и надел темные очки. Их особые стекла полностью нейтрализовали ультрафиолетовые лучи. Глаза — мое самое уязвимое место. Ими я рисковать не могу.

Сашин «Форд-Эксплорер» стоял на подъездной дорожке. Двигатель его работал, сама она сидела за рулем.

Я закрыл и запер входную дверь, причем Орсон даже не попытался проскользнуть между моими ногами.

С запада подул ветер — прибрежный бриз с легким вяжущим запахом моря. Листья в кронах дубов зашептались, словно делясь друг с другом какими-то секретами.

Моя грудь напряглась, легкие словно сжало тисками. Так бывало всегда, когда мне предстояло выйти на свет. Я знал, что это чисто психологический эффект, но легче мне от этого не становилось. Спускаясь по ступенькам крыльца и направляясь к подъездной дорожке, я чувствовал себя космонавтом в невесомости. Возможно, то же самое испытывает водолаз в тяжелом скафандре, ощущая, как сверху на него давят миллионы тонн океанской воды.

2

— Привет, Снеговик, — сказала Саша, когда я влез в машину. Она дала мне эту кличку потому, что в переводе с английского на все остальные языки мира моя фамилия означает «снег».

— Привет, — ответил я, пристегивая ремень безопасности. Саша включила заднюю передачу.

Из-под козырька своей кепки я смотрел на медленно удалявшийся от нас дом и думал о том, каким увижу его в следующий раз. Я чувствовал, что после того, как мой отец покинет этот мир, все принадлежавшие ему вещи станут выглядеть убогими и ветхими, поскольку не будут больше соприкасаться с его духом. В тот момент, когда, двигаясь задним ходом, мы уже выезжали на улицу, мне показалось, что я увидел тень, метнувшуюся в одном из окон, а затем — возникшую за стеклом морду Орсона, положившего передние лапы на подоконник.

Отъезжая от дома, Саша спросила:

— Ну и сколько же времени ты не выходил?

— На свет? Чуть больше девяти лет.

— Девять долгих лет во мраке, — продекламировала Саша. Помимо всего прочего, она еще писала стихи.

— Кончай заниматься со мной своими дурацкими поэтическими упражнениями, Гуделл.

— Что же с тобой приключилось девять лет назад?

— Аппендицит.

— А-а, это когда ты едва не откинул копыта?

— Да, только смерть способна заставить меня выйти на солнечный свет.

— По крайней мере с тех пор у тебя на пузе остался весьма сексуальный шрам.

— Ты находишь?

— Мне очень нравится его целовать, разве ты не заметил?

— Заметил и не перестаю этому удивляться.

— Хотя этот шрам и пугает меня. Ты ведь мог умереть.

— Но не умер.

— И каждый раз, когда я целую его, это как благодарственная молитва за то, что ты — со мной.

— А может, тебя просто возбуждают физические дефекты?

— Засранец.

— Это мамочка научила тебя таким словам?

— Нет, монашенки в приходской школе.

— Ты знаешь, что мне нравится и что не нравится? — поинтересовался я.

— Да, наверное, знаю. Все же мы с тобой вот уже два года как вместе.

— Мне не нравится, когда ты начинаешь хамить.

— А с какой стати мне хамить?

— Ну вот и не начинай.

Даже в своей броне из одежды, намазанный лосьоном и в очках, защищавших глаза от солнца, я изрядно нервничал, оказавшись на улице днем. Я ощущал себя беззащитным, а мои многочисленные покровы казались мне хрупкими, словно яичная скорлупа. Саша знала о неуверенности, которую я испытывал, но делала вид, что ничего не замечает. Для того чтобы отвлечь меня и от грозившей мне опасности, и от бесконечной красоты раскинувшегося вокруг мира, Саша делала то, что у нее получается лучше всего, — была самой собой.

— Где ты будешь потом? — спросила она. — Когда все закончится.

— Если все закончится, — поправил я. — Они могут и ошибаться.

— Где ты будешь, когда я выйду в эфир?

— После полуночи? Наверное, у Бобби.

— Проследи за тем, чтобы он включил радио.

— Принимаешь заявки на сегодняшнее шоу? — спросил я.

— Можешь мне не звонить. Я сама знаю, что тебе нужно.

На следующем перекрестке она повернула руль «Эксплорера» направо, очутившись на Оушн-авеню, и поехала вверх, в противоположную от океана сторону.

Напротив запрятанных в глубине широких тротуаров магазинчиков и ресторанов возвышались почти тридцатиметровые итальянские кедры, раскинувшие над улицей свои широкие ветви. Тротуары были пестрыми от теней, перемежавшихся с пятнами света.

Мунлайт-Бей, приютивший под своими крышами двенадцать тысяч человек, вырастает прямо из залива, поднимается по плоскогорью, а затем карабкается по прилепившимся друг к другу холмам. Большинство туристических путеводителей по Калифорнии величают это местечко «жемчужиной центрального побережья». Возможно, отчасти это связано со стараниями Торговой палаты, которая изо всех сил усердствует, чтобы этот набивший оскомину штамп использовался как можно чаще.

И все же наш город заслуживает такое название, и не в последнюю очередь благодаря обилию в нем деревьев. Величественные столетние дубы с густыми кронами, ели, кедры, финиковые пальмы, густые эвкалиптовые рощи. Лично мне больше всего по душе кружевные гроздья ламинарии, которые по весне украшаются гирляндами чудесных цветов.

Зная о моих проблемах, Саша уже давно оклеила стекла своего «Эксплорера» затемненной солнцезащитной пленкой, и тем не менее открывавшийся из машины вид был несравнимо ярче, чем то, к чему я привык.

Я приспустил темные очки и поглядел поверх

оправы. Сплетения еловых лап казались искусной темной вышивкой на изумительном лилово-голубом фоне, вечернее небо светилось какой-то тайной, отбрасывая на лобовое стекло машины загадочные блики.

Я поспешно водворил очки на место и не только для того, чтобы защитить глаза, но и потому, что меня внезапно захлестнула волна острого стыда: я тут наслаждаюсь редкой для меня поездкой при свете дня, а отец в это время умирает.

Саша вела машину хоть и осмотрительно, но быстро, даже не притормаживая на тех перекрестках, где не было автомобилей.

— Я пойду с тобой, — сказала она.

— В этом нет необходимости.

Неприязнь Саши к врачам, медсестрам и вообще всему, что связано с медициной, граничит с патологической фобией. Непоколебимо веруя в силу витаминов, минеральных пищевых добавок, позитивное мышление и способность излечивать тело силой мысли, она большую часть времени считает, что будет жить вечно, и только посещение какого-нибудь медицинского учреждения способно на часок-другой лишить Сашу уверенности в том, что ей удастся избежать конечной участи любого существа из плоти и крови.

— Да нет, — продолжала упираться Саша, — я должна быть с тобой. Я очень люблю твоего папу.

Она пыталась казаться спокойной, но дрожь в голосе выдавала ее. Невольно я ощутил огромную признательность к этой девушке: ради меня она была готова отправиться в то место, которое было ей ненавистно больше всего на свете.

— Мне хочется побыть с ним наедине то недолгое время, которое у нас осталось, — проговорил я.

— Честно?

— Честно. Кстати, уезжая из дома, я забыл оставить Орсону ужин. Может, ты вернешься и позаботишься о псине?

— Конечно, — ответила Саша, испытывая облегчение оттого, что теперь и у нее появилось дело. — Бедняжка Орсон! Они с твоим папой были настоящими друзьями.

— Могу поклясться: он чувствует, что происходит.

— Наверняка. Животные все чувствуют.

— А Орсон — особенно.

С Оушн-авеню Саша свернула налево и выехала на Пасифик-авеню. До больницы Милосердия оставалось два квартала.

— С ним все будет хорошо, — проговорила Саша.

— Он наверняка по-своему горюет, хоть и старается не показывать этого.

— Я попробую утешить его. Крепко обниму и расцелую.

— Отец был единственной ниточкой, связывавшей Орсона со светом.

— Теперь этой ниточкой стану я, — пообещала Саша.

— Он не может постоянно жить в темноте.

— У него буду я, а я никуда исчезать не собираюсь.

— Правда? — переспросил я.

— С ним все будет хорошо.

На самом деле мы говорили уже не о собаке.

Больница представляла собой типичное калифорнийское трехэтажное строение в средиземноморском стиле, возведенное еще в те времена, когда это понятие не ассоциировалось с дешевым и бездушным типовым строительством. Глубоко утопленные окна привлекали взгляд позеленевшими от времени бронзовыми рамами. Комнаты, расположенные на первом этаже, скрывались в тени нависших над ними крытых балконов с арками и известняковыми колоннами. Некоторые были увиты спускавшимися сверху одеревеневшими плетями бугенвиллей. В этот день, несмотря на то что весна наступила всего пару недель назад, с карнизов и подоконников уже ниспадали каскады малиновых и ярко-фиолетовых цветов.

Набравшись духу, я сдвинул вниз темные очки и несколько секунд любовался этим умытым солнцем пиршеством красок.

Саша остановила машину возле бокового входа. Я принялся освобождаться от ремня безопасности, а она, положив ладонь на мою руку, легонько стиснула ее.

— Позвони мне на сотовый, когда за тобой надо будет приехать.

— Я буду уходить уже после захода солнца. Дойду пешком.

— Ну, если ты так хочешь...

— Да, хочу.

Я снова приспустил солнцезащитные очки. На сей раз для того, чтобы увидеть Сашу Гуделл такой, какой я не видел ее никогда. При свете свечей ее серые глаза кажутся глубокими и чистыми. Такими же они оказались и в этом солнечном мире. Ее густая шевелюра цвета красного дерева искрится при свечах, словно вино в хрустале, однако ласковые прикосновения солнечных лучей сделали ее волосы еще более блестящими. На ее нежном, как лепесток розы, лице едва виднелись легкие морщинки. Их линии были знакомы мне так же хорошо, как все созвездия на ночном небе, которые я рассматривал из года в год.

Движением пальца Саша водрузила мои очки на место.

— Не глупи.

Но я — человек, а глупость присуща всем людям. И если мне суждено ослепнуть, то видение ее лица будет поддерживать меня в этой вечной темноте.

Подавшись вперед, я поцеловал ее.

— Ты пахнешь кокосом, — сказала Саша.

— Стараюсь.

Я поцеловал ее снова.

— Тебе больше нельзя оставаться на свету, — твердо проговорила она.

Оранжевое солнце уже наполовину погрузилось в море, но светило по-прежнему ярко. Непрерывный термоядерный кошмар, бушевавший на расстоянии в сто сорок девять миллионов километров от Земли, не прекращался ни на секунду. В некоторых местах поверхность Тихого океана напоминала расплавленную медь.

— Ну, иди же, кокосовый мальчик. Вытряхивайся из машины.

Неуклюжий, как человек-слон, я выбрался из «Эксплорера» и заторопился по направлению к больнице, глубоко засунув руки в карманы куртки.

Я лишь раз оглянулся назад. Саша провожала меня взглядом. Увидев, что я смотрю на нее, она ободряющим жестом подняла вверх большой палец.

3

Когда я переступил порог больницы, Анджела Ферриман уже поджидала меня в коридоре. Она работала вечерней медсестрой на третьем этаже, но сейчас спустилась вниз специально, чтобы встретить меня.

Милая, добросердечная женщина, которой давно перевалило за сорок, Анджела была болезненно-худой, с необычайно прозрачными глазами. Ее страсть к целительству граничила с одержимостью. Казалось, эта женщина заключила с дьяволом какую-то фантастическую сделку, чтобы только ей позволили лечить людей, и теперь ради выздоровления больных была вынуждена отдавать всю свою душу до последней капельки.

Анджела выключила свет в коридоре, а затем обняла меня.

В свое время, когда я болел всевозможными детскими — ветрянкой, свинкой, простудами, — а затем и взрослыми болезнями, но не мог в отличие от всех остальных лечиться обычным манером, Анджела всегда являлась моим добрым ангелом. Будучи моей приходящей медсестрой, она переступала порог нашего дома ежедневно.

Крепкие костлявые объятия этой женщины значили в ее работе ничуть не меньше, чем грелки, термометры, роторасширители и шприцы. Однако сейчас они скорее напугали, нежели приободрили меня. Я спросил:

— Он жив?

— Пока да, Крис. Еще держится, но, по-моему, только ради тебя.

Я вышел на площадку располагавшейся рядом запасной лестницы, и, когда за моей спиной захлопнулась дверь, Анджела вновь включила свет в коридоре. Освещение здесь было тусклым и не представляло для меня опасности, но я все же решил не снимать темные очки и поспешил наверх.

Наверху меня уже ждал Сет Кливленд, лечащий

врач моего отца и мой тоже. Высоченный, с такими широкими плечами, что он, по-моему, мог бы поддерживать один из больничных порталов, этот человек тем не менее никогда не возвышается над собеседником, двигается с грацией, которой от него трудно ожидать, и говорит голосом доброго медведя из детской сказки.

— Мы постоянно даем ему обезболивающее, — сообщил мне доктор Кливленд, выключая лампы дневного света под потолком, — так что он вроде как дрейфует между сознанием и забытьем. Но каждый раз, приходя в себя, спрашивает о тебе.

Я наконец снял темные очки и, сунув их в нагрудный карман рубашки, быстро пошел по коридору — мимо палат с пациентами, страдающими самыми различными недугами и в самых различных их стадиях. Одни лежали в бессознательном состоянии, другие сидели возле подносов с ужином. Те из них, кто заметил, что в коридоре выключили свет, сразу же догадались, в чем дело, и, отвлекшись от еды, повернули головы к открытым дверям своих палат. Им хотелось поглядеть на меня, когда я буду проходить мимо.

Я, надо признаться, пользуюсь в Мунлайт-Бей печальной известностью. Из двенадцати тысяч его жителей и трех тысяч студентов колледжа Эшдон — либерального частного учебного заведения, где преподают как гуманитарные, так и технические дисциплины, — я являюсь, пожалуй, единственным человеком, имя которого известно здесь всем и каждому. И тем не менее мало кто из горожан имел возможность хоть раз увидеть меня. Чему тут удивляться, если жизнь моя сродни жизни ночной птицы!

По мере того как я двигался по коридору, медсестры и сиделки произносили мое имя или протягивали руки для приветственного пожатия. Думаю, их теплые чувства по отношению ко мне были вызваны не тем, что я такой уж замечательный, и даже не любовью к моему отцу, хотя в него действительно влюблялся каждый, кто хоть однажды с ним столкнулся. Нет, просто эти люди до глубины души являлись истовыми целителями, а я воплощал собой их мечту — человек, которого они лечили всю жизнь и мечтали, надеялись когда-нибудь сделать здоровым. Я нуждался в лечении с первых дней своей жизни, и все же исцелить меня не мог никто. И они — тоже.

Отец лежал в двухместной палате, но вторая койка сейчас пустовала. Я в нерешительности замешкался на пороге, но уже в следующий миг сделал глубокий вдох (который, впрочем, ничуть меня не укрепил), вошел в палату и закрыл за собой дверь.

Тяжелые сатиновые шторы были плотно задернуты, но по краям их прощальным светом горели отблески заходящего солнца, жить которому оставалось всего полчаса. На кровати, расположенной ближе к двери, слабой тенью угадывались очертания человеческого тела. Папа. Я услышал его слабое дыхание, заговорил, обращаясь к нему, но он не ответил.

У изголовья кровати стоял аппарат ЭКГ — электрокардиограф, следивший за тем, как работает сердце отца. Звуковой сигнал был отключен, чтобы не тревожить больного, и биение его сердца отмечалось на экране прибора зигзагообразной зеленой линией. Пульс у отца был частым и слабым. Я сжался, заметив возникшую было на экране аритмию, но сердцебиение сразу же выровнялось.

В нижнем из двух ящиков прикроватной тумбочки находились газовая зажигалка и две толстых свечи в стеклянных плошках, пахнущие восковницей. Медперсонал делал вид, что не замечает этих предметов, хотя их присутствие здесь, конечно же, шло вразрез с больничными правилами. Право их нарушать было даровано мне в связи с моей неполноценностью, в противном случае, приходя к отцу, я был бы вынужден сидеть в кромешной темноте.

Опять же в нарушение противопожарных правил, я чиркнул зажигалкой и поднес ее пламя к фитилю сначала одной свечи, а затем и другой.

Что ж, известность в нынешней Америке дорогого стоит. Пусть моя — из разряда печальных, но и она позволяет мне рассчитывать на некоторые послабления.

Я поставил свечи на тумбочку. Лицо отца едва вырисовывалось во мгле. Глаза его были закрыты, через открытый рот вырывалось прерывистое дыхание. Отец дышал сам, безо всяких вспомогательных приборов. Врачи не предпринимали никаких героических усилий, чтобы продлить ему жизнь. Во-первых, такова была его собственная воля, во-вторых, это было уже невозможно.

Сняв куртку и кепку с надписью «ЗАГАДОЧНЫЙ ПОЕЗД», я бросил их на стул для посетителей, а затем встал у изголовья кровати — подальше от свечей — и взял руки отца в свои ладони. Кожа его была холодной и тонкой, подобно древнему пергаменту, ногти — желтыми и потрескавшимися, как никогда раньше.

Моего отца звали Стивен Сноу, и он был великим человеком. За всю свою жизнь он не выиграл ни одной войны, не издал ни одного закона, не сочинил ни одной симфонии, не написал ни одного романа, который принес бы ему славу, хотя и мечтал об этом в юности. И все же он был более велик, нежели любой из генералов, политиков, композиторов или всемирно известных писателей, когда-либо живших на земле.

Отец был велик своей добротой. Его величие состояло в том, что он был мягок, застенчив и полон смеха. Он был женат на моей матери тридцать лет, пока два года назад их не разлучила смерть. Но даже после этого, презрев все соблазны и искушения, отец хранил ей верность. Пусть наш дом в силу необходимости всегда погружен в темноту, любовь отца к моей матери была настолько ослепительной, что освещала все вокруг себя, и этого света хватало всем нам. Учитель литературы в Эшдоне, где мама преподавала технические дисциплины, отец пользовался такой любовью среди студентов, что многие из них продолжали общаться с ним и спустя десятилетия после своего выпускного вечера.

Когда я родился — отцу тогда было двадцать семь — и когда стал очевиден мой врожденный дефект, жизнь папы в корне изменилась. Но ни разу с тех пор он не пожалел о том, что подарил мне жизнь. Наоборот, отец постоянно давал мне почувствовать, что любит меня и гордится мной. Он шел по жизни достойно и без жалоб, никогда не упуская случая воздать должное тому в этом мире, что считал правильным.

Когда-то отец был большим и сильным мужчиной. Теперь его тело съежилось, усохло, стало серым и изможденным. Он выглядел гораздо старше своих пятидесяти шести. Зародившись в печени, рак перекинулся на лимфатическую систему, а затем стал распространяться и на другие органы, пока не поразил весь организм. В борьбе за жизнь отец потерял большую часть своей пышной седой шевелюры.

Зеленая линия на экране электрокардиографа стала судорожно корчиться и прыгать. Я с ужасом следил за этой жуткой пляской.

Отцовская ладонь слабо сжала мою руку. Опустив взгляд, я увидел, что его светло-голубые глаза смотрят на меня, будто пытаясь гипнотизировать.

— Хочешь воды? — спросил я, памятуя о том, что в последнее время его иссохшее тело постоянно просило пить.

— Нет, мне хорошо, — ответил он, хотя мне показалось, что в горле у отца пересохло. Голос его больше напоминал шепот.

Я не знал, что сказать.

На протяжении всей моей жизни в нашем доме не умолкали разговоры. Мы с мамой и с папой обсуждали новые книги, старые фильмы, выкрутасы политиков, жизнь поэтов, сов, летучих мышей, енотов и крабов — существ, деливших со мной ночь, спорили о музыке, истории, науке, религии и искусстве. Темы наших дискуссий распространялись от жизненного предназначения человека до мелких сплетен по поводу наших соседей. В семействе Сноу основным физическим упражнением являлась работа языком.

И вот теперь, когда мне было жизненно необходимо сказать отцу хоть что-то, я онемел.

Поняв мои затруднения и оценив их с обычной для него иронией, папа улыбнулся.

Впрочем, вскоре улыбка на его лице угасла. И без того вытянутое и изможденное, оно обострилось еще сильнее. Отец исхудал до такой степени, что, когда дрожащее пламя свечей освещало его черты, они казались лишь неверным отражением на поверхности ночного пруда.

В мерцающем свете мне на секунду почудилось, что лицо его дергается, а сам он — в агонии, но затем отец заговорил, и в голосе его неожиданно для меня прозвучала не боль, а сожаление.

— Я так виноват перед тобой, Крис! Ужасно виноват!

— Тебе не в чем винить себя, — поспешил я успокоить его, думая, что от высокой температуры и огромного количества лекарств он просто бредит.

— Я виноват за то наследство, которое оставил тебе, сынок.

— Все будет хорошо. Я далеко не бедняк.

— Речь не о деньгах. Их тебе хватит, — проговорил отец угасающим голосом. Слова медленно, словно белок из разбитого яйца, вытекали из его бледных губ. — Я говорю о том наследстве, которое оставили тебе мы с твоей матерью, — ХР.

— Не надо, папа! Вы же не знали!

Отец снова закрыл глаза. Слова его казались прозрачными.

— Я так виноват...

— Ты подарил мне жизнь, — сказал я.

Его рука обмякла в моей ладони. В какой-то момент мне показалось, что отец умер, и сердце камнем упало в моей груди. Однако зеленая линия на экране прибора подсказала мне, что он просто снова отключился.

— Ты подарил мне жизнь, — повторил я в растерянности от того, что он не может меня слышать.

* * *

Каждый из моих родителей — и папа, и мама — несли в себе уникальный ген, который встречается лишь у одного из двухсот тысяч человек. И существует лишь один шанс из миллиона, что двое таких людей встретятся, влюбятся друг в друга и захотят иметь детей. Но даже при этом лишь в одном из четырех случаев эти родительские гены передаются их отпрыску.

Мои старики попали в десятку по всем трем пунктам. В итоге я появился на свет с врожденным пигментозным экзодермитом — XP — крайне редким и чрезвычайно опасным генетическим заболеванием.

Чаще всего жертвы XP наиболее подвержены раку кожи и глаз. Именно поэтому для меня может оказаться смертельной даже небольшая доза света — солнечного или любого другого, — содержащего ультрафиолет. Его источником могут быть даже флуоресцентные лампы под потолком больницы.

Попадая на клетки кожи, солнечный свет наносит ущерб ДНК — нашему генетическому материалу, — способствуя появлению меланом и развитию других злокачественных образований. Организм нормальных людей обладает системой естественной защиты — ферментами, кодируемыми генами репарации ДНК, которые исправляют ошибки в нуклеотидных последовательностях. Однако с теми, кто помечен страшным тавром XP, все обстоит иначе. Ферменты в их организме не действуют, и поэтому он не способен «отремонтировать» себя. Под воздействием света у них быстро зарождаются и неконтролируемо развиваются раковые опухоли, вызванные ультрафиолетом.

В Соединенных Штатах Америки, с населением свыше двухсот семидесяти миллионов человек, проживает более восьмидесяти тысяч карликов и девяносто тысяч гигантов. В нашей стране уже насчитывается четыре миллиона миллионеров, и в течение нынешнего года еще десять тысяч счастливчиков пополнят эту славную когорту. Каждые двенадцать месяцев в тысячу наших сограждан попадает молния. Но при всем этом менее тысячи американцев страдают ХР и меньше сотни таких рождаются ежегодно. Их так мало отчасти из-за того, что само это несчастье крайне редко, но еще и потому, что такие, как я, долго не живут.

Большинство врачей, знакомых с ХР, полагали бы, что я должен был умереть еще в младенчестве. Мало кто из них поверил бы в то, что мне удастся дожить до юношеского возраста. И уж наверняка ни один из эскулапов не рискнул бы поспорить, что и в двадцать восемь я все еще буду коптить небо.

Существует лишь горстка иксперов — так я называю подобных себе, — которые старше меня, из них несколько человек — значительно старше, но большинство, если не все эти люди, страдают прогрессирующими нервными расстройствами, связанными с их врожденным дефектом. Трясущиеся руки и голова. Выпадение волос. Невнятная речь. Нарушения психики.

Что касается меня, то, если не считать вынужденной необходимости оберегать себя от света, я так же нормален, как любой другой человек. Я не альбинос, глаза мои не бесцветны, кожа не лишена пигмента. И хотя меня, конечно, не сравнишь с загорелыми мальчиками с калифорнийских пляжей, призраком меня тоже не назовешь. Как ни забавно, но в освещенных свечами комнатах — этом ночном мире, где я обитаю, — мое лицо может даже показаться смуглым.

В моем положении каждый новый день — бесценный подарок, поэтому я пытаюсь прожить его как можно более насыщенно и достойно. Я смакую свою жизнь. Я черпаю поводы для радости там же, где и все другие люди, но, помимо этого, заглядываю в такие уголки, где догадается пошарить далеко не каждый.

В двадцать третьем году до Рождества Христова поэт Гораций сказал: «Хватаясь за один день, лишаешь себя веры в завтра». Я же хватаюсь за ночь и скачу на ней, как на огромном черном жеребце.

Большинство моих соседей считают меня счастливейшим из всех живущих. В чем-то они правы. У меня был выбор — принять или отвергнуть счастье, — и я его сделал. Однако если бы не мои родители, мне бы это не удалось. Мать и отец в корне изменили свою жизнь, чтобы со всей страстью, на которую были способны, защищать меня от смертоносного света. Они были вынуждены безустанно, до изнеможения, сохранять бдительность — до тех пор, пока я не стал достаточно большим, чтобы осознать повисшее надо мной проклятие. Я выжил лишь благодаря их самоотверженным стараниям. Но самое главное, они подарили мне любовь и вкус к жизни, которые помогли мне избежать пучины отчаяния, не замкнуться в своей раковине.

Смерть мамы была внезапной. Она наверняка знала, насколько глубока моя любовь к ней, но как жаль, что в последний день ее жизни я не сумел сказать ей об этом еще раз.

Иногда, по ночам, на темном пляже, когда на небе нет ни облачка и его звездный свод заставляет меня чувствовать себя одновременно бессмертным и беззащитным, когда не дует ветер и даже морские волны накатываются на берег без шума, я рассказываю маме о том, как сильно любил ее и чем она была в моей жизни. Вот только не знаю, слышит ли она меня.

А теперь и отец — пусть еще живой, но уже совсем обессиленный — не услышал меня, когда я проговорил: «Ты подарил мне жизнь». И мне стало страшно. Вдруг он уйдет раньше, чем я успею сказать ему все, что не успел сказать маме?

Ладони отца оставались холодными и вялыми, однако я не выпускал их из рук, словно пытаясь удержать его в этом мире до тех пор, пока не смогу проститься с ним должным образом.

* * *

Узкие полоски света по краям штор потускнели и из оранжевых сделались огненно-красными. Солнце наконец-то кануло в океан.

Лишь в одном случае я смогу увидеть солнечный закат. Если когда-нибудь у меня все же начнется рак сетчатки, то прежде, чем капитулировать и окончательно погрузиться в беспросветную тьму, однажды вечером я спущусь к океану, встану на берегу и обращу взгляд к тем далеким азиатским империям, где мне не суждено побывать.

Мне придется щуриться. Яркий свет причиняет моим глазам боль, действуя на них столь разрушительно, что я физически ощущаю, как в голове разгорается пламя.

Ярко-красные полоски по краям штор стали лиловыми, и в этот момент отцовская рука сжала мою ладонь. Посмотрев вниз, я увидел, что глаза его открыты, и попытался высказать все, чем было полно мое сердце.

— Я знаю, — прошептал он в ответ.

Но я был уже не в состоянии остановиться и продолжал говорить даже о том, что не нуждалось в словах. Внезапно отец с неожиданной силой стиснул мои пальцы. Я умолк на полуслове, и в повисшей тишине он проговорил:

— Помни...

Я едва расслышал его и, перегнувшись через перила кровати, поднес левое ухо к губам отца. Слабым голосом, в котором тем не менее звучали вызов и решимость, он произнес последние слова напутствия:

— Ничего не бойся, Крис. Ничего...

И умер.

Зигзагообразная зеленая линия на экране дернулась раз, второй, а затем вытянулась идеально ровной нитью. Теперь лишь огоньки на черных фитилях свечей плясали в темной палате.

Я был не в силах сразу выпустить из рук изможденные ладони отца. Поцеловал его в лоб, затем — в покрытую легкой щетиной щеку.

Света по краям штор уже не было вовсе. Мир продолжал вращаться в зовущей меня темноте.

Дверь отворилась. Флуоресцентные лампы были предусмотрительно выключены, и коридор на всем своем протяжении освещался лишь светом из открытых дверей в другие палаты. Высокий, под самую притолоку, в комнату вошел доктор Кливленд и с печальным видом встал у кровати. Следом за ним быстрыми, словно у куличка, шагами проскользнула Анджела Ферриман, прижимая к груди крепко сжатый кулачок с побелевшими от напряжения костяшками. Плечи женщины поникли, вся она сгорбилась, будто смерть пациента причиняла ей физическую боль.

Аппарат ЭКГ у постели был соединен с комнатой медперсонала в холле, и сердечный ритм отца отражался на стоявшем там мониторе. В следующее мгновение после того, как папа умер, Анджела и доктор Кливленд уже знали об этом.

2 Зак. № 693 Кунц

Они пришли сюда без шприцев с эпинефрином и без дефибриллятора, который мог бы с помощью электрошока заставить отцовское сердце забиться вновь. Согласно воле отца, врачи не стали предпринимать никаких усилий, чтобы вернуть его к жизни.

Лицо доктора Кливленда не было предназначено для торжественных случаев. С веселыми глазами и пухлыми розовыми щеками, он походил скорее на Деда Мороза без бороды. Вот и сейчас доктор изо всех сил пытался придать своим чертам выражение скорби и сочувствия, но вместо этого лишь выглядел озадаченным.

Однако чувства, обуревавшие доктора, сполна отразились в его голосе, когда он участливо спросил:

— Ты в порядке, Крис?

— Держусь.

4

Из больницы я позвонил Сэнди Кирку в «Похоронное бюро Кирка», которому отец еще давным-давно отдал все распоряжения на случай своей смерти. Он пожелал, чтобы его тело кремировали.

Два санитара — молодые расхристанные парни с коротко остриженными волосами и жиденькими усиками — пришли, чтобы забрать тело отца и перевезти его в подвал, где находилась покойницкая. Они спросили меня, не хочу ли я пойти с ними и побыть там, пока не придет машина похоронного бюро, но я отказался. Это был уже не мой папа, а всего лишь его оболочка. Отец ушел в иные края. Я даже не стал откидывать простыню, чтобы в последнний раз взглянуть на него. Мне хотелось запомнить его другим.

Санитары переложили тело на носилки. Время от времени они косились на меня и двигались с какой-то неловкостью, хотя, казалось бы, их действия должны были быть отработанными. По быстрым взглядам, которые эти ребята бросали на меня, можно было подумать, что они чувствуют передо мной какую-то вину.

Может быть, тем, кто возит мертвецов, так никогда и не удается до конца избавиться от чувства вины за свою работу? Как приятно было бы думать, что подобная неловкость вызвана человеческим неравнодушием к судьбам ближних! К сожалению, людское сочувствие чаще оказывается показным.

Впрочем, вероятнее всего, косые взгляды этих двоих объяснялись обычным любопытством к моей персоне. В конце концов, я единственный житель Мунлайт-Бей, которому была посвящена большая статья в журнале «Тайм» в связи с выходом в свет моей книги, сразу же ставшей бестселлером. Кроме того, я — единственный, кто живет только ночью и сжимается от ужаса при появлении солнца. Вампир! Вурдалак! Отвратительный огромный оборотень! Прячьтесь, детишки!

Если говорить честно, то большинство людей проявляют по отношению ко мне доброту и понимание. Однако не бывает бочки меда без ложки дегтя. Существует и кучка злобных сплетников. Они верят любым нелепицам, которые слышат про меня, передают их дальше и наслаждаются этими небылицами с упоением зевак на процессах над ведьмами в Салеме.

Если санитары относились к последней категории, их, должно быть, постигло жестокое разочарование, ибо выглядел я совершенно обычно. Они не увидели ни мертвенно-белого лица, ни налитых кровью глаз, ни клыков. Я даже не стал заглатывать при них червей и пауков. Какая скучища!

Колеса каталки заскрипели, и санитары вывезли тело в коридор. Даже после того, как дверь за ними закрылась, до моего слуха все еще доносился этот неприятный звук: «Скуи-скуи-скуи-и-и...»

Оставшись один в освещенной свечами палате, я вынул из узкого стенного шкафа портфель отца. Там были лишь те вещи, в которых он прибыл в больницу в последний раз.

В верхнем ящике тумбочки лежали часы, портмоне и четыре книжки в бумажных переплетах. Все это я тоже сложил в портфель. Зажигалку сунул в карман, но свечи оставил на тумбочке. Я больше никогда не смогу вдыхать запах восковницы, слишком тяжелые ассоциации вызывает он у меня.

Если судить по тому, как деловито и споро мне удалось собрать нехитрые пожитки отца, можно было решить, что я полностью держу себя в руках. На самом же деле я словно окаменел. Погасил свечи, поочередно зажав фитили большим и указательным пальцами, но даже не почувствовал боли.

Когда, прихватив портфель, я вышел в коридор, медсестра снова погасила свет. Я направился прямиком к лестнице запасного выхода, по которой поднялся чуть раньше. Лифты были не для меня. В них нельзя отключить свет. Кроме того, во время недолгого путешествия между третьим и первым этажами кокосовый лосьон является для меня достаточной защитой, но что прикажете делать, если лифт вдруг застрянет и мне придется неизвестно сколько висеть между этажами? Нет, так рисковать я не мог.

Позабыв надеть темные очки, я быстро спускался по слабо освещенным бетонным ступеням, но, к собственному удивлению, не остановился, достигнув первого этажа. Движимый каким-то странным порывом, я продолжал спускаться дальше — в подвал, куда отвезли тело отца.

Холод у меня в груди превратился в пронизывающую стужу, и, вырвавшись из этого ледяного сгустка, мое тело сотрясли несколько судорог.

В мозгу у меня что-то вспыхнуло. Я вдруг осознал, что расстался с телом отца, забыв выполнить какой-то очень важный долг. Вот только какой?

Сердце билось так громко, что его стук отдавался у меня в ушах. Так — разве что вдвое медленней — стучит барабан во главе приближающейся похоронной процессии. Горло перехватило, и мне стоило большого труда сглотнуть слюну, в одночасье ставшую горькой.

Внизу лестничного пролета находилась стальная дверь пожарного выхода, о чем извещала надпись, сделанная большими красными буквами. Взявшись за перекладину ручки, я в замешательстве остановился. И тут вдруг вспомнил, какой именно долг мне предстояло выполнить.

Романтик по натуре, отец хотел, чтобы его кремировали вместе с любимой фотографией мамы, и взял с меня слово, что я прослежу за этим.

Фотография находилась в бумажнике отца, а бумажник — в портфеле, который был у меня в руке.

Я решительно толкнул дверь и вошел в подвальный коридор. Бетонные стены были выкрашены глянцевой белой краской, из серебристых полукруглых плафонов под потолком изливались потоки яркого света. Мне бы отпрыгнуть обратно или хотя бы поискать выключатель, но вместо этого я безрассудно двинулся вперед, позволив тяжелой двери захлопнуться за моей спиной. Втянув голову в плечи и пригнувшись, я надеялся только на то, что лосьон и длинный козырек бейсболки защитят мое лицо.

Левая рука была засунута глубоко в карман куртки, а вот правая сжимала ручку портфеля и потому оставалась беззащитной.

Того количества света, которое обрушится на меня во время пробежки по тридцатиметровому коридору, конечно, не хватит, чтобы спустить с цепи яростный рак кожи или сетчатки. Однако я знал, что смертоносное действие света на клетки носит кумулятивный характер, подобно радиации накапливаясь в моем беспомощном организме. Если бы на протяжении двух месяцев я регулярно — хотя бы на одну минуту — подставлял свое тело свету, эффект был бы таким же катастрофическим, как если бы я целый час кряду жарился на пляже.

Родители сызмальства внушали мне, что один или два необдуманных поступка не навлекут на меня больших бед. Поистине ужасные последствия будут грозить мне лишь в том случае, если безответственность войдет у меня в привычку.

Даже при том, что я низко наклонил голову, а козырек кепки скрывал мое лицо от похожих на скорлупу плафонов, мне приходилось щуриться из-за света, отражавшегося от белых стен.

Линолеум, сделанный под серый с красными прожилками мрамор, напоминал обветрившееся сырое мясо. Оттого, что мой взгляд невольно следил за его рисунком, и из-за слепящего отблеска от стен в глазах у меня зарябило. Я миновал склад и котельную. В подвале не было ни души. И вот я уже стою перед дверью, от которой минуту назад меня отделял коридор. Еще шаг — и я в небольшом подземном гараже.

Он не был предназначен для посетителей больницы. Те оставляли свои машины наверху.

Сейчас здесь стояли грузовой автофургон, на борту которого значилось название больницы, и реанимобиль, а в некотором отдалении был припаркован черный «Кадиллак» — катафалк похоронного бюро. Я испытал облегчение: значит, Кирк еще не уехал, забрав тело, и я успею вложить в скрещенные руки отца фотографию мамы.

Рядом с сияющим «Кадиллаком» находился еще один фургон марки «Форд» — такой же, как реанимобиль, только без обычных для медицинского транспорта мигалок на крыше. Обе машины — и фургон, и катафалк — стояли задом ко мне, обратившись мордами к поднимающимся вверх воротам гаража. Ворота были открыты, и погашенные фары машин безжизненно смотрели в темноту ночи.

В обычное время автомобили здесь ставить запрещалось, чтобы не мешать больничным фургонам, которые то и дело доставляли к грузовому лифту чистое белье, продукты и медицинское оборудование. В этот час тут, разумеется, царил покой.

Бетонные стены гаража были некрашеные, потолок — гораздо выше, чем в коридоре, да и ламп значительно меньше. Однако даже здесь я не мог чувствовать себя в достаточной безопасности и потому торопливо двинулся по направлению к «Кадиллаку» и белому «Форду».

В углу подвала, слева от въезда в гараж, располагалась дверь, знакомая мне буквально до боли в сердце. Холодильник. Хранилище для трупов. Мертвецкая. Тут покойники дожидаются часа, когда приедет катафалк похоронного бюро, чтобы забрать их в морг. В одну страшную январскую ночь, два года назад, мы с отцом при тусклом свете свечи больше получаса провели в этом холодном склепе рядом с безжизненным телом мамы. Мы были просто не в состоянии покинуть ее здесь одну. И если бы в ту ночь папа нашел в себе силы оставить меня одного, он, несомненно, последовал бы за ней в морг, а затем и в крематорий. Мужчина-поэт и женщина-ученый, но насколько схожие души!

«Скорая помощь» быстро забрала маму с места автокатастрофы, а из приемного покоя ее сразу же передали в руки хирургов. Она умерла через три минуты после того, как оказалась на операционном столе, так и не придя в сознание. Врачи даже не успели осмотреть полученные ею травмы.

Сейчас утепленная дверь в покойницкую была открыта, и, приблизившись к ней, я услышал, что внутри сердито спорят несколько мужских голосов. Они явно не хотели быть услышанными кем-то из посторонних, поэтому старались говорить приглушенно. Но даже не злость в голосах споривших, а то, что они шептались, как заговорщики, заставило меня замереть на месте, не дойдя до порога. Забыв о льющихся сверху потоках убийственного света, я врос в бетонный пол, не зная, что предпринять. Вдруг из-за двери послышался голос, который был мне хорошо знаком:

— Что это за парень, которого мне предстоит кремировать? — спросил Сэнди Кирк.

— Никто, — ответил его собеседник. — Обычный бродяга. Хичхайкер. Путешествовал автостопом.

— Ты должен был привезти его прямо ко мне, — раздраженно заметил Сэнди. — А что будет, когда его хватятся?

— Ну что, черт возьми, будем мы что-то делать или нет? — вмешался в разговор третий человек, и по голосу я сразу признал в нем одного из санитаров, забиравших тело отца из палаты.

До меня вдруг дошло, что, если собравшиеся в мертвецкой обнаружат мое присутствие, мне будет грозить нешуточная опасность. Я осторожно поставил портфель у стены, освобождая правую руку.

На пороге показался человек. Меня он не увидел, поскольку пятился спиной, вывозя за собой каталку.

Катафалк стоял метрах в трех от входа в покойницкую. Прежде чем меня заметили, я юркнул к нему и скорчился возле задних дверей, через которые в машину загружают тела.

Выглянув из-за крыла автомобиля, я вновь увидел дверь в мертвецкую. Мужчина, пятившийся задом, был мне незнаком: лет под тридцать, высокий, крепкого сложения, с бычьей шеей и наголо бритой головой. Одет он был в грубые ботинки, джинсы и красную клетчатую рубаху из фланели. В мочке его уха болталась жемчужная сережка.

Окончательно выкатив тележку из мертвецкой, человек развернул ее в направлении катафалка, чтобы толкать перед собой. На каталке лежало тело в черном пластиковом мешке, застегнутом на «молнию». Два года назад в этой самой комнате мою мать, прежде чем отдать в распоряжение гробовщика, уложили в точно такой же мешок.

Следом за лысым незнакомцем в гараж вышел Сэнди Кирк, придержал каталку и, преградив ей путь ногой, задал все тот же вопрос:

— Так что будет, когда его хватятся?

Лысый нахмурился и мотнул головой.

— Говорю же тебе, он был бродягой. Таскал все свое барахло в рюкзаке за спиной.

— Ну и что?

— Кто его хватится? Подумаешь, исчез какой-то оборванец! Никто и не заметит.

Сэнди было тридцать два, и выглядел он настолько блестяще, что, даже несмотря на свое жуткое занятие, не знал отбоя от женщин. Этот человек обладал обаянием, не был столь же надменно-торжественен, как его собратья по цеху, но все-таки в общении с ним я всегда ощущал странную неловкость. Его красивые мужественные черты казались мне маской, под которой скрывается... нет, даже не какое-то другое лицо, а пустота. Меня не отпускало ощущение, будто он не просто не тот человек, за которого себя выдает, а вообще не человек.

— Но в больнице останутся его документы, медицинская карта, — не отставал Сэнди.

— Ничего тут не останется, — парировал лысый. — Он вообще умер не здесь. Я подобрал его вчера на шоссе, где он пытался остановить машину. Говорю же тебе, он — хичхайкер. Путешествовал автостопом.

Я ни разу и никому не обмолвился о своем непростом восприятии Сэнди Кирка — ни родителям, ни Бобби Хэллоуэю, ни Саше, ни даже Орсону. Слишком много людей в разное время бездумно говорили обо мне всякие пакости только потому, что я для них непонятен и веду ночной образ жизни, так что теперь мне не хотелось бы вступать в клуб любителей жестокости, говоря о ком-нибудь дурно без достаточно веских причин.

Фрэнк, отец Сэнди, был чрезвычайно симпатичным человеком, которого любили все окружающие, и Сэнди никогда не делал ничего такого, что могло бы выставить его в менее выгодном свете по сравнению с отцом. Вплоть до сегодняшнего дня.

— Я очень рискую, — вновь обратился он к человеку с серьгой.

— Ты неприкасаемый.

— Поживем — увидим.

— Увидишь в свое время, — ответил лысый и перекатил тележку через ногу Сэнди. Тот выругался и отступил в сторону, а лысый двинулся по направлению ко мне. Колеса каталки скрипели точь-в-точь как у той, на которой увезли отца.

Все так же скрючившись, я обогнул заднюю часть «Кадиллака», оказавшись между ним и белым фургоном. Быстрого взгляда на его кузов хватило, чтобы убедиться: названия какой-либо компании или учреждения на нем не значилось.

Скрип каталки раздавался все ближе.

Инстинкт подсказывал, что мне грозит смертельная опасность. Я застал этих людей за каким-то хоть и непонятным для меня, но явно противозаконным занятием. И самым опасным свидетелем для них в данной ситуации, несомненно, являлся именно я.

Бросившись лицом на бетонный пол, я скользнул под катафалк — подальше от взглядов, от яркого света, в спасительную тень — прохладную и гладкую, словно шелк. Тут, правда, было очень тесно, и, когда я протиснулся чуть дальше, спина моя уперлась в днище автомобиля.

Я лежал лицом к багажнику. Каталка проскрипела мимо «Кадиллака» и продолжала двигаться дальше, по направлению к белому фургону.

Повернув голову вправо, я увидел в нескольких метрах от себя порог мертвецкой, начищенные до блеска черные ботинки Сэнди и отвороты его синих брюк. Он стоял на месте, по всей видимости, провожая взглядом мужчину с каталкой.

Прямо позади Сэнди, возле стены, стоял маленький портфель моего отца. Спрятать его было негде, а оставь я его при себе, не смог бы быстро двигаться и бесшумно проскользнуть под катафалк.

Судя по всему, портфель пока никто не заметил. И, дай Бог, не заметит.

Двое санитаров — я узнал их по белым туфлям и брюкам — вывезли из мертвецкой вторую каталку. У этой колеса не скрипели. К тому времени первая тележка находилась уже возле фургона. Я слышал, как лысый открывает дверцы грузового отсека.

Один из санитаров, обращаясь к напарнику, проговорил:

— Пойду-ка я лучше наверх, пока меня никто не хватился.

После этих слов он развернулся и направился в дальний конец гаража.

Покалеченные колеса первой каталки с визгом завертелись. Видимо, переложив груз в машину, лысый с силой оттолкнул ее в сторону.

Оставшийся санитар подкатил вторую тележку к «Кадиллаку», и Сэнди открыл заднюю дверь катафалка. На этой каталке, судя по всему, тоже лежал черный пластиковый мешок, в котором покоилось тело безымянного бродяги.

Я не мог отделаться от чувства нереальности происходящего. Что все это значит? Мне казалось, я вижу сон наяву.

Дверцы в грузовой отсек фургона с грохотом захлопнулись. Посмотрев налево, я увидел тяжелые ботинки лысого. Он направлялся к водительской двери.

Санитар наверняка будет торчать здесь до тех

пор, пока не уедут обе машины, чтобы закрыть за ними ворота. Значит, если я останусь под катафалком, он обнаружит меня сразу же после того, как Сэнди тронется с места.

Я не знал, какой именно из санитаров остался в гараже, да это и не имело значения. Я, в общем-то, был уверен, что сумею справиться с любым из этих парней, забравших моего отца со смертного ложа. Однако, выезжая из гаража, Сэнди Кирк мог заметить меня, посмотрев в зеркало заднего вида, и тогда мне пришлось бы иметь дело уже не с одним, а с двумя.

Двигатель фургона заработал.

В тот момент, когда Сэнди и санитар перекладывали тело с каталки в катафалк, я выбрался из своего укрытия. С головы моей слетела кепка. Я поднял ее и, не смея оглянуться, по-крабьи прополз три метра, отделявшие меня от распахнутой двери мертвецкой. Оказавшись внутри холодной комнаты, я поднялся на ноги и спрятался за дверью, вжимаясь спиной в бетонную стену.

Никто в гараже не закричал, не поднял тревогу. Не заметили!

Только сейчас я понял, что все это время сдерживал дыхание, и со свистом выпустил его сквозь сжатые зубы. Мои измученные светом глаза слезились. Я вытер их тыльными сторонами ладоней.

Две стены этого помещения были заняты выстроенными в несколько рядов выдвижными ящиками из нержавеющей стали. Температура в них была еще ниже, чем в самой покойницкой, хотя даже здесь царил такой холод, что меня била дрожь.

У одной из стен стояли два жестких деревянных стула. Пол был выложен белой кафельной плиткой. Швы между ее рядами были почти незаметны.

Очень предусмотрительно: если мешок с разложившимся трупом даст течь, такой пол будет гораздо легче отмыть.

Здесь тоже горели яркие лампы дневного света. Их было много, даже слишком, поэтому я натянул свою кепку с «ЗАГАДОЧНОГО ПОЕЗДА» по самые брови. Как ни странно, темные очки в нагрудном кармане рубашки уцелели, и я с облегчением надел их.

Любой, даже самый сильный лосьон пропускает некоторое количество ультрафиолетовых лучей, я же в течение последнего часа «наглотался» больше света, чем за весь прошлый год. Мысль о том, что внутри меня постепенно накапливается молчащая до поры смерть, гремела в мозгу топотом копыт зловещего черного скакуна.

Мотор фургона в гараже заработал громче, и его рычание донеслось до меня через открытую дверь. Вскоре оно начало удаляться, стало глуше и под конец превратилось в едва слышное мурлыканье.

Следом за фургоном в ночи скрылся и «Кадиллак». Огромная дверь гаража, приводимая в действие электрическим мотором, поползла вниз и наконец с грохотом закрылась. От этого удара по подземным чертогам больницы раскатилось эхо, выбив из бетонных стен дрожащую тишину.

Я замер, сжав кулаки.

Санитар, без сомнения, все еще находился в гараже, но оттуда не доносилось ни звука. Я представлял, как он, недоуменно склонив голову, рассматривает отцовский портфель.

Еще минуту назад я не сомневался в том, что смогу одолеть этого парня, но теперь уже не был так уверен. Физически я был сильнее его, но он мог обладать жестокостью, которой был начисто лишен я.

Я не слышал его приближения, а между тем санитар уже находился в считанных сантиметрах от меня, по другую сторону двери. Его присутствие выдали резиновые подошвы туфель, взвизгнувшие на кафельном полу, когда он переступил порог мертвецкой. Сделай он еще пару шагов вперед, и столкновения не избежать. Нервы мои были натянуты, как взведенная пружина.

Помешкав на пороге, санитар выключил свет и попятился из комнаты, потянув за собой дверь. Я слышал, как он вставил ключ в замочную скважину. Язычок замка щелкнул, словно затвор крупнокалиберного пистолета.

Вряд ли сейчас в заиндевевших стальных ящиках морга лежал хоть один мертвец. Больница Милосердия в тихом Мунлайт-Бей не печет покойников с такой же скоростью, как медицинские заведения крупных городов. Однако даже если бы в каждом из этих ящиков угнездился спящий, которому не суждено проснуться, я вряд ли стал бы нервничать. Настанет день, и я буду так же мертв, как мертв любой другой житель погоста, причем для меня это время придет, пожалуй, раньше, чем для любого из моих сверстников. Мертвые — это всего лишь мои будущие соседи.

Свет — вот чего я боялся по-настоящему, и сейчас чудесная темнота в этой холодной комнате без окон была для меня как студеная вода для умирающего от жажды. С минуту, а может, и дольше я наслаждался благодатной тьмой, омывавшей мои глаза и кожу.

Двигаться не хотелось, и я продолжал стоять за дверью, прислонившись спиной к стене. Мне казалось, что санитар вот-вот вернется, и тогда... Сняв темные очки, я снова сунул их в нагрудный карман рубашки.

В окружавшей меня кромешной тьме вдруг ослепительным фейерверком взорвалась страшная мысль: тело моего отца находится в белом фургоне, и его увозят в неизвестном направлении. Пусть мертвый, но он в плену у людей, чьи намерения абсолютно вне моего понимания.

Я не мог придумать никакого логичного объяснения этой чудовищной манипуляции с трупами. Разве что причиной смерти отца стал вовсе не рак... Однако если его бедные кости могли кого-то разоблачить, то почему виновный не позволил Сэнди Кирку просто сжечь их в крематории и тем самым уничтожить улики?

Значит, его тело кому-то нужно.

Но зачем?

Руки мои, сжатые в кулаки, похолодели, а шея, наоборот, покрылась испариной.

Чем дольше я размышлял над сценой, невольным свидетелем которой стал, тем неуютнее мне становилось в этом холодильнике — пересадочной станции для мертвых в их путешествии к конечному пункту назначения. Необъяснимые события разбудили первобытные страхи, дремавшие так глубоко в моем сознании, что я даже не мог различить их очертания по мере того, как они всплывали и кружили на поверхности тьмы.

Совершенно ясно, что вместо моего отца они замыслили кремировать убитого ими бродягу. Но для чего было лишать жизни этого несчастного? Сэнди мог преспокойно наполнить бронзовую погребальную урну обычной древесной золой, и я был бы убежден, что там — останки моего бедного отца.

Вряд ли Сэнди думал, что, получив запечатанную урну, я посмею ее открыть, и уж тем более не предполагал, что мне вдруг придет в голову отправить ее содержимое на экспертизу, дабы установить истинное происхождение праха.

Мои рассуждения окончательно зашли в тупик и барахтались в сплетенных кем-то сетях. В голову ничего не приходило.

Дрожащей рукой я вынул из кармана зажигалку, прислушался, не раздаются ли по другую сторону двери крадущиеся шаги, и высек огонь.

Я бы ничуть не удивился, увидев, что из стального саркофага в жутком молчании выбирается и подходит ко мне алебастровое тело покойника — с почерневшим и кривляющимся в неверном свете лицом, широко открытыми слепыми глазами и ртом, который раскрывается в попытке поведать какой-то секрет, но не может вымолвить ни звука. Однако ни одного мертвеца предо мной не стояло. Лишь узкие змейки света и тени плясали на стальной поверхности ящиков, создавая иллюзию движения. Казалось, все они одновременно выдвигаются — сантиметр за сантиметром.

Исследовав дверь, я обнаружил, что она легко открывается изнутри. Это было предусмотрено для того, чтобы никто случайно не оказался запертым в покойницкой. Ключ тут не требовался, достаточно было повернуть дверную ручку, и язычок замка отходил. Я постарался сделать это как можно тише. Запор негромко щелкнул.

В гараже царила глубокая тишина. Было очевидно, что здесь никого нет, и все же я оставался начеку. Не исключено, что кто-то притаился за одной из колонн, грузовым фургоном или автомобилем реанимации.

Съежившись под струями света, я, к своему сожалению, обнаружил, что отцовский портфель исчез. Должно быть, его подобрал санитар.

Мне не хотелось выходить из больничного подвала по той же лестнице, по которой я сюда пришел. Слишком велик был риск наткнуться на санитара, а то и на обоих. Пока они не открыли портфель и не изучили его содержимое, им неизвестно, кому он принадлежит. Но как только санитары обнаружат бумажник отца с его удостоверением, они сразу же догадаются, что я побывал в гараже, и всполошатся, не удалось ли мне что-нибудь подсмотреть или подслушать.

Эти люди убили беззащитного хичхайкера не потому, что он что-то узнал и мог вывести их на чистую воду. Им «всего лишь» (хоть и непонятно, зачем) было необходимо тело для кремации. С тем же, кто представляет для них настоящую угрозу, они будут и вовсе беспощадны.

Я нажал кнопку, приводящую в действие широкие ворота, мотор загудел, и они с пугающим лязганьем поползли вверх. Я нервно оглянулся на гараж, опасаясь, что из его темноты вот-вот кто-то выскочит и бросится на меня.

Когда ворота поднялись больше чем наполовину, я остановил их с помощью второй кнопки и тут же нажал на третью, опускавшую массивную металлическую штору. Стоило ей двинуться в обратном направлении, я проскользнул под нею и юркнул в ночь.

Пологий выезд из подземного гаража был залит холодным мутным светом высоких уличных фонарей. Верхняя часть выезда также омывалась этим размытым равнодушным свечением. Наверное, такое же царит в преддверии ада, но не того, где обрекают на вечные муки огнем, а того, в котором пытают холодом.

По мере возможности я пытался пробираться по ухоженной парковой зоне, скрываясь в густой тени елей и камфарных деревьев. Торопливо перебежал на другую сторону узкой улочки и оказался в жилом квартале, застроенном причудливыми бунгало в испанском стиле, а затем припустил еще быстрее. По темной аллее. Позади домов с освещенными окнами. Мимо окон, за которыми шла жизнь, полная еще не оперившейся одаренности и благословенной посредственности, текущая вне пределов моего понимания и досягаемости.

Иногда по ночам я ощущаю себя невесомым, и сейчас наступил именно такой момент. Подобно летящей сове я скользил в мягкой ночной тени. Этот лишенный света мир взращивал и лелеял меня на протяжении двадцати восьми лет, здесь мне всегда было покойно и уютно. Но сейчас — впервые в жизни — меня не отпускало ощущение, что, скрываясь в темноте, за мной по пятам гонится какое-то жуткое существо.

Подавляя в себе желание оглянуться, я прибавил ходу и полетел по узким боковым улочкам и переулкам Мунлайт-Бей.

Часть вторая

ВЕЧЕР

5

На фотографиях я не раз видел калифорнийские перечные деревья при свете солнца. Они выглядят кружевными и грациозными — на зависть всем другим деревьям. По ночам «перцы», как я их называю, смотрятся совсем иначе и напоминают дев со склоненными головами. Их длинные ветви — словно распущенные волосы, которые, низко свисая, прячут печальное лицо.

Именно эти деревья выстроились вдоль длинной подъездной дорожки к «Похоронному бюро Кирка». Дом и холмистый участок в полтора гектара расположились на самом краю города, в его северо-восточной части. Рядом проходит шоссе № 1, и, свернув с него, сразу оказываешься во владениях Кирка.

Деревья были подобны скорбящим, провожающим в последний путь близкого человека.

Я двинулся вверх по дорожке, на которую стоявшие вдоль нее лампы грибовидной формы отбрасывали круглые пятна света. Листья деревьев зашептались. Налетев с океана, теплый ветерок приглушенно выражал свои соболезнования их поникшим кронам.

Возле дома печали не было припарковано ни одного автомобиля. Значит, сегодня вечером никто не прощался со своим усопшим.

Сам я передвигаюсь по Мунлайт-Бей только

пешком или на велосипеде. Мне нет смысла учиться водить машину. Днем я ездить не смогу, а ночью пришлось бы надевать темные очки, чтобы уберечь глаза от фар встречных автомобилей. Но полицейские, как известно, косо смотрят на водителей, которые разъезжают по ночам в черных очках.

На небосводе взошла полная луна.

Я люблю луну. Она светит, не обжигая. Она высвечивает красивое и скрывает уродливое.

На вершине широкого взгорка асфальтовая дорога делала большой круг, внутри которого находилась лужайка. Посередине нее стояла цементная копия скульптуры Микеланджело «Пьета».

Луна посеребрила тело мертвого Христа, лежавшего на руках матери, от Девы тоже исходило это мягкое свечение. При свете дня эта грубая подделка выглядела, должно быть, невероятно топорной.

Впрочем, оказавшись перед лицом страшной утраты, большинство людей ищут утешение, обращаясь мыслями к вечному, пусть даже оно имеет такое неуклюжее воплощение, как эта жалкая попытка повторить шедевр бессмертного ваятеля. Что мне нравится в людях, так это их способность воспарить духом даже при виде тоненького лучика надежды.

Остановившись под козырьком, нависавшим над порогом похоронного бюро, я замешкался, прикидывая, насколько серьезна угрожавшая мне опасность.

Массивный двухэтажный дом в георгианском стиле — из красного кирпича, с белыми деревянными украшениями — мог бы стать красивейшим зданием в городе, если бы только этот город не был светлым и жизнерадостным Мунлайт-Бей. Космический корабль из другой галактики, приземлившийся здесь, и тот показался бы более к месту, нежели мрачный дворец Кирка. Возле этого дома положено расти не перечным деревьям, а торжественным вязам, над его крышей должны разверзаться грозовые хляби, а не сиять чистое небо Калифорнии, здесь должны хлестать холодные ливни, а не ласковые теплые дожди.

Окна второго этажа, где жил Сэнди, были темными. На первом этаже располагались комнаты, в которых близкие прощались со своими усопшими. Через декоративные цветные окошки на входной двери из глубины дома пробивался слабый свет.

Я позвонил.

В холле появилась мужская фигура и приблизилась к двери. Я различал лишь силуэт, но сразу узнал Сэнди Кирка по его легкой походке. Грация, с какой он двигался, лишь добавляла ему неотразимости.

Оказавшись в прихожей, Сэнди щелкнул выключателем, и по обе стороны от входной двери вспыхнули наружные лампы. Хозяин похоронного бюро открыл дверь и откровенно удивился, увидев меня, щурившегося на него из-под длинного козырька бейсболки.

— Кристофер?

— Добрый вечер, мистер Кирк.

— Я так скорблю в связи с кончиной твоего отца! Он был чудесным человеком.

— Да, это верно.

— Мы уже забрали его тело из больницы и, поверь, Кристофер, обращаемся с ним так, как если бы он был членом нашей семьи — с огромным уважением. Я ведь прослушал в Эшдоне курс его лекций по поэзии XX века. Ты знал об этом?

— Да, конечно.

— Именно он научил меня любить Элиота и Паунда, Одена и Плэта, Беккета и Эшбери. Роберта Блая. Йейтса. Всех их. Я терпеть не мог поэзию, когда пришел к нему в класс, и уже не мог без нее жить, выйдя оттуда.

— Уоллес Стивенс, Дональд Джастис, Луиза Глюк — они были его любимыми.

Сэнди улыбнулся и согласно кивнул, но тут же спохватился:

— О, извини, я забыл...

С этими словами он поспешно выключил свет в прихожей и на крыльце.

— Да, ужасная потеря, — прозвучал его голос с темного порога. — Тебе, должно быть, невероятно тяжело. Остается утешаться лишь мыслью о том, что он наконец-то избавлен от страданий.

Вообще-то глаза у Сэнди зеленые, но в бледном свете луны они казались черными и блестящими, как панцирь жука. Не отводя от них взгляда, я спросил:

— Могу я его видеть?

— Кого? Гм, твоего отца?

— Я даже не простился с ним, когда его увозили из палаты. В тот момент мне казалось, что это ни к чему. А теперь... Мне хотелось бы взглянуть на него в последний раз.

Глаза Сэнди Кирка напоминали безмятежную гладь океана, однако под видимым спокойствием скрывалась бездонная бездна. В голосе его по-прежнему звучало профессионально-сдержанное сочувствие к человеку, потерявшему близкого.

— О, Кристофер... Мне так жаль, но... процесс уже начался.

— Вы сунули его в печку?

Сэнди вырос в семье, испокон века занимавшейся похоронным бизнесом, а в этой среде, как ни в одной другой, чрезвычайно широко используются эвфемизмы. Поэтому сейчас он болезненно поморщился. Прямота, с которой был поставлен мой вопрос, покоробила его.

— Да, покойный уже находится в кремационной печи.

— Но почему так быстро?

— Проволочки в нашем деле ни к чему, сам понимаешь. Конечно, если бы я знал, что ты придешь...

«Интересно, — подумал я, — смог бы он так же спокойно встретиться своими похожими на крылышки жуков глазами с моим взглядом при свете солнца? Жаль, что мне не суждено проверить это».

Поскольку я молчал, Сэнди Кирк вновь заговорил.

— Ты не представляешь, как я расстроен, Кристофер, — произнес он. — Тебе так тяжело, а я мог бы помочь тебе, и вот...

Живя своей необычной жизнью, в некоторых вещах я искушен, в других же являюсь полным профаном. Однако, хотя я и не в ладах с днем, ночь мне знакома как никому другому. Поскольку я частенько являлся мишенью для жестоких нападок со стороны невежественных дураков, мне приходилось учиться пониманию человеческих сердец лишь в общении с родителями и любящими меня друзьями, которые, подобно мне, живут преимущественно между закатом и рассветом. Поэтому мне редко приходилось сталкиваться с откровенной ложью, но сейчас я был шокирован наглым враньем Сэнди. Мне казалось, что оно пачкает не только его самого, но и меня. Выдерживать взгляд его обсидиановых глаз стало мне не под силу. Я опустил голову и уставился в пол.

Ошибочно приписав это моему горю в связи со смертью отца, Сэнди переступил порог и положил руку мне на плечо. Мне стоило большого труда не отшатнуться.

— Моя работа состоит в том, чтобы утешать скорбящих, Кристофер, и обычно у меня это неплохо получается. Но, говоря откровенно, я не знаю слов, которые могли бы объяснить смерть или сделать ее менее тяжелой.

Мне хотелось изо всех сил дать ему в брюхо.

— Ничего, я справлюсь, — насилу выдавил я, понимая, что должен уходить отсюда как можно скорее, прежде чем не натворил чего-нибудь безрассудного.

— Обычно я преподношу людям стандартный набор банальностей, которых ты нипочем не найдешь в произведениях поэтов, любимых твоим отцом. Тебе я их говорить не буду.

Не поднимая головы, я кивнул и попятился, высвобождая плечо из-под его ладони.

— Спасибо, мистер Кирк. Извините, что побеспокоил.

— Ты меня ничуть не побеспокоил. Ничуть. Жаль только, что ты не позвонил чуточку раньше. Тогда я смог бы... немного повременить.

— Вы не виноваты. Все в порядке. Правда.

Я стал пятиться с покатого крыльца, на котором не было ступеней, и, оказавшись на асфальтовой дорожке, повернулся к Сэнди спиной. Он в свою очередь подался назад к порогу и спросил напоследок:

— Ты уже решил, как организовать похороны? Где проводить службу?

— Нет, пока не думал. Я сообщу вам завтра.

— Ты в порядке, Кристофер? — спросил он, обращаясь уже к моей спине.

— Да, я в порядке. Все будет хорошо. Спасибо вам, мистер Кирк.

— Жаль, что ты не позвонил мне заранее.

Я сокрушенно развел руками, сунул их в карманы куртки и двинулся вниз по склону, снова миновав «Пьету».

В лунном свете поверхность скульптуры блестела тысячами крошечных пятнышек слюды, вкрапленных в ее тело, и казалось, что по щекам Богоматери текут взаправдашние слезы.

Я с трудом подавлял в себе желание обернуться, поскольку был уверен, что владелец похоронного бюро смотрит мне вслед. Вместо этого я продолжал спускаться по дороге между рядами печальных, шепчущих что-то деревьев. Дневная жара спала, но термометр наверняка показывал не меньше двадцати пяти градусов. Пролетевший тысячи миль над океаном ветер доносил до меня его едва уловимый запах.

Изгиб подъездной дорожки наконец вывел меня туда, где Сэнди, если бы он продолжал стоять на крыльце, не смог бы меня увидеть. Тут я наконец-то обернулся. С этого места мне была видна лишь крутая крыша и черные очертания дымовых труб на фоне усеянного звездами неба.

Сойдя с асфальта на газон лужайки, я снова устремился вверх по склону, пытаясь на этот раз прятаться в тени, отбрасываемой листвой. Перечные деревья пытались поймать луну в сеть, сплетенную из своих кос.

6

Моему взгляду вновь предстали круглый разворот дорожки, «Пьета» посередине него и крыльцо. Сэнди вернулся в дом. Входная дверь была закрыта.

Двигаясь, как прежде, по траве и прячась за деревьями и кустами, я обогнул особняк. Огромный внутренний дворик — патио, — длинная лестница, спускающаяся к двадцатиметровому плавательному бассейну, идеально ухоженный розовый сад — из окон комнат, куда допускались посетители, вся эта роскошь была не видна.

В городке размером с наш на свет ежегодно появляется примерно две сотни новых граждан, и около ста за это же время переселяются в мир иной. В Мунлайт-Бей существует всего два похоронных бюро, и заведение Кирка, по моим расчетам, загребает примерно семьдесят процентов всей прибыли от этого бизнеса. Благодаря чужой смерти жизнь Сэнди была превосходной.

Должно быть, днем от вида, открывавшегося из патио, захватывало дух: к востоку, насколько хватает глаз, плавными грядами раскинулись пустынные холмы, на которых там и сям возвышались грубые черные стволы дубов. В этот час укутанные туманом холмы напоминали великанов, заснувших под огромной белой простыней.

Убедившись в том, что из освещенных окон за мной никто не наблюдает, я проворно пересек патио. Белая, как лепесток розы, луна бесшумно плыла в чернильной воде бассейна.

К дому примыкал просторный гараж в форме кочерги, а между двумя его крыльями располагалась автомастерская, попасть в которую можно было лишь со стороны фасада. В гараже стояли два катафалка и личные машины Сэнди, а вот в дальней его части, наиболее отдаленной от жилых помещений, располагался крематорий.

Скользнув за угол гаража, я пошел вдоль стены. Сквозь густые кроны росших здесь огромных эвкалиптов свет луны не пробивался вовсе. Воздух был напоен лекарственным запахом, земля — устлана толстым ковром опавших листьев, хрустевших у меня под ногами.

Мне хорошо знакомы все уголки Мунлайт-Бей, а этот — в особенности. Многие ночи я провел, исследуя наш забавный городок, и во время этих вылазок мне не раз доводилось делать довольно страшные открытия.

Впереди и чуть левее от меня холодным светом мерцало окно крематория. Я приближался к нему с уверенностью — и правильность ее вскоре подтвердилась, — что сейчас увижу нечто гораздо более странное и жуткое, нежели то, что довелось увидеть нам с Бобби Хэллоуэем одной из октябрьских ночей, когда нам обоим было по тринадцать...

* * *

Пятнадцать лет назад я был так же безрассуден, как любой мальчишка в моем возрасте. Меня так же, как всех моих сверстников, завораживала и неодолимо влекла к себе зловещая тайна смерти. С Бобби Хэллоуэем мы дружили уже тогда, и както раз наши головы посетила шальная мысль пошарить во владениях хозяина похоронного бюро в поисках чего-нибудь мерзкого, ужасного и отвратительного.

Не помню уж, что мы рассчитывали — или надеялись? — там найти. Может, коллекцию черепов? Или дверную штору из человеческих костей? Потайную лабораторию, в которой тайные маньяки

Фрэнк Кирк и его сын Сэнди призывали из грозовых туч молнии, чтобы оживлять наших умерших соседей и затем использовать их в качестве рабов для готовки и работы по дому? А может, в одном из мрачных, заросших ежевикой уголков розового сада мы ожидали найти алтарь для поклонения богам зла?

В то время мы с Бобби буквально зачитывались произведениями Г. П. Лавкрафта.

Бобби и сейчас любит повторять, что мы были странными парнями. «Да, — соглашаюсь я, — конечно, но не более и не менее странными, чем остальные наши сверстники». — «Может, и так, — кивает Бобби, — да только все они выросли и растеряли свои странности, мы же — наоборот».

В этом я с Бобби не согласен. Мне не кажется, что я более странен, чем любой из тех, с кем мне доводилось встречаться. На самом деле во мне гораздо меньше странного, чем в ком-либо еще.

То же самое относится и к Бобби, но поскольку он чуть ли не молится на свои воображаемые странности, то и от меня ожидает того же.

Бобби настаивает на том, что он чудной. По его словам, осознавая и культивируя свои странности, мы тем самым оказываемся в большей гармонии с природой, поскольку она сама по своей сущности чрезвычайно странна.

Так или иначе, но той октябрьской ночью на заднем дворе похоронного бюро мы с Бобби Хэллоуэем обнаружили большой гараж, а в нем — окно крематория. Загадочный свет, струившийся оттуда, притягивал нас словно магнит.

Окно располагалось высоко, и мы, тогда еще недоростки, никак не могли дотянуться, чтобы заглянуть в него. Крадучись, словно коммандос, проникшие на разведку во вражеский лагерь, мы притащили из патио белую тисовую скамейку и поставили ее под окном. Взгромоздившись бок о бок на лавку, мы наконец-то смогли разглядеть, что делалось внутри.

Окно было занавешено жалюзи, но кто-то опрометчиво оставил его створки открытыми, и нам был прекрасно виден и Фрэнк Кирк, и его помощник, занятые своей работой.

Лившийся из комнаты свет был недостаточно ярок, чтобы причинить вред моим глазам. По крайней мере именно в этом я старался убедить себя, прилепившись носом к стеклу. Хотя меня сызмальства приучали к осторожности, я все же оставался обыкновенным мальчишкой с присущими каждому из них страстью к приключениям и духом товарищества. Поэтому в тот момент я, возможно, был готов сознательно рисковать своими глазами, лишь бы только вкусить сладость этого момента на пару с Бобби Хэллоуэем.

На каталке из нержавеющей стали возле окна лежало тело пожилого мужчины. Оно было накрыто простыней, и мы видели лишь его опустошенное смертью лицо. Седые с желтизной волосы покойника были всклокочены, будто смерть застигла его во время ураганного ветра, однако по серому восковому лицу, ввалившимся щекам и ужасным потрескавшимся губам можно было понять, что несчастного свела в могилу вовсе не буря, а долгая и мучительная болезнь.

Даже если бы мы знали этого мужчину при жизни, нам ни за что не удалось бы признать его теперь, настолько он был изнурен и пепельно-бледен. Однако если бы мы хоть раз видели его при жизни, сейчас, глядя на его останки, мы наверняка не испытывали бы той сладкой жути, которая пронизывала нас в тот момент.

Нам было всего по тринадцать, и мы гордились этим. Стоит ли удивляться тому, что наиболее восхитительным, замечательным и притягательным в этом трупе нам казалась именно самая жуткая его деталь. Один глаз мертвеца был закрыт, зато второй — широко распахнут, ярко-красный от страшного кровоизлияния.

Как же гипнотизировал нас этот глаз!

Такой же невидящий, как нарисованный глаз куклы, он тем не менее глядел на нас и, подобно рентгену, видел насквозь.

То замирая от сладкого ужаса, то перешептываясь наподобие двух азартных болельщиков, комментирующих матч, мы завороженно наблюдали за тем, как Фрэнк и его помощник готовят кремационную печь. В комнате, наверное, было жарко, поскольку оба мужчины стянули с себя галстуки и закатали рукава рубашек. Лица их были усеяны бисеринками пота.

На улице тоже было тепло, но нас с Бобби продирал мороз, а по коже бегали мурашки. Я даже удивлялся, почему дыхание, вырываясь из наших ртов, не превращается в белые облачка пара.

Могильщики сдернули с трупа простыню, и мы с Бобби одновременно выдохнули, увидев, что могут сделать с человеческим телом годы и смерть. Нас била такая же сладостная дрожь ужаса, как та, которую мы испытывали, когда, прилепившись к телеэкрану, смотрели «Ночь живых мертвецов».

Тело было уложено в фанерный ящик и исчезло в полыхающем синим огнем жерле печи. Я судорожно уцепился за локоть Бобби, а он обхватил меня за шею, и мы крепко прижались друг к другу, словно боясь, что какая-то сверхъестественная сила вдруг распахнет окно, втянет нас внутрь и швырнет в пылающую топку вслед за мертвецом.

Фрэнк Кирк закрыл дверцу печи. Ставя финальную точку в долгой человеческой жизни, она громко лязгнула. Этот звук донесся до нашего слуха даже сквозь закрытое окно и отозвался леденящим эхом в грудной клетке каждого из нас.

Позже, вернув тисовую скамейку на ее законное место и убравшись из владений похоронных дел мастера, мы с Бобби расположились на трибунах школьного футбольного поля. Сейчас здесь было пустынно, огни не горели, и поэтому я чувствовал себя вполне уютно. Мы пили кока-колу и хрустели картофельными чипсами, которые Бобби купил по дороге в магазине «Семь-одиннадцать».

— Классно! Ух как это было классно! — восторженно воскликнул Бобби.

— Круче всего, что мы видали, — согласился я.

— Покруче, чем карты Неда.

Нед был нашим приятелем и прошлым летом переехал с родителями в Сан-Франциско. Неизвестно, откуда и как, но он умудрился раздобыть колоду игральных карт, на которых вместо всяких там валетов и королей красовались совершенно голые девицы в самых откровенных позах. Пятьдесят две разных красотки!

— Да уж, куда круче, чем карты, — вновь поддакнул я. — Даже круче, чем когда на шоссе перевернулся и взорвался грузовик, помнишь?

— Да грузовик это просто фигня! Даже в тыщу раз круче, чем когда Зака Бленхейма искусал тот питбуль и ему на руку пришлось накладывать двадцать восемь швов.

— В тыщу миллионов раз круче, — подтвердил я.

— А глаз! — вспомнил Бобби затекшее кровью пятно на лице мертвеца. — Какой у него был глаз!

— Уй, прямо жуть!

Мы уже давно прикончили кока-колу, но еще долго сидели, обсуждая увиденное. Столько, сколько в этот вечер, мы не смеялись никогда в жизни.

Ах какими удивительными существами мы были в тринадцать лет!

Тогда, на трибуне пустынного стадиона, я понял, что это страшное приключение связало нас с Бобби узами настолько крепкими, что разорвать их будет не под силу никому. К тому времени мы дружили уже два года, но после этой ночи наша дружба стала крепче и сложнее, чем в начале вечера. Рука об руку мы прошли через испытание, что-то изменившее в нас, и чувствовали, что на самом деле это событие таит в себе гораздо больше, нежели может показаться на первый взгляд. В глазах друг друга мы с Бобби приобрели некую дополнительную мистическую значимость, поскольку оба нашли в себе мужество совершить это.

Впоследствии мне было суждено узнать, что та ночь была всего лишь прелюдией. По-настоящему нас с Бобби связало то, что мы увидели в середине декабря. Заплывший глаз незнакомого мертвеца не шел с этим ни в какое сравнение.

* * *

Теперь, по прошествии пятнадцати лет, я был в гораздо меньшей степени склонен к авантюрам и прекрасно понимал, чем чревато незаконное вторжение на территорию чужой частной собственности. И тем не менее я вновь переминался с ноги на ногу на хрустящем ковре мертвых эвкалиптовых

3 Зак. № 693 Кунц

листьев, опять, как тогда, прижимаясь носом к зловещему окну.

Жалюзи были теми же, что и много лет назад, разве что пожелтели от времени. Их створки были чуть прикрыты под небольшим углом, но щели между ними оставались достаточно широкими, чтобы видеть все помещение крематория. К тому же теперь я был куда выше ростом и мог обходиться без садовой скамейки.

Сэнди Кирк и его помощник хлопотали возле кремационной установки «Пауэр Пак II». Они были облачены в хирургические повязки, резиновые перчатки и одноразовые фартуки.

На каталке у окна лежал один из черных пластиковых мешков. «Молния» на нем была расстегнута, и мешок раскрылся, подобно надрезанному плоду, внутри которого угнездилось мертвое тело. Очевидно, это был тот самый бродяга, путешествовавший автостопом, которого должны были сжечь вместо моего несчастного отца.

В нем было примерно сто семьдесят пять сантиметров роста и восемьдесят килограммов веса, но лицо мужчины подверглось таким жестоким побоям, что определить его возраст не представлялось возможным. Оно напоминало уродливую гротескную маску.

Поначалу мне показалось, что глаза покойника скрыты под корками запекшейся крови, но в следующий момент я осознал, что их просто нет, они вырваны. Я в ужасе смотрел на зияющие пустотой глазницы мертвеца.

На память пришел мертвый старик с кровавым глазом и то, насколько страшным он показался нам с Бобби. Однако с картиной, представшей моему взгляду теперь, не могло сравниться ничто. Тогда мы были свидетелями бесстрастных действий природы. Зверство, которое я лицезрел сейчас, было совершено руками человека.

* * *

В течение тех безвозвратно далеких октября и ноября мы с Бобби Хэллоуэем время от времени возвращались к окошку крематория. Мы пробирались к нему крадучись, стараясь не запутаться в вившемся по земле плюще, а наши легкие заполнял густой аромат вздымавшихся вокруг эвкалиптов. Именно с тех пор этот запах ассоциируется у меня со смертью.

За те два месяца Фрэнк Кирк похоронил четырнадцать человек, но только трое из них были кремированы. Других бальзамировали и предавали земле традиционным способом.

Мы с Бобби притворно сокрушались по поводу того, что в помещении для бальзамирования нет окон и мы таким образом лишены возможности наблюдать за тем, что там происходит. Это святилище, где, по выражению Бобби, «делали мокрую работу», располагалось глубоко под землей и было надежно укрыто от придурочных шпионов вроде нас с Бобби. В глубине души я радовался тому, что наши длинные носы были лишены возможности проникнуть в эту «святыню». Впрочем, Бобби, по-моему, тоже испытывал огромное облегчение оттого, что не может поглядеть на «мокрую работу» Фрэнка Кирка, хотя и делал вид, что страшно разочарован.

В мою пользу играло еще и то, что Фрэнк кремировал покойников по ночам, а бальзамировал в недоступное для меня дневное время. Таким образом, я имел возможность присутствовать только при кремациях.

Громоздкий инсинератор — кремационная печь, гораздо более неуклюжая, нежели «Пауэр Пак II», которую использовал нынче Сэнди, — сжигала трупы при очень высокой температуре и была оснащена специальными фильтрами, однако во время «процесса» из трубы крематория все равно поднимался легкий дымок. В те минуты, когда безутешные родные покойного толпились в помещении для прощания, Фрэнк лишь имитировал кремацию, навстречу которой гроб медленно и торжественно уплывал из комнаты. В печке же он оказывался только ночью. Было бы не очень удобно, если кто-нибудь из скорбящих, взглянув посреди бела дня в небо, увидел бы, как близкий ему человек вылетает из дымохода клубами серого дыма.

К нашему с Бобби обоюдному удовольствию, его отец, Энсон, являлся главным редактором «Мунлайт-Бей газетт». Через отца и его связи в газетном мире мой друг получал самую свежую информацию об умерших — как своей смертью, так и в результате несчастного случая.

Как только у Фрэнка Кирка появлялся свеженький клиент, нам сразу же становилось об этом известно. Мы не знали лишь одного: будут ли покойника кремировать или бальзамировать. И все же каждый раз, как только солнце садилось, мы гнали свои велосипеды к «Похоронному бюро Кирка», прокрадывались на участок и караулили возле окна крематория. Вариантов было только два: либо мы становились свидетелями действа, либо спустя некоторое время были вынуждены сесть на велосипеды и несолоно хлебавши разъехаться по домам.

В конце октября умер от инфаркта мистер Гарт,

шестидесятилетний президент отделения Первого национального банка. Он отправился в печь на наших глазах.

В ноябре плотник Генри Эймс свалился с крыши и сломал себе шею. Его кремировали, но мы с Бобби ничего не увидели, поскольку то ли Фрэнк, то ли его помощник предусмотрительно закрыли жалюзи на окне.

Зато в середине декабря пластины жалюзи оказались открытыми и позволили нам с Бобби наблюдать за кремацией Ребекки Аквилэйн, жены Тома Аквилэйна. Он был учителем математики в школе, где учился Бобби и которую был лишен возможности посещать я. Миссис Аквилэйн, нашей городской библиотекарше, было всего тридцать, и у нее остался пятилетний сын по имени Дэвлин.

Из-под простыни виднелось лишь лицо покойной, но оно было настолько прекрасным, что у нас защемило в груди. Мы не могли дышать. Эту красоту не могли испортить даже похоронные атрибуты: стальная каталка и простыня от шеи до пят.

Мы, я думаю, и раньше осознавали, что она красива, но никогда не пялились на нее. Миссис Аквилэйн являлась библиотекаршей и чьей-то матерью, а нам было всего по тринадцать. Мы, наверное, просто не обращали внимания на эту красоту — тихую, словно звездный свет, льющийся с небес, и чистую, как дождевая вода. Если какие-то женщины и привораживали нас, так это голые телки на картах Неда. Мы часто смотрели на миссис Аквилэйн, но никогда не видели ее.

Смерть не испортила ее черты, поскольку она умерла очень быстро. Утончение стенки сердечной артерии было у нее с детства, но осталось не замеченным врачами. И вот как-то вечером артерия прорвалась. Через несколько часов миссис Аквилэйн не стало.

Сейчас она лежала на стальной каталке в крематории. Глаза ее были закрыты, черты расслаблены. Казалось, она спит. Даже губы ее были приоткрыты в подобии слабой улыбки, будто ей снится приятный сон.

Когда могильщики сняли с тела простыню, чтобы уложить миссис Аквилэйн в фанерную коробку и затем препроводить в печь, мы с Бобби увидели, что она стройна, великолепно сложена и хороша настолько, что словами этого не описать. Красота этого тела была выше любой эротики, и, глядя на него, мы не ощущали никаких низменных желаний. Мы благоговели.

Она выглядела такой юной.

Она казалась бессмертной.

Могильщики подкатили тело к печи с непривычными для них мягкостью и почтительностью, а когда умершая женщина исчезла в языках пламени, Фрэнк Кирк стянул с рук резиновые перчатки и поочередно утер глаза тыльной стороной ладони. Я был уверен, что он утирал не пот.

Во время других кремаций Фрэнк и его помощник болтали почти не переставая, хотя мы, по другую сторону окна, не могли разобрать ни слова. В эту ночь они почти не разговаривали между собой.

Мы с Бобби тоже молчали.

Когда все закончилось, мы вернули садовую скамейку в патио, покинули владения Кирка и, оседлав велосипеды, покатили по Мунлайт-Бей, выбирая самые темные улицы. Через некоторое время мы очутились на пляже. В это время года, да к тому же в такой неурочный час, широкая песчаная полоса была безлюдна. За нашими спинами в просветах между густой листвой деревьев переливались городские огни — прекрасные, как перья птицы Феникс. Перед нами чернели необозримые просторы Тихого океана.

Прибой был тих и ласков. Низкие волны лениво подкатывались к берегу, и по их верхушкам справа налево перебегали светящиеся полосы пены. Казалось, что с мякоти ночного океана снимают кожуру.

Сидя на песке и созерцая прибой, я раздумывал о том, как мало времени осталось до Рождества. Всего две недели. Мне не хотелось думать о приближавшемся празднике, но мысль о нем навязчиво лезла в голову.

Я не знал, о чем размышлял Бобби, и не спрашивал его об этом. Мне не хотелось говорить. Ему тоже.

Мне было страшно думать о том, каким это Рождество станет для маленького Дэвлина, потерявшего маму. Или он еще слишком мал, чтобы понимать значение смерти?

Ее муж, Том Аквилэйн, наверняка знал, что значит смерть, и все же он почти наверняка нарядит для Дэвлина рождественскую елку.

Найдет ли он в себе силы, чтобы развешивать игрушки по мохнатым ветвям?

Заговорив впервые с той минуты, когда с тела мертвой женщины сняли простыню, Бобби предложил:

— Пойдем окунемся?

Хотя погода была мягкой, на дворе все же стоял декабрь. В тот год теплое течение Эль-Ниньо, поднимающееся с юга, отдалилось от наших берегов.

Вода казалась неприветливой, и в воздухе ощущалась прохлада.

Бобби разделся, сложил одежду и, не желая, чтобы в нее попал песок, аккуратно уложил ее на бурую подушку водорослей, выброшенных прибоем и высушенных солнцем. Я последовал его примеру.

Совершенно голые, мы вошли в воду и поплыли навстречу приливу.

Преодолев довольно большое расстояние, мы с Бобби повернули к северу и поплыли вдоль береговой линии. Волны покачивали нас, мягко поднимая и опуская. Умело справляясь с ними, мы забрались непозволительно далеко от берега. Мы оба были великолепными пловцами, но теперь вели себя безрассудно.

Обычно, пробыв в холодной воде некоторое время, пловец привыкает к ней. Его тело охлаждается, и разница между его собственной температурой и температурой воды становится более терпимой. Затем человеку начинает казаться, что он плывет в горячей воде. Успокаивающее, но ложное ощущение тепла порой таит в себе нешуточную опасность.

Однако на сей раз вода с каждой минутой становилась все холоднее. Ощущение тепла — обманчивое или нет — не приходило.

После того как мы заплыли так далеко на север, нам следовало бы повернуть к берегу, и если бы в тот момент в нас оставалась хоть капля здравого смысла, мы бы непременно направились к мягкой сухой подушке водорослей, на которой оставили свою одежду.

Вместо этого мы с Бобби немного отдохнули, болтая в воде уже слабеющими ногами и глубоко вдыхая прохладный воздух, отбиравший у наших тел драгоценное тепло. Затем, словно по команде, не говоря ни слова, повернули к югу, в ту сторону, откуда приплыли, держась все так же недопустимо далеко от берега.

Хотя волны на поверхности океана были такими же покатыми, как прежде, теперь они стали чуть более сердитыми. Они кусались зубами белой пены, а в крови и позвоночнике у нас, казалось, кристаллизуются крошечные льдинки.

Мы плыли бок о бок, стараясь ни на секунду не выпускать друг друга из виду. Зимнее небо стало неприветливым, море — враждебным, а городские огни казались далекими, как звезды. Единственным, что у нас оставалось, была наша дружба, и мы знали, что в случае необходимости каждый из нас не задумываясь умрет, чтобы спасти другого.

Вернувшись на то место, откуда начался наш безумный заплыв, мы едва сумели выбраться из воды. Измученные, чувствуя тошноту, бледнее, чем песок, сотрясаемые неудержимой дрожью, мы отплевывались от едкого вкуса океана.

Мы так отчаянно промерзли, что не могли больше думать ни о чем, в том числе и об огне в печи крематория. Даже полностью одевшись, мы тряслись от холода, и это было очень хорошо.

Мы вывели велосипеды с песчаной полосы, пересекли поросший травой парк, примыкавший к пляжу, и оказались на ближайшей к нему улице.

Забравшись в седло своего велосипеда, Бобби выдохнул:

— Черт!

— Да, — только и сказал я.

И мы разъехались в разные стороны.

Оказавшись дома, каждый из нас сразу же лег в постель, будто заболел. Мы спали. Нам снились сны. Жизнь текла своим чередом.

С тех пор мы больше ни разу не возвращались к окну крематория. И никогда не говорили о миссис Аквилэйн.

Прошли годы, но в любой момент Бобби и я были готовы без колебаний отдать жизнь друг за друга.

Как странен этот мир! Вещи, которые мы можем потрогать, которые отчетливо разговаривают с нашими органами чувств — нежная женская кожа, собственные плоть и кровь, холодная морская вода, вкус или запах океана, — кажутся нам гораздо менее реальными, нежели то, что мы не в состоянии определить на ощупь, попробовать на вкус, увидеть или обонять. Велосипеды и мальчишки, которые на них гоняют, менее реальны, чем то, что мы храним в сознании и сердце, менее важны, чем дружба, любовь и одиночество, которые переживут мир.

* * *

В эту мартовскую ночь, унесенный течением времени далеко от своих детских лет, я снова стоял возле окна крематория, и то, что открывалось за ним, было гораздо реальнее, чем мне бы хотелось. Кто-то зверски забил бродягу до смерти, а затем вырвал у него глаза. Даже если бы убийству и всей этой чертовщине с подменой трупов и можно было найти какое-то объяснение, зачем, ради всего святого, вырывать у бедняги глаза? Зачем было это делать, если несчастного все равно собирались отправить в печь?

Или, возможно, кто-то решил выдрать у бродяги глаза только потому, что получал от этого дьявольское, извращенное наслаждение?

Мне припомнился здоровяк с бритой головой и жемчужной сережкой в мочке уха — его широкое, не меняющее выражения лицо, его глаза охотника — темные и неподвижные, его стальной голос со скрипучими нотками. Да, не исключено, что такой человек может получать удовольствие от чужой боли, кромсая плоть с такой же беззаботностью, с какой гуляющий в поле обстругивает ветку.

Впрочем, в том странном, новом для меня мире, в котором я очутился, начиная с необъяснимых событий в гараже больницы, было возможно абсолютно все. Здесь можно было предположить даже то, что над трупом надругался сам Сэнди Кирк — Сэнди, лощеный и элегантный, как модель на подиуме, Сэнди, чей отец плакал над мертвым телом Ребекки Аквилэйн. Может быть, вырванные глаза были положены на страшный алтарь в дальнем, заросшем уголке розового сада — алтарь, который мы с Бобби так и не нашли?

Сэнди с помощником подкатили каталку с трупом к печи, но тут в помещении крематория зазвонил телефон. Я в испуге отпрянул от окна, словно сам, каким-то своим неуклюжим движением привел в действие охранную сигнализацию.

Когда я снова заглянул в окно, то увидел, что Сэнди снял с лица марлевую повязку и поднес к уху трубку висевшего на стене телефона. Поначалу на его лице угадывалось недоумение, затем — тревога и под конец — злость, однако сквозь двойные оконные рамы я не мог разобрать, что именно он говорил.

Сэнди шваркнул трубку с такой силой, что едва не сшиб телефон со стены. Кем бы ни был его собеседник на другом конце провода, у него, наверное, едва не лопнули барабанные перепонки.

Не мешкая, Сэнди стащил резиновые перчатки и озабоченно заговорил, обращаясь к помощнику.

Я пытался читать по губам, и мне показалось, что он произнес мое имя, причем любви и нежности при этом его лицо не выражало.

У его помощника, Джесси Пинна, были рыжие волосы, красноватые глаза, длинная физиономия гончей и тонкий рот. Казалось, он недовольно кривится над тушкой загнанного им кролика.

Пинн застегнул пластиковый мешок с телом бродяги.

Пиджак Сэнди висел на крючке, прибитом к стене справа от двери. Он снял его, и я вздрогнул, увидев, что на крючке под пиджаком висит наплечная кобура с тяжелым пистолетом.

Обращаясь к Пинну, Сэнди что-то сказал ему и резко указал рукой в сторону окна. Тот торопливо направился прямиком ко мне, и я нырнул в темноту. Помощник Сэнди плотно закрыл створки жалюзи. Вряд ли он успел меня заметить.

Вообще-то я оптимист, причем из породы неисправимых. Однако на сей раз я счел наиболее благоразумным готовиться к худшему и не зарываться. Развернувшись, я поспешил в обратную сторону, двигаясь между стеной гаража и стволами эвкалиптов, источавших острый запах смерти.

Мертвые высохшие листья хрустели под ногами громко, как раковины улиток. К счастью, мои шаги заглушались шумом ветра в высоких кронах над головой. В его шепоте слышались звуки океана, над которым он так долго путешествовал. Однако он заглушил бы и шаги преследователя, если бы кто-то шел за мной по пятам.

Я был уверен, что Сэнди звонил один из санитаров больницы Милосердия. Исследовав содержимое портфеля и обнаружив отцовское удостоверение, они, конечно же, сообразили, что я находился в подземном гараже и стал свидетелем подмены тел. Узнав об этом, Сэнди сразу же смекнул, что мое появление у него на пороге не было таким уж невинным, как подумал он поначалу. Сейчас он, прихватив Пинна, наверняка выйдет из дома, чтобы проверить, не болтаюсь ли я до сих пор в его владениях.

Я выбрался на задний двор. Идеально вылизанная лужайка показалась мне огромным чистым полем, где негде спрятаться. Луна не стала светить ярче, чем несколько минут назад, но теперь мне чудилось, что все поверхности, которые раньше поглощали лунный свет, стали отражать и усиливать его. Воздух был пронизан жутковатым серебряным свечением, укрыться в котором было невозможно.

У меня не хватило духу пересечь широкий внутренний дворик, выложенный кирпичом. Я решил держаться подальше от дома и подъездной дорожки. Возвращаться тем же путем, которым я сюда пришел, было чересчур рискованно.

Я кинулся в противоположную от дома сторону, к розовому саду, расположенному на задах участка. Передо мной расстилались спускавшиеся уступами длинные, густые шпалеры колючих кустов, посаженные под углом друг к другу, — бесконечный лабиринт петляющих тропинок.

Весна в наших благодатных краях нетерпелива и не дожидается, пока календарь позволит ей вступить в свои права, поэтому розы уже цвели. Те из них, что были темных оттенков, в лунном свете казались черными — цветы для сатанинского алтаря. Но были здесь и белые розы. Огромные, как детские головки, они покачивались, молча соглашаясь с шепчущим ветром.

Позади меня послышались мужские голоса. За шорохом ветра они звучали приглушенно и прерывисто.

Скрючившись за высокими душистыми кустами, я оглянулся и стал всматриваться в просветы между колючими ветвями, осторожно разведя их в стороны.

Возле гаража метался свет двух фонариков, выхватывая из темноты кусты и делая тени в кронах деревьев еще более непроницаемыми.

Один из фонариков держал, без сомнения, Сэнди Кирк. Вполне возможно, что в другой руке у него был пистолет, который я видел в кобуре на стене. Не исключено, что Джесси Пинн был также вооружен.

До сегодняшнего вечера я был убежден, что могильщикам не пристало носить при себе оружие и, сбившись в стаю, загонять беззащитную дичь. Видимо, то время безвозвратно минуло.

В груди у меня похолодело, когда я увидел, что возле дальнего угла дома вспыхнул третий фонарик. Потом — четвертый, пятый, шестой.

Я не имел представления о том, сколько всего преследователей и откуда они могли появиться с такой быстротой. Выстроившись в цепочку, охотники целеустремленно двинулись вперед — через двор, патио, мимо плавательного бассейна, по направлению к розарию. Лучи их фонариков неустанно шарили вокруг, тщательно, дюйм за дюймом, прочесывая участок. Зловещие фигуры, безликие, словно демоны из кошмарного сна.

7

Однако это был не сон. Бесплотные преследователи и лабиринт, не имеющий выхода, из тех, которые часто мучают нас в кошмарах, сейчас были явью.

Розовый цветник спускался по склону холма пятью широкими уступами. Хотя спуск был пологим, а изгибы тропинок — плавными, я бежал слишком быстро. В любую секунду я мог споткнуться, упасть и сломать ногу.

Возвышавшиеся по обе стороны от меня причудливые переплетения кустов напоминали иероглифы древних руин, освещенные лунным светом. В дальнем конце сада они казались не такими высокими по сравнению с колючими дикими зарослями, взбиравшимися по решетке ограды. Мне чудилось, что в этих дебрях скрывается, шевелится и перешептывается какая-то неизвестная мне жизнь.

Ночь превратилась для меня в кошмар наяву.

Сердце в груди стучало с такой силой, что с каждым его ударом звезды вздрагивали, а небосвод, казалось, начал сползать вниз, готовый в любую секунду, подобно лавине, обрушиться на мою голову.

Добежав до задней границы сада, я скорее почувствовал, нежели увидел высокие — около трех метров — кованые копья ограды. Выкрашенные в черный цвет, они мрачно темнели в свете луны. Пытаясь затормозить, я изо всех сил вонзил каблуки в мягкую землю, но все же врезался в ограду, хотя и не очень сильно. К счастью, я не наделал и шума. Мощные бронзовые пики были надежно приварены к поперечным брусьям. От удара они не зазвенели, а лишь издали короткое и низкое гудение.

Я прислонился к ограде. Во рту чувствовалась горечь и было так сухо, что я не мог даже сплюнуть. Правый висок болел. Подняв руку к голове, я обнаружил в этом месте три шипа, впившихся в мою кожу, и выдернул их. Должно быть, во время сумасшедшей гонки по лабиринту розовых кустов я влетел в один из них головой, хотя теперь и не помнил этого.

Возможно, из-за того, что я дышал часто и глубоко, запах роз стал сильнее и теперь больше походил на зловоние чего-то наполовину сгнившего. Я вспотел и поэтому снова стал различать аромат своего кокосового лосьона — почти так же остро, как в тот момент, когда натирал им лицо. Разве что теперь к нему примешивался кислый запах пота.

Внезапно я почувствовал абсурдное, но непоколебимое убеждение в том, что мои преследователи смогут обнаружить меня именно по запаху, как гончие псы. Пока меня спасало только то, что я находился с подветренной стороны.

Вцепившись в ограду, вибрация которой передалась моим рукам и телу, я посмотрел в сторону вершины холма. Поисковая партия только что преодолела первый уступ и спускалась на следующий. Лучи шести фонариков, словно лезвия мечей, рассекали темноту и тщательно обшаривали каждый дюйм колючих зарослей. Когда на сплетенные ветви падал свет, они становились похожими на кости драконов, поверженных когда-то в стародавние времена.

Здесь искать было сложнее, чем на открытом пространстве лужайки, и все же охотники двигались гораздо быстрее, нежели прежде.

Я взобрался по ограде и перевалился через ее верх, стараясь не зацепиться одеждой за острые концы кованых пик. За ней расстилалось открытое пространство: темные долины, неподвижные гряды освещенных луной холмов с разбросанными по ним и почти невидимыми в темноте огромными дубами.

Напоенная зимними дождями трава вымахала

мне по колено. Я спрыгнул вниз, и из-под моих ботинок брызнул ее свежий зеленый сок.

Ни секунды не сомневаясь в том, что Сэнди и его сообщники обыщут участок по всему периметру, я поспешил прочь от дома мертвых, направляясь к подножию следующего холма. Мне было необходимо покинуть пределы досягаемости их фонариков раньше, чем охотники достигнут ограды.

Сейчас я удалялся от города, и это было плохо. В необжитой местности мне не от кого ожидать помощи. Каждый шаг к востоку отдалял меня от людей и делал еще более беспомощным, окончательно загоняя в тупик.

Мне еще повезло, что стояла весна. Жар летнего солнца высушил бы высокую траву, сделав ее желтой, как зрелая пшеница, и сухой, как бумага. В таком случае меня было бы легко найти по отчетливому вытоптанному следу.

Теперь же оставалась надежда на то, что влажная сочная трава распрямится позади меня, надежно скрыв от преследователей направление, в котором я двигался. И все же внимательному следопыту и сейчас не составило бы труда выследить меня.

Примерно в двухстах метрах ниже по склону холма нежная зелень луга сменилась более жесткой растительностью. Высокая, почти в мой рост, стена жесткой травы перемежалась здесь с густыми сплетениями ауреолы и козлобородником.

Продравшись сквозь эти дебри, я поспешно нырнул в вымытую дождевыми потоками канаву. Она была около трех метров шириной, и здесь почти ничего не росло. За многие годы проливные дожди вымыли отсюда всю почву, и русло этого естественного водостока было каменистым. Однако сезон дождей уже закончился, и сейчас в канаве было сухо.

Я остановился, чтобы хоть чуть-чуть отдышаться, и осторожно раздвинул высокие стебли травы, желая выяснить, насколько далеко продвинулись мои преследователи. Четверо из них уже перелезали через ограду. Лучи их фонариков то беспорядочно метались по ночному небу, то выхватывали из темноты чугунные колья, упираясь в землю. Они действовали с поразительной невозмутимостью, быстротой и ловкостью.

Хорошо бы знать, все ли они, подобно Сэнди Кирку, вооружены?

Впрочем, вполне возможно, что при таком зверином чутье, расторопности и упорстве оружие им было ни к чему. Попадись я им в когти, они разорвут меня голыми руками.

Интересно, вырвали бы они мне в таком случае глаза?

В том месте, где я стоял, дренажная канава буквой Y разветвлялась на два рукава. Один уходил в северо-восточном направлении, вверх по холму, другой спускался к юго-западу. Поскольку я и так находился в самой крайней точке к северо-востоку от города, двигаться и дальше в этом направлении не имело смысла. Попытайся я взобраться на холм, помощи мне там не найти. Поэтому я пошел в противоположном направлении, мечтая как можно скорее оказаться в каком-нибудь людном месте.

В небе над моей головой, ограниченном высокими земляными стенками, медленно плыла луна, и в ее свете каменистое русло мерцало, как молочный лед на поверхности зимнего пруда. Высокие серебристые стебли травы по обе стороны от меня, казалось, были схвачены морозцем.

Подавив в себе страх поскользнуться на шатком камне или вывихнуть лодыжку, попав в какую-нибудь нору, я всецело отдался ночи. Темнота подталкивала меня, как ветер толкает плывущий по морю корабль. Я бежал под уклон, не чувствуя под собой ног, и мне чудилось, что я и впрямь скольжу по замерзшему каменному руслу.

Я успел пройти совсем немного, как вдруг увидел приближающийся свет. В сотне метров впереди меня русло делало изгиб и, сворачивая налево, терялось меж поросших травой склонов холма. Невидимый пока источник света находился именно в той стороне, и я предположил, что это — фонарики. Однако никто из людей, гнавшихся за мной по пятам, не сумел бы выбраться из сада так быстро, да еще оказаться впереди меня. Значит, это была новая группа преследователей.

Они пытались загнать меня в угол. Мне казалось, что я имею дело с целой армией, солдаты которой постоянно множатся, магическим образом вырастая из-под земли.

Я остановился и подумал: не лучше ли мне вообще выбраться из канавы и попытаться найти укрытие в зарослях жесткой высокой травы, росшей по ее краям? Однако, как бы осторожен я ни был, примятые заросли все равно укажут преследователям, в какую сторону я пошел, и они меня непременно сцапают или пристрелят — с такой же легкостью, как если бы я бежал по открытому пространству.

Свет впереди стал ярче. Верхушки высокой травы светились и были прекрасны, как тончайший узор на серебряном блюде.

Вернувшись к тому месту, где канава раздваивалась, я двинулся по левому рукаву, которым пренебрег минутой раньше, и метров через двести дошел еще до одного «перекрестка». Хотел было пойти направо, в сторону города, но решил, что таким образом могу сыграть на руку своим преследователям, которые ожидают от меня именно этого, и повернул налево. Этот путь должен был увести меня еще дальше в безлюдные холмы.

Откуда-то сверху и слева до моего слуха донесся рокот мотора. Сначала он раздавался издалека, но внезапно послышался совсем близко. Звук был таким мощным, что я стал непроизвольно высматривать в небе самолет, летящий низко над землей. Почему самолет? Потому что на характерное стрекотание вертолета это было непохоже.

Затем из-за верхушек холмов слева от меня вырвался ослепительный луч света и пробежал по высохшему руслу метрах в двадцати над моей головой. Он был настолько ярок, что его, казалось, можно было потрогать рукой, и напоминал горячую белую струю расплавленного металла.

Мощный прожектор! Он отвернулся в сторону, и его свет вырвал из ночи далекие гряды холмов на севере и востоке.

Откуда они взяли всю эту экипировку за столь короткое время?

Может, Сэнди Кирк — главарь какой-нибудь подпольной антиправительственной группировки, которая хранит горы оружия и боеприпасов в глубоком подземном бункере под похоронным бюро? Нет, вряд ли. Подобные вещи составляют часть сегодняшней реальности нашего общества, которое находится в свободном полете. То же, что происходило сейчас, было из области сверхъестественного.

Мне было необходимо узнать, что происходит там, наверху. Если не осмотреться, я окажусь в положении слепой лабораторной крысы, плутающей в пластмассовом лабиринте.

Я взял левее, пересек идущее под уклон каменистое дно канавы, раздвинул заросли травы и, пригибаясь, двинулся вверх по склону, из-за которого светил прожектор. Его луч снова прорезал ночь над моей головой, а затем еще раз, выхватив из темноты верхушку холма, по направлению к которой я двигался. Предпоследние десять метров я преодолел на четвереньках, а последние — ползком. Оказавшись на вершине, я, пытаясь хоть както укрыться, прижался к груде камней и осторожно поднял голову.

На верхушке следующего холма, возле гигантского дуба стоял черный «Хаммер» — настоящая, предназначенная для армии машина, такая, какой она была, пока ее не переделали для продажи гражданским лицам. Его огни слепили меня, но даже при этом очертания «Хаммера» угадывались безошибочно: могучая угловатая коробка на огромных шинах, которым не страшны никакие препятствия.

На машине были установлены два прожектора диаметром с блюдо для салата. Судя по их яркости, такие мощные приборы могли работать только от чудовищного двигателя «Хаммера». Прожекторы поворачивались вручную. Одним управлял водитель машины, другим — его напарник.

Водитель выключил свой прожектор и бросил машину вперед. Ее огромная туша вырвалась из-под широкой кроны дуба и помчалась, словно мы участвовали в гонках с преследованием, и мне предлагалось последовать за ней. «Хаммер» скрылся за гребнем холма, затем появился на склоне следующего и стал быстро карабкаться вверх в бессмысленной попытке покорить океанское побережье.

Если пешие охотники держались низин, то «Хаммер», стремясь не позволить мне ускользнуть вершинами холмов, патрулировал именно их. Внизу я стал бы легкой добычей для людей с фонариками и, возможно, пистолетами в руках.

— Кто же вы такие, черт бы вас побрал? — пробормотал я.

Лучи прожекторов вновь обшаривали далекие холмы, высвечивая волнующееся под порывами ветра море травы. Свет волнами накатывался на покатые склоны, ощупывал стоявшие на них островками дубы.

Затем огромная машина снова отправилась в путь. Теперь ей приходилось передвигаться по менее ровной местности, поэтому она тяжело переваливалась с боку на бок. Свет прожекторов метался в бешеной пляске, вздымаясь к небу и снова опускаясь к земле. «Хаммер» удалялся на юго-восток, готовясь штурмовать новую высоту.

Интересно, видны ли эти непонятные перемещения с улиц Мунлайт-Бей, находившихся ниже по склонам и в долине? Вполне возможно, что лишь несколько случайных зевак в городе стоят и, задрав голову, с любопытством наблюдают за тем, как наверху танцуют загадочные огни. Скорее всего они думают, что группа подростков на обычном джипе гоняет по холмам оленя или лося. Эта бескровная забава была незаконной, но большинство людей относились к ней терпимо.

Вскоре «Хаммер» сделает круг и снова направится в мою сторону. Судя по траектории его движения, он может оказаться на моем холме уже через пару заходов.

Я ретировался вниз по склону, к сухому руслу канавы — как раз туда, где меня должны были настигнуть охотники. Но иного выбора не было.

До этой минуты я был убежден, что мне удастся спастись. Сейчас эта уверенность покинула меня.

8

Вернувшись в русло канавы, я двинулся в том же направлении, каким шел, когда заметил свет прожекторов, однако, сделав всего несколько шагов, остановился как вкопанный. Из темноты на меня смотрела пара зеленых светящихся глаз.

Койот!

Похожие на волков, но меньшего размера и не такие мощные, эти животные-бродяги могли тем не менее представлять опасность для человека. Сопротивляясь наступающей на них цивилизации, они убивали домашних животных, не боясь забираться во дворы домов. Время от времени даже появлялись сообщения о том, что койот растерзал или утащил маленького ребенка. На взрослых людей они нападали крайне редко, но высокий рост не спас бы меня, окажись тут стая или хотя бы парочка этих тварей.

После слепящих прожекторов способность видеть во тьме только начинала возвращаться ко мне, и прошло несколько напряженных секунд, прежде чем я рассмотрел глядевшие на меня зеленые глаза и понял, что они не могут принадлежать койоту, поскольку посажены слишком близко. Кроме того, они располагались чересчур низко, почти у самой земли. Разве что хищник распластался, готовясь к прыжку?

Как только мои глаза освоились с темнотой и

лунным светом, я увидел, что причины для страха нет. На моем пути стояла обычная кошка. Не пума, встретить которую было бы гораздо страшнее, чем койота, а простая домашняя кошка — светло-серая, а может, светло-коричневая; определить ее цвет при таком освещении было решительно невозможно.

Кошки далеко не дуры. Даже преследуя полевую мышь или маленькую юркую ящерицу, они ни за что не потеряют голову настолько, чтобы углубиться в местность, где хозяйничают койоты. И все же передо мной сидела именно кошка. Она выглядела настороженно, уши торчком, и изучала меня внимательным взглядом.

Стоило мне сделать шаг вперед, как животное вскочило на все четыре лапы. Я сделал еще шаг. Кошка развернулась и побежала прочь от меня по серебрившемуся в лунном свете каменистому дну, а затем и вовсе исчезла в темноте.

Где-то в ночи снова двинулся «Хаммер». Рычание его двигателя раздавалось все ближе. Я ускорил шаг.

К тому времени как я прошел сто метров, «Хаммер» пыхтел уже где-то совсем рядом. Теперь звук его мотора напоминал натужное хрипение. Вверху, над моей головой, хищно рыскали лучи прожекторов, просвечивая ночь в поисках жертвы.

Достигнув очередной развилки, я обнаружил, что кошка поджидает меня. Она сидела на том месте, где два рукава канавы расходились в разные стороны, словно раздумывая, какой из них выбрать. Я пошел по левому руслу, а кошка, будто наперекор мне, юркнула во второй. Пробежав несколько шагов, она остановилась и обратила на меня взгляд своих светящихся глаз.

Кошка, вероятно, была прекрасно осведомлена о рыскавших повсюду охотниках, причем не только о тех, которые сидели в шумном «Хаммере», но и о передвигавшихся пешком. Возможно, благодаря своему острому чутью животное даже улавливало наполнявшие воздух флюиды ненависти, желание убить. В таком случае кошка, должно быть, хочет избежать столкновения с этими людьми так же сильно, как я. Так что, выбирая дорогу к спасению, с моей стороны было разумнее прислушаться к инстинктам животного, нежели к своим собственным.

Рычание «Хаммера» внезапно превратилось в оглушительный грохот, волны от которого эхом прокатились по каменистому руслу. Казалось, что чудовищная машина в одно и то же время и приближается, и удаляется от нас. Этот рев ошеломил меня, и несколько мгновений я стоял в замешательстве, но затем, приняв решение, последовал за кошкой.

Когда я вновь оказался на развилке, двигатель «Хаммера» взревел слева от меня — с той самой стороны, куда я чуть было не пошел. Время остановилось, и машина замерла на вершине холма, словно паря в воздухе. Сдвоенный луч двух прожекторов то светил вперед, как будто вырывая из тьмы невидимого канатоходца, идущего по проволоке над бездной, то был направлен на черный купол неба. Но вот остановившееся было время возобновило свой ход. «Хаммер» рванулся вперед и вниз, уродуя огромными шинами склон холма. Из-под него полетели комья земли и ошметки вырванной травы. Один из сидящих в нем мужчин завопил от радости, другой рассмеялся. Они наслаждались охотой.

Железный монстр спустился со склона всего в пятидесяти метрах впереди меня, и мощный луч прожектора осветил русло. Я бросился на дно и покатился в поисках укрытия. Здесь было полно камней, и я услышал, как в нагрудном кармане рубашки хрустнули мои солнцезащитные очки.

Я отполз к стенке русла и поднялся на четвереньки. Яркий, как молния, луч лизнул место, на котором я только что стоял. Щурясь и вжимая голову в плечи, я наблюдал за тем, как, прыгая и постепенно ослабевая, он удаляется к югу. Слава Всевышнему, «Хаммер» двигался прочь от меня!

Продолжая идти вперед, я рисковал встретиться с «Хаммером» у следующего холма и поэтому мог бы, оставаясь на развилке, переждать, пока машина не скроется из виду. Однако далеко позади меня — там, откуда я пришел, — замелькали светлячки фонариков. Колебаться в такой ситуации было слишком большой роскошью. Пока что я находился на безопасном расстоянии от пеших преследователей, но они приближались довольно резво и в любую минуту могли меня обнаружить.

Когда я вошел в правое ответвление русла, кошка все еще ждала меня, но стоило мне появиться, как моя проводница махнула хвостом и метнулась в темноту так быстро, что я на время потерял ее из виду.

«Какое счастье, — думал я, — что под моими ногами — камни, на которых не остаются предательские следы».

На бегу я запустил руку в нагрудный карман рубашки и обнаружил, что от моих разбитых очков осталась лишь одна погнутая дужка и кусочек стекла. Все остальное, должно быть, высыпалось, когда я упал на землю, прячась от прожектора.

Четверо моих загонщиков непременно обнаружат эти осколки. Тогда они разделятся. Двое пойдут налево, а двое двинутся по правому рукаву. Находка придаст им сил и уверенности, даст понять, что дичь уже недалеко и скоро окажется в их руках.

«Хаммер» снова принялся карабкаться вверх. Отъехав от холма, возле которого мне едва удалось укрыться от прожектора, он стал взбираться по склону другого. Двигатель снова взревел, в его шуме появились высокие нотки.

Если водитель так же, как в предыдущий раз, остановится на вершине и опять станет исследовать ночные просторы, я смогу пробежать незамеченным и улизнуть. Если же он минует гряду и сразу же двинется вниз, я неизбежно окажусь пришпиленным к дну канавы либо лучами его прожекторов, либо светом фар.

Кошка пустилась вприпрыжку, я — вслед за ней.

Проходя между темными холмами, русло дренажной канавы и гребень из намытых водой камней, тянувшийся по ее середине, постепенно расширялись. Высокая трава, росшая на этом гребне, становилась гуще. Видимо, почва здесь была более влажной, нежели выше по руслу. Однако эта растительность не могла служить для меня укрытием, и поэтому я чувствовал себя еще более неуютно. Более того, если раньше русло петляло, то сейчас стало совершенно прямым, словно городская улица, лишив меня возможности спрятаться за каким-нибудь изгибом, когда преследователи появятся сзади.

Судя по всему, «Хаммер» снова остановился на вершине холма. Ветер уносил рычание мотора в другую сторону, поэтому сейчас я слышал лишь собственное свистящее дыхание и удары сердца, колотившегося как паровой молот.

Кошка, в распоряжении которой было целых четыре лапы против двух моих ног, была, конечно же, проворнее и быстрее меня. Она могла бы оказаться в безопасной зоне в считанные секунды. И тем не менее в течение нескольких минут животное с одной и той же скоростью трусило метрах в пяти впереди меня, время от времени оборачиваясь, словно желая проверить, поспеваю ли я за ним. В лунном свете оно казалось каким-то кошачьим привидением, а глаза его были загадочны, словно пламя свечей на спиритическом сеансе.

Стоило мне только подумать, что кошка сознательно пытается увести меня от опасности, стоило мне вновь заняться «очеловечиванием» животных, от которого у Бобби Хэллоуэя, по его словам, начинают чесаться мозги, как кошки и след простыл. Если бы даже сухое русло вдруг наполнилось ревущей, бушующей водой, то и тогда стремительный поток не смог бы угнаться за этим юрким зверьком. Мгновение — и она исчезла в темноте.

Минутой позже я обнаружил кошку в конце русла. Мы находились в тупике. Справа, слева и впереди возвышались лишь поросшие травой холмы, безразличные ко всему на свете. Склоны их были чрезвычайно крутыми, и я не смог бы вскарабкаться по ним достаточно быстро, чтобы уйти от погони пеших преследователей. Капкан. Мышеловка.

Передо мной глухой стеной громоздился завал из принесенных водой кусков дерева, сорняков и прочих наносов. Я был готов к тому, что сейчас пушистая тварь одарит меня зловещей ухмылкой Чеширского Кота и в лунном свете блеснут его оскаленные зубы. Но вместо этого кошка вскарабкалась по куче мусора и юркнула в маленькое отверстие, не замеченное мною.

Это был водосток! Должны же были куда-то деваться потоки дождевой воды после того, как достигали этого места.

Я торопливо забрался на кучу спрессованных наносов в метр высотой. Мусор под моими ногами хрустел и колебался, но держал. Чуть дальше я обнаружил стальную решетку, которая перегораживала вход в дренажную трубу, уходившую под основание холма. Труба имела больше полутора метров в диаметре и опиралась на массивную бетонную подпорку. Несомненно, это сооружение являлось частью системы, через которую стекавшие с холмов дождевые воды проходили по трубам под шоссе Пасифик-Кост, попадали в дренажную сеть под улицами Мунлайт-Бей и в итоге сбрасывались в океан. Раз или два в течение каждой зимы бригады рабочих прочищали водостоки с тем, чтобы те не засорились окончательно, но здесь, судя по всему, они не бывали давненько.

Кошка в трубе мяукнула. Усиленный бетонными стенками тоннеля, этот звук прозвучал совсем иначе, нежели обычно.

Промежутки между стальными прутьями решетки были сантиметров по десять шириной — вполне достаточно для кошки, но отнюдь не для меня. Однако между решеткой и верхним краем трубы оставался примерно полуметровый зазор. Подбросив ноги, я перекинул тело через стальные прутья. К счастью, их верхние концы были приварены к поперечной планке, иначе я мог бы здорово пораниться.

Оставив луну и звезды за спиной, я оперся спиной о решетку и стал вглядываться в беспросветную темень впереди. Чтобы не задевать головой потолок, мне приходилось слегка наклоняться.

Из дальнего конца трубы шел запах сырого бетона и гниющей травы — вовсе не такой уж неприятный.

Отлепившись от решетки, я двинулся вперед, скользя ногами по полу, расположенному слегка наклонно, однако, пройдя несколько метров, остановился. Если на пути у меня попадется вертикальный сток, мне ни за что не разглядеть его в такой темноте. Я грохнусь вниз и останусь здесь навсегда — с разбитой головой или сломанным позвоночником.

Я вытащил из кармана зажигалку, но не торопился высекать пламя. Когда мои преследователи подойдут к устью трубы, они непременно заметят отблески огня на влажных бетонных стенах.

Кошка вновь окликнула меня. Ее светящиеся глаза — вот и все, что я видел впереди себя. Прикинув расстояние между собой и кошкой, я пришел к выводу, что уклон тоннеля постепенно увеличивается, хотя и не очень сильно.

Я продолжал двигаться по направлению к кошачьим глазам, но при моем приближении зверек повернулся и побежал дальше. Два светящихся маячка исчезли, и я замер, мгновенно потеряв ориентацию, однако через несколько секунд до моего слуха снова донеслось мяуканье и впереди опять возникли немигающие зеленые огоньки глаз.

Медленно двигаясь вперед, я не переставал удивляться. Все, что происходило со мной сегодня вечером — похищение тела моего отца, видение обезображенного трупа с вырванными глазами, погоня за мной целой оравы людей во главе с могильщиками, — и без того было весьма необычным, если не сказать больше. Но все же самым странным мне казалось поведение этого маленького зверька — дальнего родственника тигров.

Или я уже начинаю бредить, приписывая обычной кошке такую трогательную заботу о моей судьбе, в то время как ей на меня глубоко наплевать?

Возможно и такое.

Не видя ничего впереди себя, я дошел до нового завала из разнообразных наносов — меньшего, нежели предыдущий. Здесь мусор был влажным. Под моими ногами хлюпала вода, снизу поднимался гораздо более резкий, чем прежде, запах.

Я ощупал темное пространство впереди себя и обнаружил, что позади преграды находится еще одна железная решетка. Она задерживала тот мусор, которому удавалось преодолеть первую преграду.

Только преодолев очередной барьер и оказавшись позади него, я осмелился чиркнуть зажигалкой и прикрыл вспыхнувшее пламя ладонью. Глаза кошки загорелись ярче. Теперь в них играли золотые и зеленые огоньки. Несколько мгновений мы смотрели друг на друга, а затем моя проводница — если только кошка являлась ею — развернулась и исчезла из виду, нырнув в темноту.

Сделав пламя как можно меньше, чтобы экономней расходовать газ, я стал спускаться к сердцевине прибрежных холмов, минуя отверстия, ведущие в более узкие боковые трубы. Наконец я дошел до места, где вниз вел пролет из нескольких широких ступеней, на которых виднелись лужицы застоявшейся воды. Ступени были покрыты жестким ковром почерневшего бурого мха. По всей видимости, он оживал лишь во время сезона дождей, который длится в наших краях четыре месяца в году. Ступени были предательски скользкими, однако для того, чтобы никто из ремонтников не сломал себе ненароком шею, в одну из стен тоннеля был вмурован железный поручень. Теперь на нем висели лохмотья увядшей травы, видимо принесенные сюда последними дождями.

Спускаясь по ступеням, я напрягал слух, ожидая услышать позади себя звуки погони и голоса преследователей, однако слышал лишь собственное дыхание и шарканье своих же ног. Либо охотники решили, что я избрал какой-нибудь другой путь бегства, либо слишком долго колебались, прежде чем войти в трубу, и дали мне тем самым большую фору.

В самом низу спуска я чуть было не наступил на то, что поначалу показалось мне белыми круглыми шляпками грибов. Здесь, в сырой темноте, целыми гроздьями росли огромные отвратительные и наверняка чрезвычайно ядовитые поганки. Вцепившись в поручень, я перешагнул через две ступеньки, на которых располагались эти штуковины. Мне не хотелось прикасаться к ним даже ботинком. Затем я обернулся, чтобы получше разглядеть свою находку.

Увеличив пламя зажигалки, я обнаружил, что белые предметы являлись вовсе не грибами, а представляли собой целую коллекцию черепов. Тут были хрупкие черепа птиц, удлиненные черепа ящериц и большие по размеру черепа, которые могли принадлежать животным — кошкам, собакам, енотам, дикобразам, кроликам, белкам...

Ни единого кусочка плоти не прилипло к этим останкам, словно их выварили и очистили. Белые, желтоватые — их здесь было видимо-невидимо, возможно, не меньше сотни. Ни берцовых костей, ни ребер — только черепа. Они были аккуратно уложены тремя рядами: два — на самой нижней ступеньке, и один — на предпоследней. Пустые глазницы были устремлены в темноту.

Кто мог сотворить такое? На стенах тоннеля не было никакой сатанинской символики, вокруг — ни единого признака того, что здесь происходили какие-нибудь мрачные ритуалы, и тем не менее эта выставка, несомненно, несла в себе некий зловещий смысл. Она говорила об одержимости, о страсти к убийству, о такой нечеловеческой жестокости, что в жилах стыла кровь.

Я вспомнил, как манила смерть нас с Бобби, когда нам было по тринадцать. Может, и эта жуткая работа совершена руками какого-нибудь мальца, только гораздо более «чудного», чем мы? Криминалисты утверждают, что будущие маньяки уже в возрасте трех-четырех лет начинают мучить насекомых, затем, становясь подростками, принимаются за животных, и наконец, повзрослев, переключаются на людей. Может быть, и здесь, в этих катакомбах, некий юный убийца практиковался в деле, которому собирался посвятить свою жизнь?

Посредине верхнего ряда покоился череп, заметно отличавшийся от остальных. Мне показалось, что он принадлежал человеку. Маленькому, но человеку. Ребенку, например.

— Боже милостивый! — пробормотал я. Отразившись от бетонных стен, эхо принесло мне отзвук собственного голоса.

И снова — сильнее, чем прежде, — я испытал чувство, что нахожусь во сне, где даже кости и бетон так же бесплотны, как дымок сигареты. Но я не стал протягивать руку, чтобы, прикоснувшись к детскому или любому другому из черепов, убедиться в этом. Какими бы призрачными ни казались эти жуткие реликвии, я знал, что на ощупь они окажутся холодными, скользкими и твердыми.

Мне вовсе не хотелось повстречаться с хранителем этого непостижимого «музея», и я поспешно двинулся дальше по тоннелю.

Я ожидал, что вот-вот снова появится кошка, глядя на меня своим гипнотическим взглядом и неслышно ступая по бетонному полу, однако животное либо бежало где-то впереди меня, либо юркнуло в одно из боковых ответвлений.

Бетонные секции дренажной трубы сменялись одна за другой, и мне уже стало казаться, что газ в зажигалке закончится раньше, чем я отсюда выберусь, как вдруг впереди показалось размытое серое пятно. Торопливо приблизившись к выходу из тоннеля, я с облегчением обнаружил, что решетки здесь нет.

Наконец-то я добрался до знакомых мест и теперь находился на северной окраине города — в двух кварталах от берега океана и всего в половине квартала от колледжа.

После темной дренажной трубы ночной воздух показался мне не просто свежим, но сладким. Высокий небосвод казался полированным, а звезды на нем — бесценной инкрустацией.

9

Часы на здании банка «Веллз Фарго» показывали 7.56 вечера. Значит, мой отец умер менее трех часов назад. Каждый час, прошедший с того момента, когда его не стало, казался мне годом.

Часы мигнули, и теперь вместо времени на них

высветилась температура воздуха. Двадцать пять градусов выше нуля. Мне было холодно.

За углом банка сияла огнями прачечная самообслуживания под названием «Чистюля». В такой поздний час посетителей в ней не было.

Зажав в кулаке долларовую купюру и зажмурив глаза так, что они превратились в узенькие щелочки, я вошел в прачечную и с порога окунулся в густой цветочный аромат стиральных порошков и едкий химический запах отбеливателя. Пригнув голову как можно ниже, я стремглав кинулся к разменному автомату, скормил ему доллар, выгреб из металлического лотка высыпавшуюся туда мелочь и так же быстро выбежал на улицу.

В двух кварталах от прачечной находилась почта, а рядом с ней — телефон-автомат в прозрачном пластмассовом колпаке. На стене чуть повыше телефона висел фонарь, защищенный металлической сеткой. Я повесил на него свою кепку, и стало темно.

По моим расчетам, Мануэль Рамирес должен был находиться дома, однако его мать Розалина, поднявшая трубку, сказала, что Мануэля нет и не будет еще очень долго. Он работал вторую смену подряд, поскольку один из офицеров заболел. Сейчас, по ее словам, Мануэль дежурил в управлении, а после полуночи должен был выйти на патрулирование.

Я набрал номер полицейского управления Мунлайт-Бей и попросил диспетчера подозвать к телефону офицера Рамиреса.

Мануэль, по моему мнению, лучший полицейский в городе. Мексиканец по происхождению, он на восемь сантиметров ниже меня, на пятнадцать килограммов тяжелее и на двенадцать лет старше.

Он любит бейсбол, я же не слежу за спортивными событиями; мне жаль времени, безвозвратно утекающего, пока бездеятельно сидишь перед телевизором. Мануэль предпочитает музыку в стиле кантри, я люблю рок. Он ярый республиканец, я же не интересуюсь политикой. Из киноактеров он отдает предпочтение Эбботу и Костелло, мне же больше всего нравится неувядающий Джеки Чан. Мы с Мануэлем друзья.

— Крис, я уже слышал про твоего отца, — сказал он, взяв трубку. — Даже не знаю, что и сказать.

— Я тоже.

— В таких случаях всегда не хватает слов.

— Они и не нужны.

— Ты сам-то в порядке?

Я внезапно онемел. Мысль о страшной утрате, постигшей меня, острой иглой пронзила горло и пришпилила язык к гортани. Любопытно, что сразу же после смерти папы я сумел без колебаний ответить на тот же вопрос, заданный мне Сетом Кливлендом. Однако Мануэль мне гораздо ближе, нежели доктор. Находясь рядом с другом, человек отогревается и начинает острее чувствовать боль.

— Зашел бы как-нибудь вечерком, когда я не буду на службе, — предложил Мануэль. — Выпьем пивка, покушаем тамале, посмотрим какой-нибудь фильмец с Джеки Чаном.

Несмотря на расхождения в том, что касается бейсбола и кантри, у нас с Мануэлем много общего. Он работает в ночную смену — с полуночи до восьми утра, — а иногда и две смены подряд, когда, как в этот мартовский вечер, не хватает людей. Он, подобно мне, любит ночь, но работает во внеурочное время еще и в силу обстоятельств. Мало кому хочется вылезать на темные улицы, поэтому за ночные смены платят больше. Но еще важнее для Мануэля то, что днем и вечером он может побыть со своим сыном Тоби, которого обожает. Шестнадцать лет назад Кармелита, жена Мануэля, умерла спустя несколько минут после того, как подарила жизнь Тоби. Милый, обаятельный мальчик болен синдромом Дауна.

Мать Мануэля переехала к сыну сразу же после смерти Кармелиты и до сих пор помогает ему растить Тоби. Так что моему другу прекрасно известно, что такое рука судьбы. Он чувствует ее прикосновение каждый день, хотя и находится в таком возрасте, когда люди уже не верят в предначертание и рок. Между мной и Мануэлем Рамиресом и вправду много общего.

— Пиво и Джеки Чан — это здорово, — согласился я, — но кто будет готовить тамале: ты или твоя мама?

— Только не mi madre, обещаю.

Мануэль — великолепный кулинар, а его мать только считает себя таковым. Сравнивая их стряпню, получаешь яркое представление о разнице между хорошим знанием дела и хорошими побуждениями.

По улице проехала машина, и, опустив голову, я увидел собственную тень. Она подобралась к моим неподвижным ногам, переползла с левой стороны на правую и стала вытягиваться, расти, будто намереваясь оторваться от меня и убежать в ночь. Но тут машина проехала мимо, и тень покорно вернулась на прежнее место.

— Мануэль, ты можешь сделать для меня кое-что поважнее тамале.

— Только скажи, Крис.

Я довольно долго молчал, а потом выдавил:

— Это связано с моим отцом. Точнее... с его телом.

Мануэль почувствовал мои колебания. Его внимательное молчание было столь же красноречивым, как настороженные уши кошки. В моих словах он слышал больше, чем смог бы услышать любой другой человек. Когда он снова заговорил, голос его звучал уже по-другому. К дружеской теплоте добавились стальные полицейские нотки.

— Что стряслось, Крис?

— Нечто очень странное.

— Странное? — переспросил Мануэль, словно пробуя слово на вкус.

— Вот только мне не хотелось бы говорить об этом по телефону. Ты сможешь выйти на автостоянку, если я сейчас подойду к зданию муниципалитета?

У меня не было выбора, кроме как поговорить с Мануэлем на улице. Вряд ли полицейские выключат свет повсюду в своей штаб-квартире и станут выслушивать мои показания при свечах.

— Речь пойдет о каком-то преступлении? — уточнил Мануэль.

— Очень серьезном. И странном.

— Шеф Стивенсон засиделся сегодня допоздна. Может, попросить его задержаться еще чуть-чуть?

Перед моим внутренним взором предстало обезображенное лицо бродяги с вырванными глазами.

— Да, — согласился я, — Стивенсон обязательно должен это услышать.

— Сможешь прийти через десять минут?

— Да. До скорого.

Я повесил трубку, снял свою бейсболку с фонаря и пошел по улице. Навстречу проехали две машины, и я загородил глаза ладонью от света их фар.

Одна из них была последней моделью «Сатурна», другая — «Шевроле».

Не белым фургоном. Не катафалком. Не черным «Хаммером».

Вероятно, погоня за мной уже прекратилась. К этому времени бродяга наверняка сгорел в печи. Пепел не улика, а других способов доказать, что странная история, о которой я собирался поведать, не вымысел, у меня нет. Сэнди Кирк, санитары и все остальные, чьи имена мне неизвестны, могут чувствовать себя в полной безопасности.

Положение в корне изменилось. Теперь, если бы меня убили или похитили, неминуемо началось бы расследование, в ходе которого могли всплыть какие-нибудь новые свидетели того, что им хотелось утаить. Таинственным заговорщикам сейчас гораздо выгоднее затаиться и не делать никаких резких движений. Тем более что единственным свидетелем их преступления является городской дурачок, который выходит из своего плотно зашторенного дома лишь по ночам, боится солнца, живет, укрываясь под темными очками и капюшонами, крадется по темным улицам, укутавшись в сто одежек и намазавшись всякой дрянью.

Учитывая необычайность обвинений, мало кто поверит в правдоподобность моей истории, однако Мануэль — в этом я не сомневался — ни за что не усомнится в том, что я говорю правду. Надеюсь, его шеф — тоже.

Я пошел по направлению к муниципальному зданию, находившемуся всего в паре кварталов от почты. Торопливо шагая сквозь ночь, я мысленно репетировал то, что мне предстояло рассказать Мануэлю и его боссу. Последний являл собой весьма примечательную фигуру, и мне не хотелось бы оплошать перед ним.

Стивенсон был высоким широкоплечим атлетом, с лицом, которое заслуживало того, чтобы его чеканили на древнеримских монетах. Иногда мне чудилось, что на самом деле он всего лишь актер, играющий роль мужественного шерифа. Но даже если бы это было так, его игра заслуживала высших наград. Не прилагая никаких усилий, пятидесятидвухлетнему Стивенсону удавалось казаться гораздо мудрее своего возраста, внушать окружающим доверие и уважение к себе. В нем было что-то от священника и психолога — качества, необходимые многим в его положении, но мало кому даруемые Создателем. Он был из той редкой породы людей, которые, будучи облечены властью, не злоупотребляют ею, а, наоборот, используют ее разумно и справедливо. За четырнадцать лет, в течение которых Стивенсон возглавлял полицию города, с его именем не было связано ни одного — даже самого незначительного — скандала, а в адрес его ведомства не раздалось ни одного упрека в нерасторопности или неумении работать.

Размышляя таким образом, я шел по аллеям, освещенным лишь светом луны, которая поднялась еще выше по небосклону. Минуя решетчатые ограды и пешеходные дорожки, проходя мимо мусорных баков и садов, я мысленно проговаривал слова, которые должны были убедить полицейских в моей правдивости.

Я пришел на автостоянку, расположенную позади муниципального здания, на две минуты раньше, чем обещал Мануэлю, и уже издали увидел Стивенсона. Шеф полиции стоял у дальнего конца здания, возле бокового выхода. В синеватом свете закрытой плафоном лампы он был виден как на ладони, а вот человек, с которым он беседовал, наполовину скрывался в тени, и поначалу я его не узнал.

Я двинулся через автостоянку, направляясь к ним. Мужчины были настолько увлечены беседой, что не замечали моего приближения. Меня скрывали от них машины, между рядами которых я шел: грузовики дорожного департамента и службы водоснабжения, патрульные и частные автомобили. Кроме того, я старался держаться подальше от света трех высоких уличных фонарей.

В тот самый момент, когда я уже должен был выйти на открытое пространство, собеседник Стивенсона переместился, оказался на свету, и я замер как вкопанный. Облик Стивенсона в моем представлении моментально лишился всех положительных качеств, которыми я его наделял. Несмотря на свой римский профиль, он уже не заслуживал, чтобы его чеканили на монетах. Он был недостоин не только памятника, но даже того, чтобы его фото красовалось в здании полиции рядом с фотографиями мэра и президента Соединенных Штатов Америки. Присмотревшись к собеседнику шефа полиции, я увидел бритую голову, грубые черты лица, красную фланелевую рубашку. Джинсы. Тяжелые ботинки. Жемчужную сережку в ухе с такого расстояния было не рассмотреть.

Я находился между двумя большими машинами, но, остановившись, мгновенно подался назад, чтобы получше спрятаться в маслянистой тьме. Двигатель одной из машин был горячим и, остывая, тихонько потрескивал.

Голоса говоривших доносились до меня, но слов разобрать я не мог. Этому мешал и ветерок, продолжавший перешептываться с кронами деревьев.

Вдруг до моего сознания дошло, что фургон справа от меня — тот самый, с горячим мотором, — это белый «Форд», на котором лысый уехал тремя часами раньше из подземного гаража больницы. «Интересно, — подумал я, — торчат ли ключи в замке зажигания?» Желая выяснить это, я прижался лицом к стеклу кабины, но внутри ничего не было видно.

Если бы мне удалось угнать фургон, вполне возможно, что в моем распоряжении оказались бы какие-нибудь улики против лысого и его дружков. Даже в том случае, если тела моего отца здесь уже нет, экспертиза могла бы обнаружить в фургоне хотя бы следы крови убитого бродяги.

Но я понятия не имел, как заводить машину без ключей, соединяя провода.

Черт, да я ведь и машину водить не умею!

Однако даже если бы во мне вдруг чудесным образом обнаружился талант к управлению транспортными средствами, что было бы сродни гениальной способности маленького Моцарта к сочинению музыки, мне все равно не удалось бы проехать вдоль побережья тридцать два километра к югу или пятьдесят километров к северу, где заканчивалась юрисдикция нашей полиции. В свете фар несущихся навстречу автомобилей, да еще без моих драгоценных очков, лежавших разбитыми вдребезги где-то в холмах вдали отсюда.

Более того, стоит мне открыть дверь фургона, в салоне тут же загорится свет, и те двое непременно заметят это.

Они подойдут ко мне.

И убьют.

Дверь полицейского управления открылась, и из нее вышел Мануэль Рамирес.

Льюис Стивенсон и его собеседник мигом умолкли. С такого расстояния я не смог разглядеть, знакомы ли между собой Мануэль и лысый, но мне показалось, что он обращается только к своему начальнику.

Я не допускал и мысли о том, что Мануэль — добрый сын Розалины, безутешный вдовец Кармелиты и любящий отец Тоби — может быть вовлечен в какой-либо заговор, а тем более участвовать в убийстве и гробокопательстве. Мы не знаем окружающих нас людей. Не знаем их по-настоящему, пусть даже нам кажется, что мы видим их насквозь. Почти любого человека можно сравнить с темным колодцем, в глубинах которого плавают тысячи разрозненных частиц, влекомых неведомым течением. Но я мог прозакладывать свою жизнь, что кристальное сердце Мануэля не способно на предательство.

Однако, рискуя своей жизнью, я не имел права рисковать своим другом. Если бы я позвал Мануэля и попросил его обыскать или арестовать фургон для проведения тщательной экспертизы, я тем самым подписал бы ему смертный приговор. Мой уже был подписан.

Стивенсон и лысый вдруг резко отвернулись от Мануэля и принялись обшаривать глазами автостоянку. Я понял, что он рассказал им о моем телефонном звонке.

Согнувшись в три погибели, я отполз еще глубже в темноту, царившую между фургоном и грузовиком службы водоснабжения. Оказавшись позади фургона, я попробовал разглядеть его номерной знак. Обычно я избегаю света, а вот теперь жалел, что его недостаточно.

Я лихорадочно шарил пальцами по номеру, пытаясь на ощупь разобрать выдавленные на нем цифры, однако азбука Брайля была мне незнакома, а времени было в обрез. Меня могли обнаружить в любой момент.

Если не Стивенсон, то лысый уже наверняка шел по направлению к фургону — в этом я не сомневался. Он подходил все ближе. Лысый мясник. Похититель трупов. Любитель вырывать глаза.

По-прежнему согнувшись, я заторопился обратно тем же путем, каким оказался здесь — между рядами легковушек и грузовиков, выбрался на аллею и побежал, пригибая голову и укрываясь за мусорными баками, чуть ли не ползком пересек Дампстер, миновал ее и завернул за угол. Теперь увидеть меня от муниципального здания было невозможно. Я выпрямился в полный рост и побежал сломя голову. Я пластался, как дикий кот, скользил, как сова, как ночная тварь, размышляя тем временем, удастся ли мне до рассвета найти надежное убежище или, подобно сухому листку, придется скорчиться и обуглиться под жаркими лучами солнца, встающего из-за холмов.

10

Пораскинув мозгами, я решил, что не подвергну себя опасности, если загляну домой, но задерживаться там надолго было бы непростительной глупостью. Полицейские не хватятся меня еще минуты две, затем подождут еще с десяток минут, и лишь потом шеф Стивенсон сообразит, что я видел его разговаривающим на автостоянке с лысым убийцей, похитившим тело моего отца.

Но даже тогда они вовсе не обязательно отправятся ко мне домой. Я не представлял для них серьезной угрозы, и вряд ли они опасались меня, поскольку в моем распоряжении не было никаких доказательств того, свидетелем чего я невольно стал.

И все же эти люди были полны решимости прибегнуть к самым крутым мерам, чтобы ни единое — даже малейшее — свидетельство об их непостижимом заговоре не просочилось наружу.

Отпирая входную дверь и входя в дом, я полагал, что Орсон уже поджидает меня в прихожей, однако его там не оказалось. Не появился он и после того, как я громко позвал его. Если бы пес находился в дальних комнатах и бросился ко мне, я услышал бы шлепанье его большущих лап по полу, но в доме царила тишина.

Наверное, его вновь обуял приступ меланхолии. Чаще всего мой Орсон жизнерадостен, весел, игрив и работает хвостом с такой энергией, что мог бы дочиста вымести все улицы Мунлайт-Бей. Однако иногда на его плечи опускается вся мировая скорбь, и тогда он лежит безвольным ковриком — с широко открытыми глазами, обратив внутренний взгляд к каким-то своим собачьим воспоминаниям, и лишь время от времени тоскливо вздыхает.

А несколько раз я заставал Орсона в состоянии, которое без всякого преувеличения можно было бы назвать черной тоской. Казалось бы, собака на это не способна, но у Орсона получалось.

Как-то раз он уселся в моей спальне перед зеркалом, вмонтированным в дверь стенного шкафа, и глядел на свое отражение полчаса кряду — целую вечность по собачьим меркам. Обычно эти животные воспринимают мир как череду коротких чудес, привлекающих их интерес не более чем на две-три минуты. Не могу сказать, что именно заворожило его в собственном облике, но точно знаю: собачье тщеславие и любопытство тут ни при чем. Орсон тогда стал воплощением печали — поникший, с опущенными ушами и безвольно висящим хвостом. Я был готов поклясться, что глаза его наполнены слезами, которые ему с трудом удавалось сдерживать...

— Орсон! — снова позвал я.

Выключатель около лестницы, как и все остальные в доме, был снабжен реостатом. Я включил свет — самый слабый, чтобы только видеть ступени, и стал подниматься. Орсона не было ни на лестнице, ни в коридоре второго этажа. В моей спальне его тоже не оказалось.

Направившись прямиком к тумбочке, я выдвинул верхний ящик и взял оттуда конверт, в котором постоянно хранил небольшую сумму денег — так, на всякий случай. В конверте оставалось всего сто восемьдесят долларов, но это все же лучше, чем ничего. Я понятия не имел, для чего мне могут понадобиться наличные, но в такой ситуации нужно быть готовым ко всему. Деньги перекочевали в карман моих джинсов.

Задвигая ящик тумбочки, я нечаянно глянул в сторону кровати и заметил на покрывале какой-то черный предмет, а взяв его в руки, удивился тому, что он оказался именно тем, на что был похож в полумраке, — пистолетом.

Я видел его впервые в жизни.

Мой отец никогда не имел оружия.

Подчиняясь первому порыву, я положил пистолет и обтер его краем покрывала, стремясь уничтожить свои отпечатки пальцев. Мне вдруг подумалось, что меня намереваются подставить, свалив на меня вину за преступление, которого я не совершал.

Хотя телевизор тоже испускает ультрафиолетовые лучи, я за свою жизнь пересмотрел много фильмов. Если я сажусь подальше от телеэкрана, мне ничто не угрожает. Я помню, как в этих фильмах невинных людей в исполнении Кери Гранта, Джеймса Стюарта и Харрисона Форда беспощадно преследовали за чужие преступления, а потом сажали за решетку с помощью сфабрикованных улик.

Быстро войдя в ванную комнату, я включил слабую матовую лампочку. Нет, мертвой блондинки тут не оказалось. И Орсона тоже.

Я немного постоял и еще раз прислушался. Если в доме и находились посторонние, то они должны были быть призраками и парить в эктоплазмической тишине.

Я вернулся к кровати, поколебавшись, взял пистолет и возился с ним до тех пор, пока не сумел извлечь обойму. Она была полной, и я загнал ее обратно в рукоятку. Никогда прежде я не имел опыта обращения с оружием, и поэтому теперь оно показалось мне тяжелее, чем выглядело на первый взгляд. Пистолет весил чуть меньше килограмма.

Рядом с тем местом на покрывале, где я обнаружил пистолет, лежал конверт. Я заметил его только сейчас и, вытащив из тумбочки фонарик-ручку, направил его луч на белый прямоугольник. В верхнем левом углу был напечатан обратный адрес: магазин «Оружие Тора» в Мунлайт-Бей. Незапечатанный конверт, на котором не было даже марки, а только почтовый штамп, был слегка помят и имел обрез в виде причудливых зубцов. Взяв конверт в руки, я увидел на нем в некоторых местах влажные пятна, однако сложенные бумаги внутри его оказались сухими.

Подсвечивая себе фонариком, я внимательно изучил документы и узнал аккуратную подпись отца на копии стандартного заявления в полицию. Он сообщал в нем, что чист перед законом и не страдает психическими заболеваниями, которые могли бы стать препятствием для приобретения огнестрельного оружия. В конверте также оказалась квитанция на пистолет. Из нее следовало, что это — 9-миллиметровый «глок-17» и мой отец расплатился за него чеком.

При взгляде на число, которым была датирована квитанция, меня пробрал озноб: 18 января, два года назад. Отец купил «глок» через три дня после того, как моя мама погибла в автокатастрофе на шоссе № 1. Он будто почувствовал, что придется защищаться.

* * *

В кабинете, расположенном через коридор от ванной, перезаряжался мой сотовый телефон. Я вытащил его из подзарядного устройства и пристегнул к брючному ремню. Орсона не было и в кабинете.

Подбросив меня в больницу, Саша заехала сюда, чтобы накормить Орсона. Может быть, уезжая, она забрала его с собой? Когда я выходил из дома, пес был угрюм. Возможно, после моего ухода он впал в еще более мрачное состояние и сострадательная Саша просто не смогла оставить беднягу одного?

Но даже если Орсон отправился с Сашей, кто принес «глок» из комнаты отца в мою спальню и положил его на постель? По крайней мере не Саша. Во-первых, она не знала о существовании пистолета и, во-вторых, ни за что не стала бы рыться в вещах моего отца.

Телефон на столе был соединен с автоответчиком. На аппарате мигал огонек, показывая, что на пленке имеются сообщения, а светящаяся цифра в окошечке сообщала, что их было два.

Первый звонок был сделан лишь полчаса назад. Он длился две минуты, но звонивший так и не произнес ни слова. Было только слышно, как некто на другом конце провода медленно и глубоко вдыхает и выдыхает, словно обладает магической способностью ощущать запахи через телефонную линию и именно по запаху пытается определить, дома я или нет. Через некоторое время неведомый абонент начал что-то мурлыкать себе под нос, будто забыв, что его голос записывается на пленку. Он мурлыкал так, как это делает рассеянный человек, погруженный в свои мысли. Это не было какой-то мелодией. Жуткое мычание то поднималось вверх, то опускалось, то кружило на одном месте. Такое может услышать сумасшедший, когда ему чудится пение ангелов смерти.

Я не сомневался, что этот человек мне незнаком. Любого из своих друзей я сразу распознал бы даже по одному только мурлыканью. Я также не сомневался в том, что незнакомец не ошибся номером, а звонил именно мне. Каким-то образом он был связан со всеми событиями, последовавшими за смертью моего отца.

Когда в автоответчике зазвучали короткие гудки отбоя, я вдруг заметил, что крепко сжимаю кулаки и сдерживаю дыхание. Я выдохнул бесполезный горячий воздух, наполнил легкие новым и прохладным, но разжать кулаки так и не смог.

Второй звонок был сделан всего за несколько минут до моего возвращения домой. Звонила Анджела Ферриман, медсестра, находившаяся у постели отца на протяжении всей его болезни. Она не представилась, но я и так сразу же узнал ее высокий певучий голос, наводивший на мысль о маленькой юркой птичке, торопливо перелетающей с ветки на ветку. «Крис, мне надо с тобой поговорить. Обязательно! И чем скорее, тем лучше. Сегодня же, если, конечно, ты сможешь. Я звоню тебе из машины. Еду домой. Приезжай ко мне. И не звони, я не доверяю телефонам. Я и сейчас-то звонить не хотела, но мне непременно нужно увидеться с тобой. Постучись в заднюю дверь. Я не буду спать, как бы поздно ты ни пришел. Я просто не смогу заснуть».

Я вставил в автоответчик чистую кассету, а эту вынул и засунул под ворох смятых бумажек на дно мусорной корзины, стоявшей возле письменного стола.

Конечно, две эти короткие записи ни в чем не смогут убедить полицейских и судью, но с их помощью я хоть как-то смог бы доказать, что вокруг меня творится нечто странное. Более странное, чем мое появление на свет и моя жизнь в этом маленьком темном замке. И даже еще более странное, нежели то, что мне удалось дожить до двадцати восьми лет и не пасть жертвой пигментозного экзодермита.

* * *

Я пробыл дома не более десяти минут, но и это было недопустимо долго.

Все время, пока я искал Орсона, мне то и дело казалось, что я вот-вот услышу грохот выломанной двери или разбитого стекла на первом этаже, а затем — топот шагов. Пока что в доме царила тишина, но она была напряженной, готовой в любую секунду взорваться какой-то страшной неожиданностью.

Я не нашел пса ни в отцовской комнате и ванной, ни в стенном шкафу, где Орсон любил коротать время. С каждой секундой я начинал все сильнее тревожиться за своего лохматого приятеля. Тот, кто подбросил мне на постель 9-миллиметровый «глок», мог забрать с собой и Орсона или причинить ему вред.

Вернувшись в свою комнату, я взял из ящика шкафа запасные темные очки. Они были в мягком чехле с клеймом торговой марки «Велкро», и я сунул их в карман рубашки, а затем озабоченно посмотрел на светящийся циферблат наручных часов. Положив обратно в конверт полицейскую анкету и квитанцию из оружейного магазина, я сунул его под матрац. Неизвестно, окажутся ли эти бумажки уликами или обычным мусором, но так будет надежнее. Лично мне очень важной казалась дата, когда был куплен пистолет. Впрочем, сейчас мне казалось важным все.

Пистолет я забрал с собой. Может, это действительно была ловушка вроде тех, что показывают в кино, но с оружием я чувствовал себя спокойнее. Хорошо бы еще уметь им пользоваться.

Карманы моей кожаной куртки были достаточно глубокими, чтобы в одном из них уместился пистолет, и я засунул его в правый — не как мертвый кусок железа, а как вялую, но еще не до конца уснувшую змею. Мне казалось, что при ходьбе она медленно шевелится у меня в кармане — жирный и скользкий, неторопливо перетекающий сгусток толстых колец.

В поисках Орсона я уже был готов спуститься на первый этаж, но тут вдруг вспомнил, как однажды ночью, выглянув из окна спальни, увидел его на заднем дворе. Пес сидел, задрав нос кверху, будто высматривая что-то в небесах. Состояние, в котором он находился, озадачило меня. Он не выл, тем более что та летняя ночь была безлунной. Он не скулил и даже не повизгивал. Издаваемые им звуки напоминали скорее какое-то странное тревожное мяуканье.

Вот и сейчас я поднял жалюзи на том же окне и увидел его внизу. Пес с озабоченным видом копал яму на залитой лунным светом лужайке. Странно, он всегда был дисциплинированной собакой и не рыл землю в недозволенных местах.

Через несколько секунд Орсон бросил эту яму, отошел чуть правее и яростно принялся копать новую. Он трудился как одержимый.

«Что с тобой случилось, парень?» — подумал я, а собака внизу копала, копала, копала...

Я спускался по ступеням, тяжелый «глок» в кармане бил меня по бедру, а мне вспоминалась та ночь, когда я вышел во двор и присел рядом с мяукавшим псом...

* * *

Его плач напоминал шипение, с каким стеклодув выдувает над огнем вазу. Настолько тихое, что не могло побеспокоить соседей, оно звучало такой безысходностью, что я был потрясен. Это отчаяние было чернее любого самого черного стекла и более странное, чем самое диковинное творение, которое способен создать стеклодув.

Пес не был ранен и выглядел вполне здоровым. Разве что звезды на ночном небе наполнили его душу такой неизбывной тоской. Но, судя по тому, что написано в учебниках, зрение у собак настолько слабое, что они вряд ли способны разглядеть звезды. Да и потом, с какой стати Орсону печалиться при виде звездного неба, которое он наблюдал уже сотни раз? И все же пес сидел, задрав голову вверх, издавал душераздирающие звуки и никак не реагировал на мои попытки успокоить его.

Я положил руку на голову Орсона, провел ладонью по спине и почувствовал, как по его телу пробежала дрожь. Он вскочил на ноги, отпрыгнул в сторону и оглянулся. Я был готов поклясться, что в тот момент он ненавидит меня. Орсон оставался моим псом, по-прежнему любил меня и не мог не любить, но в то же время ненавидел меня всей душой. Той теплой июльской ночью я почти физически ощущал исходивший от него поток ненависти. Не переставая жалобно мяукать, он бегал по двору, то оборачиваясь на меня, то задирая голову к небу, напряженный, дрожащий и слабый.

Когда я рассказал об этом случае Бобби Хэллоуэю, тот ответил, что собаки не в состоянии кого-то ненавидеть или испытывать отчаяние, что их эмоциональная жизнь так же скудна, как интеллектуальная. Я настаивал на своей правоте, в ответ на что услышал:

— Послушай, Сноу, если ты и дальше собираешься вешать мне на уши эту свою сверхъестественную лапшу, может, лучше возьмешь пистолет и разом вышибешь мне мозги? С твоей стороны это будет гораздо милосерднее по отношению ко мне, нежели казнить меня медленной и мучительной смертью, как ты делаешь сейчас, по капле выпуская из меня кровь своими бредовыми историями и идиотскими теориями. Человеческому терпению бывает предел, даже моему.

Однако я знаю точно: той июльской ночью Орсон и вправду ненавидел меня. Ненавидел и одновременно любил. И я уверен: что-то в небе мучило его и наполняло отчаянием — звезды, тьма или что-то еще, что он сам вообразил.

Обладают ли собаки воображением? А почему бы и нет!

Я знаю, они видят сны. Я видел спящих собак, которые перебирают ногами, догоняя приснившегося кролика. Во сне они вздыхают, скулят и рычат на своих воображаемых противников.

Ненависть Орсона в ту ночь не испугала меня, а, наоборот, заставила испугаться за него. Я понял, что дело не в плохом настроении пса или каком-то нездоровье, которые сделали бы его опасным для меня. Что-то нездоровое творилось у него в душе.

Бобби обладает блестящим даром высмеивать любое упоминание о наличии у животных души. Я мог бы запросто продавать билеты на эти шоу, но предпочитаю наблюдать их в одиночку. Я откупориваю бутылочку пива, откидываюсь на диване и наслаждаюсь представлением.

И все же всю ту долгую ночь я просидел во дворе, не желая оставлять Орсона одного, хотя, возможно, ему этого и хотелось. Он смотрел на меня, потом переводил взгляд к усыпанному звездами небосклону, тонко плакал, трясся всем телом и кружил, кружил, кружил по двору почти до самого рассвета. Только тогда, измученный, он успокоился, положил голову мне на колени и перестал меня ненавидеть.

Почти перед самым восходом солнца я поднялся в свою комнату, намереваясь лечь в постель раньше, чем обычно, и Орсон последовал за мной. Обычно если он решает спать по моему расписанию, то сворачивается у меня в ногах, но на сей раз лег рядом и повернулся ко мне спиной. Я гладил его большую голову и перебирал мягкий черный мех до тех пор, пока он не уснул.

Самому мне в тот день поспать так и не довелось. Я лежал с открытыми глазами и грезил о жарком летнем утре, стоявшем за плотно зашторенными окнами. Наверное, небо похоже на перевернутое блюдо из голубого фарфора, под которым порхают птицы. Дневные птицы. Я видел их только на картинках. А еще — пчелы и бабочки. И тени — чернильно-темные, с острыми краями, какими они никогда не бывают по ночам.

Я никак не мог заснуть, поскольку душу мою переполняла горькая обида.

* * *

Теперь, почти три года спустя, открывая кухонную дверь и выходя на задний двор, я надеялся, что Орсон не пребывает в таком же, как тогда, настроении. Нынешней ночью у нас не было времени на психотерапию — ни у него, ни у меня.

Мой велосипед стоял на крыльце. Я спустил его по ступеням и покатил по направлению к занятому необычным делом псу. В дальнем углу двора он уже успел выкопать с полдюжины ям различной глубины и диаметра, и мне приходилось лавировать между ними, чтобы ненароком не вывихнуть ногу. Все пространство вокруг было усыпано комьями вырванной с корнем травы и свежей землей.

— Орсон!

Пес и ухом не повел. Он копал, словно обезумев, и даже не взглянул в мою сторону.

Сделав широкий круг, чтобы не попасть под комья земли, летевшие из-под его живота, я обошел яму и сел напротив Орсона.

— Здорово, приятель.

Орсон по-прежнему держал голову опущенной к земле и, продолжая копать, непрестанно что-то вынюхивал.

Ветер улегся, и полная луна зацепилась за верхние ветки деревьев, словно воздушный шарик, сбежавший от малыша.

В воздухе над моей головой сновали козодои. В погоне за летучими муравьями и ранними мошками они поднимались ввысь, ныряли к самой земле и переругивались между собой.

Глядя на то, как трудится Орсон, я вежливо поинтересовался:

— Ну как, не нашел пока вкусную косточку?

Он перестал рыть землю и, по-прежнему не глядя на меня, стал озабоченно обнюхивать молодую траву, запах которой чувствовал даже я.

— Кто тебя выпустил из дома?

Конечно, Саша могла вывести его на прогулку, но затем она наверняка вернула бы пса обратно. И все же я спросил:

— Саша?

Однако даже в том случае, если именно Саша выпустила пса и позволила ему учинить во дворе все это безобразие, Орсон не был расположен выдавать ее. Он все еще отказывался встречаться со мной взглядом, будто опасаясь, что я смогу прочесть в его глазах правду.

Оставив яму, которую он только что копал, Орсон вернулся к предыдущей, обнюхал ее и снова принялся за работу, словно пытаясь прорыть тоннель в Китай и присоединиться к тамошним собакам.

Возможно, он знал, что папа умер. Животные всегда все чувствуют, как сказала недавно Саша. Возможно, эта тяжелая работа являлась для него способом отвлечься и хоть ненадолго забыть о постигшем нас горе.

Я положил велосипед на траву, присел на корточки возле своего неутомимого пса и, осторожно потянув за ошейник, заставил его обратить на меня внимание.

— Да что с тобой такое?

Его глаза чернели темнотой только что отрытой земли. В них не было ничего от света звезд на небе. Они были бездонными и непроницаемыми.

— Мне нужно кое-куда съездить, дружок, — сказал я ему, — и мне хочется, чтобы ты отправился со мной.

Он заскулил и, повернув голову, посмотрел на хаос вокруг себя, словно сожалея о том, что вынужден оставить этот великий труд незавершенным.

— Скоро утро, я собираюсь остановиться у Саши и не хочу бросать тебя здесь одного.

Пес поднял уши, однако причиной тому было вовсе не мои слова или упоминание о Саше. Он повернулся всем своим мощным телом и стал смотреть в сторону дома. Я отпустил его ошейник. Орсон побежал к дому, но остановился неподалеку от задней двери. Настороженный, с высоко поднятой головой, он замер как вкопанный.

— Что такое, парень? — прошептал я. Нас разделяли пять или семь метров, ночь была тиха и безветренна, но даже при этом я едва слышал низкое рычание собаки.

Уходя, я выключил все лампы, и сейчас дом был погружен в непроницаемую темноту. Я оглянулся на окна, но не увидел призрачного лица, прижатого к стеклу. И все же Орсон кого-то учуял, поскольку стал медленно пятиться от дома. Еще миг — и, развернувшись с проворством кошки, он понесся в мою сторону.

Я поднял с травы велосипед и поставил его на колеса.

С развевающимися на ветру ушами и опущенным хвостом, Орсон пулей пронесся мимо меня по направлению к калитке. Полностью доверяя собачьим инстинктам, я без раздумий последовал за ним.

Наш двор окружен выкрашенным серебрянкой кедровым забором высотой в мой рост. Калитка — тоже из кедра. Я осторожно поднял щеколду, открыл калитку и тихонько выругался, услышав скрип петель.

Позади калитки шла плотно утрамбованная пешеходная тропинка, по одной стороне которой стояли дома, а по другой росли редкие эвкалипты с красноватой корой. Выходя со двора, я опасался, что снаружи нас может кто-то поджидать, но тропинка была пустынной.

К югу расположились поле для гольфа, гостиница «Мунлайт-Бей» и «Кантри-клуб». В этот поздний час, в пятницу ночью, поле, видневшееся за стволами эвкалиптов, было черным и напоминало ночную поверхность океана, а янтарные окна гостиницы, стоявшей еще дальше, светились, словно иллюминаторы роскошного океанского лайнера, плывущего на далекий Таити.

Если пойти по тропинке влево, она приведет вверх, в центр города, и упрется в кладбище возле католической церкви святой Бернадетты. Тот конец, который бежал вправо, спускался прямиком к берегу Тихого.

Я оседлал велосипед и поехал вверх по тропинке, по направлению к кладбищу. Аромат эвкалиптов напоминал мне об окне крематория и бесконечно прекрасной женщине, лежавшей мертвой на стальной каталке похоронщика. Возле меня энергично шлепал лапами Орсон, из далекой гостиницы доносились едва слышные ритмы танцевальной музыки, в одном из соседних домов плакал ребенок, тяжелый «глок» оттягивал мне карман, а в вышине козодои с острыми клювами гонялись за мошкарой. Жизнь и смерть одновременно правили бал в пространстве, зажатом между небом и землей.

11

Мне было необходимо поговорить с Анджелой Ферриман, поскольку ее послание, записанное на автоответчик, недвусмысленно сулило некую разгадку, а я был решительно настроен распутать этот клубок. Однако сначала нужно позвонить Саше и сообщить ей о смерти отца.

Я остановился на кладбище святой Бернадетты. Папа очень любил бывать на этом островке сумерек посреди самого ярко освещенного из городских районов. Стволы шести гигантских дубов вздымались вверх подобно колоннам, поддерживая свод своих переплетенных крон, а все пространство под ними напоминало мне библиотеку: подобно рядам книг, здесь выстроились надгробия с именами тех, кого смерть вычеркнула из списков живых, кого, быть может, забыли уже все, кроме этих камней.

Орсон суетился поблизости, сосредоточенно

вынюхивая следы белок, которые днем спускались на могилы и собирали упавшие желуди. Пес напоминал скорее не охотника, взявшего след, а пытливого ученого.

Сняв с пояса сотовый телефон, я включил его и набрал номер мобильного телефона Саши. Она ответила после второго звонка.

— Папы больше нет, — сказал я, вкладывая в эти слова гораздо более широкий смысл, нежели она сумела понять.

Саша уже раньше выражала мне сочувствие в связи с близкой кончиной отца и поэтому сейчас не стала рыдать. Ее горе проявилось лишь в том, что чуть-чуть напрягся голос, но никто другой, кроме меня, не заметил бы даже этого.

— Он не... Он умер легко?

— Без боли.

— В сознании?

— Да. Мы с ним даже успели попрощаться.

«Не бойся ничего».

— Какое же дерьмо эта жизнь! — проговорила Саша.

— Таковы правила игры, — ответил я. — Для того чтобы нас приняли в игру, мы должны согласиться на одно условие: когда-нибудь выйти из нее.

— Все равно дерьмо. Ты еще в больнице?

— Нет, уже ушел. Так... болтаюсь. Стараюсь избавиться от плохой энергии. А ты где?

— В машине. Еду в «Пинки динер» — перекусить и поработать со своим текстом перед началом шоу. — Ей предстояло выйти в эфир через три с половиной часа. — Но если хочешь, могу заказать еду навынос и мы где-нибудь покушаем вместе.

— Я не голоден, — ответил я, ничуть не покривив душой. — Увидимся попозже.

— Когда?

— Когда утром ты вернешься с работы домой, я уже буду там. Если, конечно, не возражаешь.

— Замечательно. Я люблю тебя, Снеговик.

— Я тоже тебя люблю.

— Это — наше маленькое заклинание.

— Это — сущая правда.

Я нажал на кнопку с надписью «конец», выключил телефон и снова прикрепил его к поясу.

Затем я выехал с кладбища, и мой лохматый друг последовал за мной, хотя и без всякой охоты. В его голове шел напряженный мыслительный процесс. Он пытался разгадать многочисленные беличьи тайны.

* * *

Я добирался до дома Анджелы Ферриман очень долго, поскольку ехал кружным путем, где почти не было машин и ярких уличных фонарей. Когда же они все-таки встречались, я принимался крутить педали с удвоенным усердием.

Преданный Орсон — чернее самой темной ночи — трусил рядом в таком же темпе, что и я. Ему это нравилось, и он заметно повеселел, проворно перебирая лапами сбоку от меня.

Навстречу нам попалось всего несколько машин. Каждый раз при их появлении я щурился и отворачивал голову.

Жилище Анджелы представляло собой очаровательное бунгало в испанском стиле, расположившееся под сенью магнолий, еще не успевших расцвести в это время года. Сейчас окна на его фасаде не светились.

Пройдя через незапертую калитку, я оказался в зеленом тоннеле. Он представлял собой длинный полукруглый, сделанный из реек проход, плотно увитый жасмином. Его лиственные стены и сводчатый потолок были испещрены звездочками цветов. Летом их станет еще больше, и зелень будет казаться укрытой белым кружевом.

Я глубоко вдохнул, наслаждаясь тягучим ароматом жасмина. Орсон дважды чихнул.

Спешившись, я провел велосипед сквозь зеленый тоннель, обогнул бунгало и прислонил свою железную лошадку к одному из двух деревянных столбов, поддерживавших навес над крыльцом.

— Охраняй, — приказал я Орсону. — Оставайся начеку. Постарайся казаться большим и злобным.

Пес глухо гавкнул, подтверждая, что понял задание. А может, он и впрямь понял — что бы там ни болтал Бобби Хэллоуэй и полиция по надзору за здравым смыслом.

Из-за шторы на окне кухни пробивался слабый свет свечи.

На двери находились четыре маленьких декоративных окошка. Я осторожно поскребся в одно из них.

Анджела Ферриман отдернула занавеску, нервно посмотрела на меня, а затем взглянула на крыльцо, желая убедиться, что я пришел один. С видом заговорщика она впустила меня в дом, заперла дверь и плотнее задернула шторы, чтобы никто с улицы не мог нас увидеть.

Хотя на кухне царило приятное тепло, а Анджела была одета в серый шерстяной костюм, на ней был еще и теплый синий свитер. Вероятно, он когда-то принадлежал ее покойному мужу, поскольку доходил этой миниатюрной женщине до колен, а плечи его свисали до ее локтей. Рукава были закатаны так сильно, что казалось, будто на запястьях Анджелы — широкие стальные кандалы.

Однако даже во всех этих одежках Анджела все равно выглядела хрупкой. Видимо, она постоянно мерзла, поскольку в лице ее не было ни кровинки и ее била непрерывная дрожь.

Она обняла меня. Это было ее обычное — крепкое, костлявое и сильное — объятие, но теперь я почувствовал в ней необъяснимую усталость.

Затем Анджела устроилась возле полированного соснового стола и жестом пригласила меня сесть напротив.

Я снял кепку и хотел было избавиться от куртки, поскольку на кухне было слишком жарко. Однако в кармане куртки покоился пистолет. Он мог звякнуть об стул или выпасть на пол, когда я буду раздеваться, а пугать Анджелу мне не хотелось.

В центре стола горели четыре церковных свечи, вставленные в подсвечники из рубинового стекла. Отражаясь в нем, их пламя отбрасывало на полированную поверхность стола зыбкие красные блики. Рядом стояла бутылка абрикосового бренди. Анджела поставила передо мной внушительных размеров бокал, и я наполнил его до половины.

Ее бокал был полон по самый край, и я догадался, что он у нее — не первый за сегодняшний вечер.

Анджела сжимала бокал обеими руками, словно пытаясь согреть ладони, а когда поднесла его к губам, еще больше, чем когда бы то ни было, напомнила мне брошенного ребенка. Несмотря на свою изможденность, она выглядела лет на пятнадцать моложе своего возраста, а сейчас и вовсе была похожа на девочку.

— С тех пор как себя помню, я всегда мечтала стать медсестрой.

— Ты ею и стала. Причем — самой лучшей, — искренне произнес я.

Женщина облизнула с губ остатки бренди и уставилась в свой бокал.

— Моя мама страдала ревматическим артритом, болезнь прогрессировала не по дням, а по часам. Так быстро... К тому времени, когда мне исполнилось шесть, она уже могла ходить только в металлических скобах для ног и с костылями, а вскоре после моего двенадцатилетия слегла в постель и больше не вставала. Она умерла, когда мне было шестнадцать.

Я не знал, что сказать. Любые слова утешения в данной ситуации прозвучали бы нелепо, фальшиво и кисло, как уксус. Я был уверен, что Анджела собирается сообщить мне нечто важное, но ей нужно время, чтобы подобрать слова, выстроить их в определенном порядке и заставить маршировать через стол в мою сторону. Поскольку, что бы она ни намеревалась поведать мне, это нечто пугало ее. Пугало до смерти, заставляя дрожать и бледнеть.

Медленно подбираясь к главной теме своего рассказа, женщина продолжала:

— Мне доставляло удовольствие приносить маме какие-то необходимые мелочи, которые ей самой взять было трудно. Стакан чаю со льдом, сандвич, лекарство, подушку для кресла — все, что угодно. Потом — утку, а под самый конец, когда она уже находилась в бессознательном состоянии, — менять ей простыни. Даже это не вызывало у меня брезгливости. Когда я что-то приносила ей, она всегда улыбалась и гладила меня по голове своими бедными, изуродованными болезнью руками.

Я не могла излечить маму, не могла вернуть ей способность бегать и танцевать, избавить ее от боли и страха, но я могла ухаживать за ней, следить за ее состоянием, доставлять хотя бы маленькие радости. И это было для меня важнее, чем... все на свете.

Абрикосовый напиток был слишком сладким, чтобы называться бренди, но все же не таким приторным, как я ожидал. Зато он оказался весьма крепким. Но все же не до такой степени, чтобы заставить меня забыть о своих родителях, а Анджелу — о ее матери.

— Я хотела только одного — стать медсестрой, — повторила она. — И в течение очень долгого времени была вполне довольна своей работой. Да, это грязная и печальная работа, особенно когда теряешь пациента, но вместе с тем она приносит огромное удовлетворение. — Анджела подняла глаза от бокала. Их взор был обращен в прошлое. — Господи, как я напугалась, когда у тебя был аппендицит! Я боялась, что потеряю своего маленького Криса.

— Не таким уж я был и маленьким. Девятнадцать лет.

— Глупыш, я стала твоей приходящей медсестрой с того дня, когда тебе поставили диагноз, а ты тогда был еще грудничком. Для меня ты всегда останешься маленьким.

— Я тоже люблю тебя, Анджела, — улыбнулся я.

Привыкнув выражать свои эмоции без обиняков, я иногда забываю, что некоторых людей эта манера может озадачить, а других, как случилось сейчас, чересчур сильно тронуть. Глаза Анджелы наполнились слезами. Чтобы не дать им волю, ей пришлось прикусить нижнюю губу и вновь приложиться к бокалу.

Девять лет назад у меня случился аппендицит. Это был как раз тот случай, когда болезнь не дает о себе знать до того момента, пока человек не окажется в критическом состоянии. После завтрака у меня прихватило живот. Перед обедом меня уже отчаянно тошнило, я стал красным как рак и страшно потел. В животе бушевала такая боль, что я извивался подобно креветке, которую повар-француз живьем кидает в кипящее масло.

Моя жизнь оказалась под угрозой. Дело в том, что я не совсем обычный пациент и врачам в больнице Милосердия необходимо было принять определенные меры. Разумеется, ни один хирург не стал бы разрезать мне живот и проводить операцию в кромешной темноте или даже при недостаточном освещении. Но вместе с тем, если бы я оказался на операционном столе и находился там долгое время в свете хирургических ламп, я получил бы страшные ожоги кожи, результатом чего неизбежно стал бы рак, а о заживлении шва не пришлось бы и мечтать.

В итоге от пояса до пят я был укрыт тройным слоем простыней, которые вдобавок подкололи булавками, чтобы они не сползали. Еще несколько простыней понадобилось для того, чтобы соорудить некое подобие палатки, укрывшей мою голову и верхнюю часть тела. Она была сделана таким образом, чтобы анестезиологи, вооружившись фонариком-ручкой, могли время от времени заглядывать внутрь и измерять мне давление, температуру, приладить маску наркоза, удостовериться в том, что присоски электрокардиографа надежно прилеплены к моей груди и запястьям.

Незакрытым был оставлен только крошечный участок — почти щелка — на моем животе. Только после этого хирурги сделали надрез. Но к этому моменту раздувшийся аппендикс лопнул. Начался перитонит, развился абсцесс, а за ним последовал септический шок, потребовавший еще одной операции. Ее мне сделали двумя днями позже.

Оправившись от септического шока и чудом избежав смерти, я еще четыре месяца жил в страхе. Я боялся, что пережитое испытание станет причиной одного из нервных расстройств, которыми так часто сопровождается ХР. Обычно они появляются после ожога кожи, в результате долгого пребывания на свету или других — еще не изведанных — причин. Но иногда их может вызвать к жизни травма или перенесенное потрясение. Я боялся, что в любой момент у меня начнут трястись голова или руки, станет ухудшаться слух, появится заикание. Я не исключал даже возможности психического заболевания. Однако мои страхи оказались напрасными.

Великий поэт Уильям Дин Хоуэллс написал, что на дне чаши, которую пьет каждый из нас, находится смерть. Однако в моей еще плещется немного сладкого чая.

И абрикосового бренди.

Сделав приличный глоток из своего бокала, Анджела проговорила:

— Да, я мечтала лишь об одном: стать медсестрой. Но взгляни на меня теперь.

Она, видимо, ожидала от меня вопроса, и я спросил:

— Что ты имеешь в виду?

— Быть медсестрой означает жизнь. Я же сейчас — символ смерти.

Я не понял, что она имеет в виду, но промолчал.

— На моей совести — ужасные вещи.

— Не наговаривай на себя.

— Я наблюдала, как другие люди творили нечто ужасное, и не попыталась им помешать.

— А ты бы сумела помешать им, если бы захотела?

Женщина задумалась и наконец ответила:

— Нет.

— Нельзя брать на себя вину за все на свете.

— Некоторым это не помешало бы.

Я не торопил ее. Бренди было вполне сносным.

— Вот что я скажу тебе, — вновь заговорила она, — это должно вот-вот случиться. Я превращаюсь.

— Превращаешься?

— Я чувствую это. Не знаю, чем я стану через месяц или полгода. Чем-то, чем не хочу становиться. Чем-то, чего боюсь сама.

— Я не понимаю.

— Разумеется.

— Могу я чем-нибудь помочь тебе?

— Мне никто не может помочь. Ни ты, ни даже Господь Бог. — Анджела перевела взгляд с рубиновых подсвечников на янтарную жидкость в своем бокале и заговорила — негромко, но решительно: — Мы загнали себя в западню, Крис. Такое с нами и раньше случалось, но сейчас все гораздо хуже и страшнее. А виной всему гордыня, надменность, зависть. Мы теряем все, абсолютно все. И уже невозможно повернуть назад, нельзя изменить содеянного.

Язык Анджелы не заплетался, но мне тем не менее подумалось, что она немного перебрала абрикосового бренди. Я пытался успокоить себя мыслью, что выпитый алкоголь заставляет ее слишком мрачно смотреть на вещи, что грядущая катастрофа, которую она пророчит, обернется на самом деле не ураганом, а всего лишь неприятностью, увеличившейся при взгляде на нее через бокал с бренди.

И все же слова Анджелы сделали свое дело. Несмотря на жару и бренди, мне стало холодно и расхотелось снимать куртку.

— Я не в силах остановить их, — продолжала она. — Но я могу другое — перестать хранить их секреты. Ты должен узнать обо всем, что случилось с твоими мамой и папой, Крис, даже если это причинит тебе боль. А ведь жизнь твоя и без того тяжела. Ох как тяжела!

Честно говоря, я не считаю, что жизнь моя так уж тяжела. Просто она другая, не такая, как у всех. Если бы я страдал от своей необычности и рыдал ночами, мечтая стать «нормальным», вот тогда моя жизнь точно превратилась бы в кошмар. Я бы сломался. Но мне больше по душе извлекать из своей жизни максимум удовольствия и превращать ее странности в преимущества, и поэтому она у меня не только не тяжелее, но даже легче, чем у многих.

Однако ничего этого я Анджеле не сказал. Если именно жалость ко мне заставляет ее делать свои не досказанные пока разоблачения — пожалуйста, я готов надеть маску печального горя и изображать из себя самого несчастного человека на свете. Я готов стать сумасшедшим Лиром. Я, если надо, буду Шварценеггером из «Терминатора-2», сражающимся с убийцей из жидкой стали.

— У тебя очень много друзей, но... есть и враги, о которых ты не знаешь, — продолжала тем временем Анджела. — Эти подонки чрезвычайно опасны. Многие из них — очень странные. Они — из тех, кто превращается.

«Превращается». Опять это слово!

Мне почудилось, что по моей шее бегают пауки. Я потер ее рукой, но там ничего не оказалось.

— Если ты хочешь уцелеть... хоть как-нибудь... ты должен знать правду. Наверное, мне стоит начать с обезьяны.

— С обезьяны? — переспросил я, подумав, что неправильно расслышал слово.

— С обезьяны, — подтвердила она.

В этом контексте слово прозвучало настолько комично и нелепо, что я опять подумал, не пьяна ли Анджела.

Женщина подняла глаза от бокала, и они показались мне двумя пустыми озерами, на поверхности которых плавало лишь неясное отражение той Анджелы Ферриман, которую я знал с самого детства. Однако, встретившись с этими глазами, излучавшими какое-то черное сияние, я почувствовал, как по шее у меня вновь побежали мурашки. Я уже не находил ничего забавного в слове «обезьяна».

12

— Это случилось в канун Рождества четыре года назад, — начала она свой рассказ. — Примерно через час после захода солнца. Я находилась на кухне и пекла печенье, используя обе духовки. В одной — шоколадное, в другой — ореховое. Играло радио. Кто-то голосом, похожим на Джонни Мэтиса, пел «Серебряные колокольчики».

Я закрыл глаза и попытался представить кухню Анджелы в тот вечер. Однако еще больше мне хотелось избежать взгляда Анджелы, в котором читался животный страх.

— Род должен был вернуться домой с минуты на минуту, и впереди нас ждали праздничные дни.

Род Ферриман был ее мужем.

Три с половиной года назад, через полгода после того Рождества, о котором рассказывала сейчас Анджела, он зашел в собственный гараж и застрелился из ружья. Их друзья и соседи были ошеломлены, а Анджела — вне себя от горя. Он был превосходным человеком, с хорошим чувством юмора, легким в общении, покладистым. Всем казалось, что у него нет никаких проблем, и вдруг он так страшно лишает себя жизни.

— Днем я наряжала елку, — сказала Анджела. — Мы собирались устроить праздничный ужин со свечами, выпить немного вина, а потом посмотреть «Жизнь прекрасна». Нам нравился этот фильм. Мы приготовили друг для друга подарки — много маленьких подарков. Рождество было нашим любимым праздником, и мы, как дети, обожали подарки...

Анджела умолкла. Когда я осмелился взглянуть на нее, то увидел, что ее глаза закрыты. Судя по муке, написанной на лице женщины, память перенесла ее от той рождественской ночи в последовавший затем июль, когда она нашла в гараже тело мужа с развороченной грудью.

Отблески свечей плясали на ее опущенных веках. Наконец она открыла глаза, но взгляд их еще некоторое время был устремлен в прошлое. Анджела сделала глоток бренди.

— Я была счастлива. Вкусно пахнет печенье, играет рождественская музыка. Цветочник принес мне огромный букет от моей сестры Бонни. Он стоял вон там, на краю стойки, такой большой и красивый. Мне было хорошо. Бесконечно хорошо. С тех пор мне уже ни разу не было так хорошо. И никогда больше не будет. И вот... Я выкладываю тесто на противень, как вдруг слышу позади себя странный звук: сначала — что-то вроде щебетания, потом какой-то вздох... А когда я обернулась, то увидела обезьяну, сидящую на этом столе.

— Боже правый!

— Макаку-резуса с ужасными темно-желтыми глазами. У них обычно не такие глаза. Удивительно.

— Резус... Ты разбираешься в породах обезьян?

— Когда я училась на медсестру, мне приходилось платить за учебу, и я работала ассистенткой в научной лаборатории Калифорнийского университете в Лос-Анджелесе. Чаще всего опыты ставят именно на резусах, так что я повидала их достаточно.

— И вдруг один из них оказывается на кухне в твоем доме?

— На столе стояло блюдо с фруктами — мандаринами и яблоками. Обезьяна очистила и ела мандарин. Причем — вежливая бестия! — складывала кожуру аккуратной горкой. Такая здоровенная тварь!

— Здоровенная? — удивился я.

— Ты, наверное, представил себе обезьянку, которых обычно носят на плече шарманщики — маленькую и симпатичную? Резусы совсем другие.

— Большие?

— Около шестидесяти сантиметров высотой, а весят килограммов по двенадцать.

Да, если неожиданно встретить такую макаку в собственной кухне да еще на столе, она действительно может показаться огромной.

— Представляю, как ты удивилась, — сказал я.

— Даже больше, чем просто удивилась. Я была слегка напугана. Я знаю, что, несмотря на свой малый рост, эти твари на удивление сильны. Обычно они миролюбивы, но иногда среди них попадаются довольно злобные экземпляры, и тогда нужно быть очень осторожным.

— Значит, в качестве домашних животных таких обезьян не держат?

— Господи, конечно, нет! По крайней мере никто из тех, кто в своем уме. Я готова признать, что иногда резусы с их маленькими бледными мордочками, опушенными шерстью, бывают очень симпатичны, но только не этот. — Было ясно, что Анджела снова представила себе непрошеного гостя. — Нет, только не этот.

— Откуда же он взялся?

Вместо ответа Анджела выпрямилась на стуле и подняла голову, внимательно прислушиваясь. До моего слуха не доносилось никаких звуков. Через пару секунд хозяйка дома успокоилась, но когда она вновь заговорила, в голосе ее звучало прежнее напряжение. Ее побелевшие пальцы мертвой хваткой вцепились в бокал.

— Не представляю, как эта тварь забралась в дом. Декабрь в том году выдался не слишком теплый, и я не открывала ни окон, ни дверей.

— И ты не слышала, когда обезьяна появилась в комнате?

— Нет, на кухне было шумно. Я гремела противнями, включала миксер, по радио передавали музыку. Но эта чертова тварь, должно быть, сидела на столе уже минуту или две, потому что, когда я ее заметила, она успела сожрать половину мандарина.

Анджела окинула кухню взглядом, словно заметив краем глаза какое-то движение в углу. Успокоив свои нервы еще одним глотком бренди, она сказала:

— Отвратительно! Обезьяна на кухонном столе...

Сделав гримасу, она провела краем ладони по

крышке стола, будто сейчас, спустя четыре года, обнаружила на нем волосы, оставшиеся от зверя.

— Что же ты сделала? — не отставал я.

— Я обогнула стол и открыла заднюю дверь, надеясь, что макака убежит.

— Но она продолжала наслаждаться мандарином и чувствовала себя вполне удобно? — предположил я.

— Да. Она посмотрела на открытую дверь, потом перевела взгляд на меня и словно бы засмеялась. Захихикала таким противным визгливым смехом.

— Я много раз видел, как смеются собаки. Может, и обезьяны тоже умеют?

Анджела покачала головой.

— Что-то не припомню, чтобы кто-нибудь из них смеялся в лаборатории. Впрочем, учитывая то, что с ними там делали, у них, наверное, не было причин для смеха.

Она озабоченно посмотрела на потолок, на котором плясали три маленьких светлых кружка, похожих на прищуренные глаза чудовища. Это был отблеск свечей в темно-красных подсвечниках.

Мне не терпелось услышать продолжение истории, и я настойчиво спросил:

— Значит, обезьяна не собиралась бежать?

Вместо ответа Анджела встала со стула, подошла к задней двери и подергала задвижку, желая убедиться в том, что та по-прежнему заперта.

— Анджела!

Она знаком велела мне молчать, а затем, приоткрыв занавеску, выглянула на крыльцо и осмотрела залитый луной двор. Ее рука дрожала, и занавеску она отдернула всего на пару сантиметров, словно боясь обнаружить чье-то отвратительное лицо, прижавшееся снаружи к оконному стеклу.

Мой бокал уже опустел. Я взял бутылку, немного поколебался, но потом поставил ее обратно на стол, так и не налив себе ни капли спиртного.

Вернувшись от двери, Анджела заговорила:

— Это был не просто смех, Крис. Я ни за что не сумею описать тебе этот жуткий звук. Злое... злое и дробное хихиканье. О, я понимаю, о чем ты подумал: это всего лишь животное, обычная обезьяна, которая не может быть ни злой, ни доброй. Некоторые из них, считаешь ты, могут обладать дурным характером, но не способны являться носителем зла в чистом виде. Ну так вот что я тебе скажу: эта тварь была настоящим исчадием ада. От ее смеха у меня кровь в жилах застыла. В нем был холод, ужас и... зло.

— Я слушаю тебя. Продолжай, — приободрил я Анджелу.

Вместо того чтобы вернуться к своему стулу, она направилась к окну кухни. Каждый его дюйм был также закрыт плотной тканью штор, но женщина еще раз поправила их для полной гарантии. Ей, видимо, не давала покоя мысль, что за нами может кто-то подглядывать.

Повернувшись и посмотрев на стол, словно боясь, что обезьяна снова здесь, она проговорила:

— Я взяла швабру, собираясь сбросить тварь на пол, а затем вышвырнуть из дома, но не успела даже прикоснуться к ней. А она...

— Что она?

— Она не только не испугалась, а буквально взорвалась бешенством, — ответила Анджела. — Швыряет на пол недоеденный мандарин, хватается за швабру и пытается вырвать ее у меня из рук. Я не уступаю, и тогда эта гадина начинает взбираться по рукоятке швабры, прямо к моим рукам.

— Господи Иисусе!

— Она была такая ловкая, такая... быстрая. Оскалила зубы, скрипит ими и лезет прямо на меня. Я бросаю швабру, макака падает вместе с ней на пол, а я начинаю пятиться, пока не натыкаюсь на холодильник.

Показывая, как это случилось, Анджела откинулась спиной на дверцу холодильника, и внутри его приглушенно звякнули бутылки.

— Теперь обезьяна — на полу, прямо передо мной. Она отшвырнула швабру в сторону. Видел бы ты, Крис, в какой она была ярости! Ее злоба была непомерна по сравнению с тем, что произошло. Я не сделала ей больно, даже не прикоснулась к ней, но она взялась за меня не на шутку.

— Ты же говоришь, что резусы миролюбивы.

— Только не эта тварь! Раззявила пасть, орет, наскакивает на меня, подпрыгивает на месте, размахивает лапами, стучит кулаками об пол, а в глазах — такая ненависть...

Рукава ее свитера раскатались, и, пытаясь согреться, Анджела спрятала в них кисти. Видимо, воспоминание о том случае было настолько ярким, что женщина подсознательно боялась: вдруг отвратительная тварь появится снова и станет кусать ее за пальцы.

— Она напоминала тролля, гремлина или еще какую-нибудь нечисть из детских сказок. Да ещё эти темно-желтые глаза...

Я почти воочию видел перед собой тлеющие огоньки в злобных глазах обезьяны.

— И вдруг обезьяна в два прыжка взлетает на кухонные шкафы, а оттуда — на стойку. Вот здесь, — указала Анджела, — у холодильника, и ее морда оказывается в нескольких сантиметрах от моего лица. Так близко, что я ощутила запах мандарина из ее пасти. Она начинает шипеть — яростно и угрожающе. Я знала...

Анджела оборвала себя и снова прислушалась к царившей в доме тишине, а затем повернула голову налево, в сторону открытой двери в столовую. Ее страх был заразителен, особенно для меня — после всего того, что произошло со мной после захода солнца. Выпрямившись на стуле, я тоже повернул голову, ожидая услышать некие пугающие звуки.

На потолке по-прежнему подмигивали три светлых кружка. Занавески на окнах оставались неподвижными.

Наконец Анджела продолжила свой рассказ:

— Ее дыхание пахло мандарином, и она шипела на меня. Я знала, эта мерзкая тварь могла бы убить меня, если бы захотела, пусть даже она в три раза меньше меня и в четыре раза легче. Возможно, я еще могла бы справиться с ней, когда она скакала на полу, но теперь нас разделяли сантиметры.

Мне было несложно представить, до какой степени была перепугана женщина в тот вечер. Даже чайка, защищая свое гнездо на скале, может напугать человека. Она пикирует на обидчика сверху, с устрашающими криками бьет крыльями и клюет его в голову, выдирая клочья волос. Что уж говорить о разъяренной обезьяне!

— Поначалу я хотела выбежать в открытую дверь, но потом подумала, что от этого чудище может разозлиться еще сильнее. Так и осталась стоять — прижавшись спиной к холодильнику и глядя в глаза взбесившейся от ненависти обезьяне. Через некоторое время, решив, что я достаточно напугана, тварь спрыгнула с кухонной стойки, стремглав пробежала через кухню, закрыла входную дверь и, снова взобравшись на стол, принялась за недоеденный мандарин.

Я все же решил налить себе еще немного абрикосового бренди.

— Тогда я осторожно потянулась к ручке вот этого выдвижного ящика. Здесь я держу кухонные ножи.

Не отрывая взгляда от стола, как в тот рождественский вечер, о котором она рассказывала, Анджела засучила рукав свитера и на ощупь протянула руку к ящику с ножами. Чтобы дотянуться до него, ей пришлось выпрямиться и чуть отклонить туловище в сторону.

— Я не собиралась нападать на нее, а только хотела иметь в руках что-нибудь для самозащиты. Но прежде чем я успела добраться до ящика, проклятая макака вскочила на задние лапы и снова заорала на меня.

Рука Анджелы продолжала тянуться к круглой ручке выдвижного ящика.

— И тут она хватает из блюда яблоко и швыряет в меня. Совершенно по-человечески. Яблоко попадает мне в лицо и разбивает губу. — Женщина поднесла руку к лицу, словно пытаясь защититься. — Я прикрываю лицо, но обезьяна хватает второе яблоко и снова запускает им в меня, затем — третье. Броски были такими сильными, что могли бы разбить стекло, будь оно поблизости.

— Ты хочешь сказать, что она знала про ножи в ящике?

Руки Анджелы бессильно упали.

— Да. Наверное, почувствовала.

— А ты не пыталась еще раз добраться до ножа?

Она покачала головой.

— Обезьяна передвигалась со скоростью молнии. Мне казалось, что, если я сделаю еще одну попытку, она в мгновение ока перепрыгнет со стола к холодильнику и вцепится зубами в мою руку раньше, чем я успею взять нож. Я испугалась, что она меня укусит.

— Еще бы, — согласился я, — ведь она могла оказаться бешеной — пусть даже у нее из пасти не шла пена.

— Все было гораздо хуже, — мрачно сказала Анджела, снова закатывая рукава своего джемпера.

— Хуже, чем бешенство? — удивленно переспросил я.

— Слушай дальше. Так вот, я стою у холодильника, до смерти напуганная, пытаюсь сообразить, что делать дальше, из губы течет кровь. И тут в эту самую дверь входит Род — веселый, насвистывает. Входит и попадает в самый разгар этой свистопляски. Но он не предпринял ничего из того, что ты сейчас мог бы предположить. Он был удивлен и в то же время... не удивлен. Удивлен тем, что застал обезьяну здесь, но ничуть не удивлен ее поведением. Его поразил лишь тот факт, что он обнаружил ее именно здесь!. Ты понимаешь, к чему я веду?

— По-моему, да, — промямлил я.

— Род, черт бы его побрал, оказывается, был знаком с этой макакой! Он не сказал: «Ой! Обезьяна!» Он не спросил: «Откуда здесь взялась эта чертова мартышка?» Он даже не воскликнул хотя бы просто: «Господи!» В тот вечер похолодало, накрапывал дождь, поэтому Род был в плаще. Он сует руку в карман и вынимает пистолет, будто ожидал чего-то в этом роде. Меня удивило... Понимаешь, он, конечно, пришел с работы, был в форме, но он никогда не носил с собой оружия. Хоть он и офицер, сейчас же мирное время! И он не на войне! Он работал неподалеку от Мунлайт-Бей, причем занимался кабинетной работой, перекладывая с места на место бумажки. По его словам, это занятие ему уже осточертело, и он просто высиживал срок, оставшийся до выхода в отставку. А тут вдруг у него в кармане оказывается пистолет! Я ни разу в жизни не видела его с оружием в руках.

Полковник армии Соединенных Штатов Америки Родерик Ферриман работал в Форт-Уиверне, который уже давно считался мощным экономическим двигателем, приводившим в действие жизнь всего нашего округа. Полтора года назад базу закрыли, и теперь она пустовала. Это было одно из тех армейских заведений, которые ликвидировали после окончания «холодной войны».

Я знал Анджелу с детства, ее мужа — тоже, хотя гораздо хуже, но не имел понятия, чем полковник Ферриман занимается, находясь на службе в армии. Может, и Анджела об этом не знала? До тех пор пока он не вернулся домой в тот рождественский вечер.

— Представь себе картину: вытянув вперед руку с пистолетом, Род держит обезьяну на мушке и при этом выглядит даже более напуганным, чем я. Лицо у него мрачное, без кровинки, губы плотно сжаты. Он смотрит на меня, видит мою разбитую губу, ручеек крови на подбородке, но даже не спрашивает, откуда это, и снова переводит взгляд на обезьяну, словно опасаясь хотя бы на секунду выпустить ее из поля зрения. Обезьяна держит в лапке последний кусок мандарина, но не спешит засунуть его в рот. Очень напряженным взглядом она смотрит на ствол пистолета. Род говорит: «Энджи, иди к телефону. Сейчас я скажу тебе номер, по которому ты должна позвонить».

— Ты запомнила номер телефона? — перебил ее я.

— Нет, да это и ни к чему. Он давно отключен. Я запомнила лишь три первые цифры, потому что с них начинался и рабочий телефон Рода на базе.

— Выходит, он заставил тебя звонить в Форт-Уиверн?

— Да, но тот, кто снял трубку, не назвался и не представился. Только поздоровался. Я говорю ему: «Сейчас с вами будет разговаривать полковник Ферриман». Род берет у меня трубку левой рукой, поскольку правой по-прежнему сжимает пистолет, и говорит этому парню: «Я только что нашел резуса. Он в моем доме, на кухне». Собеседник ему, видно, что-то отвечает, поскольку Род молча слушает, не спуская глаз с обезьяны, а затем снова говорит: «Откуда, черт возьми, я могу это знать! Но он здесь, и мне нужна помощь, чтобы поймать его».

— А обезьяна за всем этим наблюдает?

— Когда Род повесил трубку, она оторвала взгляд от пистолета в его руке и посмотрела своими отвратительными глазами ему в лицо — злобно, вызывающе, а потом захихикала — тем самым мерзким смехом, от которого у меня снова забегали по спине мурашки. После этого макака, видно, потеряла всякий интерес и к Роду, и к пистолету. Она доела последнюю дольку мандарина и принялась чистить следующий.

Я вспомнил, что налил себе бренди, но до сих пор не прикоснулся к нему, и теперь поднес к губам бокал. Анджела подошла к столу и взяла свой. Я удивился, когда она ни с того ни с сего вдруг чокнулась со мной.

— За что пьем? — поинтересовался я.

— За конец света.

— И как же он погибнет: в огне или подо льдом?

— Гораздо страшнее, — ответила Анджела.

Мне показалось, что теперь ее глаза приобрели такой же цвет, какой был у стальных выдвижных ящиков в морге больницы Милосердия. Она смотрела на меня так долго, что мне даже стало неуютно, но потом сжалилась и перевела взгляд на бокал у себя в руке.

— Итак, Род вешает трубку и просит рассказать по порядку обо всем, что здесь произошло. Я рассказываю. Он задает мне сотню вопросов: о моей разбитой губе, о том, дотрагивалась ли до меня обезьяна, не укусила ли она меня. Он словно не верит в то, что губа у меня разбита яблоком, которое швырнула тварь. Я в свою очередь задаю ему вопросы, но он ни на один из них не отвечает, повторяя одно и то же: «Тебе это будет неинтересно, Энджи». Мне, разумеется, интересно, но я понимаю, что он просто не может удовлетворить мое любопытство.

— Военная тайна? Государственные секреты?

— Мой муж и раньше принимал участие в различных щекотливых проектах, связанных с национальной безопасностью, но я полагала, что все это уже в прошлом. Теперь он заявляет, что не имеет права говорить об этом. По крайней мере ни с кем, кроме своих коллег. Не может сказать ни слова.

Анджела продолжала смотреть на бренди в бокале. Я сделал глоток из своего. Он уже не казался мне таким вкусным, как поначалу. Более того, теперь я ощутил во рту слабую горечь, напомнившую мне о том, что в абрикосовых косточках может образовываться цианид.

Когда пьешь за конец света, все вокруг приобретает мрачную окраску — даже мысль о невинном фрукте. Однако, вспомнив о том, что нужно блюсти марку неисправимого оптимиста, я принялся смаковать напиток и постарался не думать о плохом. Анджела тем временем продолжала:

— Не прошло и пятнадцати минут, как в нашем доме появляются три здоровенных парня. Наверное, им удалось так быстро добраться от Форт-Уиверна до нас потому, что они ехали на машине, оборудованной под карету «Скорой помощи». Хотя завывания сирены я не слышала. Все трое — в штатском. Двое вошли через заднюю дверь, даже не удосужившись постучать, а третий, видимо, отпер отмычкой парадную дверь, поскольку появился с другой стороны — тихо, как привидение, и одновременно с двумя другими. В руках у всех троих — ружья с усыпляющими зарядами. Род продолжает держать обезьяну на мушке, хотя рука его уже дрожит от усталости.

Я подумал о тихих, освещенных фонарями улицах, лежавших за окном, о симпатичном бунгало, в котором я сейчас находился, о магнолиях, растущих во дворе, об увитом зеленью проходе, усыпанном звездочками жасмина. Никто из людей, проходивших в ту ночь мимо дома Ферриманов, не мог даже представить себе, какая странная драма разыгрывается за этими непримечательными оштукатуренными стенами.

— Обезьяна ведет себя так, как будто ожидала этих гостей. Она совершенно спокойна и не делает никаких попыток убежать. Один из пришедших выстрелил в нее маленьким дротиком со снотворным. Обезьяна оскалила зубы, шипит, но даже не пытается вытащить иглу из своего тела. Потом недоеденный мандарин выпадает из ее лапы, она судорожно пытается проглотить кусок, который у нее во рту, а затем падает на бок и засыпает. Троица забирает обезьяну и уезжает, Род — вместе с ними. Он вернулся домой лишь в три часа утра. Мы смогли обменяться подарками только на следующий день, но это уже совсем не то. Рождество было безнадежно испорчено. Однако с тех пор мы оказались в аду. Вся наша жизнь пошла по другой колее, и уже ничего нельзя было исправить.

Анджела наконец допила бренди, остававшийся в ее бокале, и опустила бокал на стол с такой силой, что я невольно вздрогнул.

До этого момента она испытывала лишь страх и печаль, но сейчас в ней начал подниматься гнев.

— На следующий день после Рождества они взяли у меня анализ крови.

— Кто «они»?

— Те, кто работал над этим чертовым проектом в Уиверне.

— Проектом?

— И с тех пор они брали у меня кровь каждый месяц. Словно мое тело уже мне не принадлежало, будто я была обязана платить кровью за право жить.

— Но Уиверн прикрыли полтора года назад!

— Прикрыли, да не весь. Есть вещи, которые не прикроешь, невозможно прикрыть, как бы сильно нам этого ни хотелось.

Несмотря на то что Анджела находилась на пределе изнеможения, она все же оставалась по-своему хороша. Фарфоровая кожа, изящно очерченные брови, высокие скулы, точеный носик, красивый рот, от которого отходили две морщинки — результат частых улыбок... Все это, вкупе с самоотверженным сердцем, делало Анджелу хорошенькой даже несмотря на то, что она была невероятно худа —

кожа да кости. Однако сейчас лицо ее было перекошено от гнева, черты заострились и уже не казались красивыми.

— Если бы я хоть раз отказалась сдать кровь, они бы наверняка убили меня. Или заперли в какой-нибудь секретной лаборатории, чтобы наблюдать, как за подопытной крысой.

— Но зачем они брали у тебя кровь? Чего они боялись?

Ответ, казалось, уже был готов сорваться с ее губ, но она вдруг сжала их в узенькую полоску.

— Анджела...

Я и сам по указанию доктора Кливленда ежемесячно сдавал кровь на анализ, и нередко его делала сама Анджела. Это было необходимо, поскольку изменения в химическом составе крови могли заблаговременно дать сигнал о появлении злокачественных изменений в моей коже и глазах. Несмотря на то что процедура эта была совершенно безболезненна и делалась ради моего же блага, я всегда испытывал внутренний дискомфорт, словно кто-то вторгался в мое тело. Представляю, каково мне было бы, если бы из меня выкачивали кровь насильно!

— Может, мне не стоило рассказывать тебе... Говорить об этом равносильно тому, что поджечь бикфордов шнур. Рано или поздно твой мир неизбежно взорвется. Но... в противном случае ты будешь не способен защитить себя.

— Обезьяна была чем-то больна?

— Хорошо бы, если бы это было так. Возможно, в таком случае меня бы уже вылечили. Или я уже была бы мертва. Смерть гораздо лучше того, что меня ждет.

Анджела схватила пустой бокал, стиснула его в

руке, и мне показалось, что она сейчас запустит им в стену.

— Обезьяна не укусила меня, не поцарапала, даже не прикоснулась. Я объясняла им это, доказывала, но они мне не верили. Мне кажется, даже Род не верил мне до конца. Они не оставили мне ни единой лазейки. Они заставили меня... Род заставил меня подвергнуться стерилизации.

Глаза ее наполнились слезами, которые трепетали подобно отблескам пламени на потолке.

— Мне было сорок пять лет, — сказала она, — и у меня не было детей, потому что я уже тогда была стерильна. Мы с Родом так хотели ребенка! Я бегала по врачам, прошла курс гормональной терапии, испробовала все, что только можно, и — ничего не помогло.

В голосе Анджелы слышалось такое страдание, что я с трудом усидел на стуле. Мне хотелось встать, обнять ее, утешить.

С гневной дрожью она продолжала:

— И все же эти подонки насильно сделали мне операцию. Они не просто перевязали мне трубы, а еще и удалили яичники. Выпотрошили меня, как курицу! Вырезали последнюю надежду! — Голос Анджелы надломился, но она все равно говорила: — Мне было сорок пять, и я уже потеряла надежду когда-нибудь стать матерью или, по крайней мере, делала вид, что потеряла. Но чтобы вот так... вырезать ее из меня... Я испытывала такое унижение, такое отчаяние! А они даже не объяснили мне, почему. На следующий день после Рождества Род повез меня на базу — якобы для того, чтобы я подробнее рассказала про обезьяну и о том, как вела себя она. Он был неразговорчив, очень загадочен. Он привел меня в то место... место, о существовании которого не знало даже большинство тех, кто работал в Уиверне. Они усыпили меня помимо моей воли и сделали операцию, не спросив у меня разрешения. А когда все закончилось, эти сукины дети даже не удосужились объяснить мне, зачем они это сделали!

Я отодвинул стул от стола и поднялся на ноги. Плечи мои болели, ноги подгибались. То, что я сейчас услышал, навалилось на меня неподъемным грузом.

Мне по-прежнему хотелось утешить Анджелу, но я не сделал попытки приблизиться к ней. Она все еще сжимала в руке бокал. Гнев, кипевший в душе женщины, заострил черты ее лица. Оно теперь напоминало лезвие ножа. В этот момент мои прикосновения были ей, пожалуй, ни к чему.

Неловко потоптавшись у стола в течение нескольких нескончаемых секунд, я наконец подошел к двери, подергал ее ручку и убедился в том, что дверь надежно закрыта.

— Я знаю, Род любил меня, — проговорила Анджела, но эти слова не сумели смягчить гнев в ее голосе. — То, что ему пришлось проделывать со мной — помогать этим подонкам, обманным путем завлечь меня на незаконную операцию, — разбило ему сердце. Роду никогда уже не было суждено стать прежним.

Обернувшись, я увидел, что Анджела занесла над головой крепко сжатый кулак. Отблески свечей немного смягчили резкие черты ее лица.

— Если бы начальники Рода знали, насколько близки мы с ним были, они поняли бы, что он не сможет долго хранить от меня эти секреты, тем более что я так страдала по их вине.

— Значит, со временем он тебе открылся? — спросил я.

— Да. И я простила его. Простила от всей души — за все, что он сделал со мной. И все же он по-прежнему пребывал в отчаянии. Несмотря на все мои старания, я так и не смогла вывести его из этого состояния. Он испытывал такую черную тоску и... такой страх! — Гнев в голосе Анджелы уступил место грусти и жалости к человеку, которого она когда-то любила. — Он так боялся, что уже не мог радоваться ничему на свете. В итоге он убил себя, и после этого из меня уже нечего было вырезать.

Женщина опустила свой маленький кулачок и разжала его.

— Анджела, — спросил я, — что же было не так с этой обезьяной?

Она не ответила. В ее широко открытых глазах плясали отблески пламени, а торжественное лицо напоминало скульптуру мертвой богини.

— Что с ней было не так? — повторил я вопрос.

— Это была не обезьяна, — почти прошептала она.

Я был уверен, что правильно расслышал ее слова, но они показались мне лишенными смысла.

— Не обезьяна? Но ведь ты сказала...

— Она только казалась обезьяной.

— Казалась?

— И, конечно же, это была обезьяна.

Вконец сбитый с толку, я не знал, что сказать.

— Была и не была, — совсем тихо прошептала Анджела. — Вот что с ней было не так.

Похоже было, что Анджела не в своем уме. Я начинал думать, что вся эта история может оказаться скорее выдумкой, нежели правдой.

Оторвав взгляд от горящих свечей, Анджела посмотрела на меня. Она уже не казалась некрасивой, но и хорошенькой, как прежде, тоже не стала. Мне почудилось, что лицо ее вылеплено из пепла и теней.

— Может быть, мне не стоило звать тебя. Я очень переживала из-за смерти твоего отца и, наверное, была не в состоянии мыслить рационально.

— Ты же сказала, что я должен что-то узнать, чтобы... защитить себя.

— Это верно, — кивнула она. — Так и есть. Ты должен знать. Ты висишь буквально на волоске и должен знать, кто тебя ненавидит.

Я протянул руку Анджеле, но она не взяла ее.

— Анджела, — умоляюще проговорил я, — я хочу знать, что на самом деле случилось с моими родителями.

— Они мертвы, Крис. Их больше нет. Я любила их, Крис, как любят самых близких друзей, но их больше нет.

— И все же я должен знать.

— Если ты полагаешь, что кто-нибудь должен заплатить за их смерть, то знай: за это никто и никогда не заплатит. По крайней мере, ты этого не дождешься. Никто не дождется. Пусть даже ты узнаешь всю правду целиком, но платить никого не заставишь. Что бы ты для этого ни делал.

Я вдруг заметил, что изо всех сил сжал руку в кулак. Помолчал и бросил:

— Это мы еще посмотрим.

— С сегодняшнего вечера я больше не работаю в больнице Милосердия. — Сделав это печальное признание, Анджела словно бы съежилась и стала еще больше похожа на ребенка во взрослой одежде, на ту девочку, которой она была, когда приносила больной матери чай со льдом, подушки и лекарства. — Я больше не являюсь медсестрой.

— Чем же ты будешь заниматься?

Она не ответила.

— Ведь ты мечтала об этой работе с детства, — напомнил я.

— Я больше не вижу в этом смысла. Перевязывать раны на войне — благородное и важное дело. Перевязывать раны в разгар апокалипсиса — глупость. К тому же я превращаюсь. Я превращаюсь, разве ты не видишь?

Я и вправду ничего такого не видел.

— Я превращаюсь. В другую себя. В другую Анджелу. В кого-то, кем я не хочу быть. О ком даже подумать боюсь.

Я по-прежнему не мог ничего понять из апокалиптических рассуждений Анджелы. Может быть, из-за зловещих секретов Уиверна или смерти любимого мужа ее рассудок помутился?

— Если ты действительно хочешь все узнать, — сказала она, — то после этого тебе останется только поудобнее устроиться в кресле, налить себе в бокал то, что тебе больше всего по вкусу, и наблюдать за тем, как все рушится.

— Но я действительно хочу все знать, — требовательно произнес я.

— Что ж, в таком случае настало время шоу, — с неуверенностью сказала Анджела. — Но... О, Крис, это разобьет тебе сердце. — Лицо ее стало печальным. — Наверное, тебе действительно нужно знать все, но это знание может раздавить тебя.

Анджела развернулась и пошла к выходу из кухни. Я последовал за ней, но она остановила меня.

— Для того чтобы найти то, что нужно, мне придется включить в комнатах свет. Подожди меня здесь. Я все принесу.

Анджела прошла через темную столовую и вошла в гостиную. Там она включила лампу и после этого исчезла из поля моего зрения.

Оставшись на кухне, выход откуда был мне заказан, я принялся беспокойно мерить ее шагами. Точно так же метались и мои мысли. Обезьяна была и в то же время не была обезьяной. Что-то чрезвычайно неправильное таилось во всех этих «была — не была». Такое могло иметь хоть какой-то смысл только в Зазеркалье Льюиса Кэрролла, куда попала Алиса, провалившись в кроличью нору.

Подойдя к задней двери, я еще раз подергал за ручку. Заперта.

Тогда я отдернул занавеску и стал всматриваться в ночь. Орсона нигде не было видно.

Листва на деревьях трепетала. Видимо, снова поднялся ветер.

По небу плыла луна.

Судя по всему, с Тихого океана на нас надвигался какой-нибудь очередной антициклон, и погода вскоре должна была перемениться. Ветер гнал по небу рваные облака. Луна то скрывалась за ними, то появлялась снова, и казалось, что ее серебряный свет мигает в ночи. Ночной двор напоминал замерзшую реку, а тени облаков, плывшие по земле, походили на текущую подо льдом воду.

Откуда-то из глубины дома до меня донесся короткий сдавленный крик. Он показался мне таким же тонким и хрупким, как сама Анджела.

13

Крик был коротким и негромким, таким же нереальным, как игра лунного света за окном. Даже не крик, а некий призрачный звук, раздавшийся то ли в доме, то ли в моей голове. Как некогда с обезьяной: была — не была, так и теперь с этим звуком. То ли был, то ли нет.

Занавеска бесшумно выскользнула из моей руки и закрыла окно, а где-то в отдалении позади меня раздался стук, гулко отразившийся от стен.

Второй вскрик был еще тоньше и короче первого, но в нем определенно прозвучали боль и ужас.

Может, она просто упала с лестницы и разбила колено? А может, я слышал всего лишь свист ветра или птичий крик за окном? Может быть, луна сделана из сыра, а небо — шоколадная глазурь, посыпанная белыми сахарными звездами?

Я громко позвал Анджелу.

Она не ответила.

Дом был не настолько велик, чтобы она могла не услышать мой голос. Ее молчание было пугающим.

Шепотом выругавшись, я вытащил из кармана куртки «глок» и стал вертеть его в руках, пытаясь найти предохранитель. Мне удалось обнаружить лишь одну кнопку, которая могла быть им. Я нажал ее, и из дырочки, расположенной под дулом, вырвался тонкий луч ярко-красного цвета, нарисовав на дверце холодильника маленькую красную точку.

Мой папа, приобретая пистолет, которым мог бы пользоваться даже миролюбивый преподаватель литературы, заплатил дополнительные деньги за лазерный прицел. Какая прелесть!

Хотя я и не был искушен в системах оружия, но все же знал, что некоторые модели оснащены внутренним предохранителем. Он автоматически отключается после того, как стрелок взводит курок, а после выстрела снова включается. Может, мой пистолет был из их числа? Если нет, то в решающий момент, столкнувшись лицом к лицу с врагом, я просто не смогу выстрелить, стану паниковать и, чего доброго, прострелю ногу самому себе.

Руки мои противно тряслись, но сейчас не было времени заниматься дыхательными упражнениями и самовнушением.

Я не был готов к тому, что мне предстояло, но делать это за меня было некому. Больше всего мне сейчас хотелось выбраться из дома, вскочить на велосипед, уехать в какое-нибудь безопасное место и позвонить в полицию, не называя своего имени. Однако, поступи я так, потом никогда в жизни не смог бы посмотреться в зеркало. Я не смог бы даже посмотреть Орсону в глаза.

Я пересек кухню и подошел к открытой двери в столовую. А может, сунуть пистолет в карман, а вместо него взять большой кухонный нож? Рассказывая про обезьяну, Анджела указала мне ящик, в котором они хранились. Некоторое время я размышлял над этой дилеммой, но затем здравый смысл все же возобладал. С холодным оружием я умел обращаться не лучше, чем с огнестрельным.

Для того чтобы вонзить нож в тело другого человека, нужно обладать гораздо большей жестокостью, нежели для того, чтобы нажать на курок. Я был готов на все в том случае, если на карту будет поставлена моя жизнь или жизнь Анджелы, но все же для меня будет гораздо легче заняться такой сравнительно чистой работой, как стрельба с расстояния, нежели сблизиться с противником и кромсать его с помощью кухонного ножа.

Тринадцатилетним мальчишкой я находил в себе силы смотреть в окошко крематория, но даже сейчас, спустя столько лет, я не смог бы наблюдать кровавую процедуру бальзамирования.

Пройдя быстрым шагом через столовую, я снова окликнул Анджелу. И опять не получил ответа.

Больше я ее звать не стану. Если в дом действительно кто-то проник, мои крики лишь помогут ему скорее обнаружить мое местоположение.

Проходя через гостиную, я не стал выключать лампу, а лишь обошел ее стороной, отворачивая лицо.

Оказавшись в залитой светом прихожей, я сильно, как только мог, прищурился, и заглянул в кабинет. Там было пусто.

Дверь в туалет была чуть приоткрыта. Я толкнул ее так, что она распахнулась, и мне даже не понадобилось включать свет, чтобы увидеть: и здесь никого.

Чувствуя себя голым без своей кепки, оставшейся на кухонном столе, я выключил горевший в прихожей яркий свет, и воцарилась благословенная темнота.

Ступени лестницы поднимались наверх и терялись в темноте. Судя по всему, на втором этаже свет не горел, и это меня устраивало. Глаза, способные видеть во тьме, в данной ситуации являлись моим самым большим преимуществом.

Сотовый телефон по-прежнему висел у меня на поясе, и, начав подниматься по лестнице, я испытывал сильное искушение позвонить в полицию.

Однако после того, как я не явился на назначенную встречу, шеф полиции Льюис Стивенсон, вероятно, уже ищет меня. Если это так, то трубку, вероятнее всего, возьмет он сам. А потом сюда прикатит лысый парень с сережкой.

Мануэль Рамирес был не в состоянии помочь мне, поскольку этим вечером выполнял функции дежурного офицера и не мог покинуть управление, а разговаривать с кем-либо еще из сотрудников мне не особенно хотелось. Шеф Стивенсон скорее всего был далеко не единственным полицейским Мунлайт-Бей, замешанным в заговоре. Я не исключал даже возможности того, что они все, кроме разве что Мануэля, принимали в нем участие. Однако даже Мануэлю, несмотря на нашу дружбу, я не мог доверять полностью до тех пор, пока не разберусь получше в том, что творится вокруг меня.

Поднимаясь по ступенькам, я держал «глок» обеими руками, готовый нажать на кнопку лазерного прицела, если передо мной кто-то появится. Однако, изображая из себя героя, хорошо бы не подстрелить ненароком Анджелу.

Дойдя до площадки, где лестница заворачивала, я увидел, что второй ее пролет еще темнее, чем первый. Рассеянный свет, лившийся из гостиной, сюда не доходил. Я стал подниматься дальше — тихо и быстро.

Удивительно, как спокойно бьется мое сердце. Еще вчера я не мог допустить и мысли о том, что через несколько часов, не колеблясь, буду готов выстрелить в человека. А теперь, оказавшись в смертельной опасности, я подсознательно находил даже какое-то странное удовольствие.

В коридор второго этажа выходили четыре двери. Три из них были закрыты, а четвертая — самая дальняя от лестницы — открыта нараспашку, и из нее падал слабый свет.

Меня не привлекала перспектива пройти мимо трех запертых дверей, не убедившись предварительно в том, что за ними никого нет. Не хотелось, чтобы опасность подкралась со спины.

Учитывая мой недуг и то, как быстро начинают слезиться и болеть мои глаза на свету, мне придется обыскивать комнаты с пистолетом в правой руке и с фонариком-ручкой в левой. Это будет неудобно, долго и опасно. Каждый раз, когда я буду заходить в комнату, как бы я ни пригибался и как быстро бы ни двигался, фонарик выдаст возможному врагу мое местоположение раньше, чем тоненький лучик света обнаружит его.

Мне стоило рассчитывать только на собственные преимущества, использовать темноту, сливаться с ней. Двигаясь боком по коридору и поворачивая голову из стороны в сторону, я не производил ни звука. Но и никто другой — тоже.

Вторая дверь слева была чуточку приоткрыта, и через узкую щелку лился рассеянный свет. Я толкнул дверь стволом пистолета, и она открылась.

Спальня хозяйки. Уютная, с аккуратно заправленной постелью. На ручке простого стула висела яркая афганская вышивка, на скамеечке для ног лежала сложенная газета. На комоде, тускло поблескивая, выстроились в ряд старинные бутылочки из-под духов.

Один из светильников у изголовья кровати горел, но лампочка была слабенькой, да к тому же матовый плафон делал ее неопасной для меня.

Анджелы нигде не было видно.

Дверца стенного шкафа открыта. Может быть, Анджела поднялась наверх для того, чтобы забрать что-нибудь отсюда? Однако в шкафу висела лишь одежда да стояли коробки с обувью.

Дверь, которая вела из спальни в ванную, была чуть приоткрыта, свет там не горел. Если внутри кто-нибудь притаился, я, стоя в освещенной комнате, представлял для него отличную мишень.

Наведя «глок» на темное отверстие между дверью и притолокой, я с предельной осторожностью приблизился к ванной. От моего толчка дверь легко отворилась.

Я уже собрался перешагнуть порог, но меня остановил запах.

Поскольку свет ночника не мог рассеять темноту в ванной, я вытащил из кармана свой миниатюрный фонарик. Его луч осветил красную лужу, расплывшуюся на белом кафельном полу. Стены также были забрызганы кровью.

Анджела Ферриман распласталась на полу, бессильно упав головой на край унитаза. Глаза ее были широко раскрыты, лицо — мертвенно-бледно, тело — безвольное, словно у мертвой чайки, которую я однажды нашел на берегу.

С первого взгляда я увидел, что у нее перерезано горло. Причем выглядело это так, будто убийца перерезал его в несколько приемов с помощью тупого зазубренного ножа. Я был не в силах смотреть на нее пристально и долго.

Однако пахло не только кровью. В тот момент, когда ее убивали, Анджела, видимо, непроизвольно испражнилась, и теперь тяжелое зловоние окутывало меня удушающим облаком.

Я посмотрел вправо: оконная створка распахнута. Это было не маленькое окошко, какие обычно можно встретить в ванной комнате, а настоящее окно — достаточно большое, чтобы через него мог ретироваться убийца, с ног до головы покрытый кровью своей жертвы.

Но возможно, окно оставила открытым сама Анджела, и именно через него преступник проник в дом. Прямо под окном располагался козырек крыльца. Убийца мог проникнуть в дом этим путем и им же ретироваться.

6 Зак. № 693 Кунц

Орсон не лаял. Но ведь окно располагалось на фасаде, а пса я оставил на заднем дворе.

Руки Анджелы лежали вдоль тела, их кисти были полностью скрыты размотавшимися рукавами свитера. Она выглядела двенадцатилетней девочкой.

На протяжении всей своей жизни она отдавала себя другим людям. Теперь кто-то неизвестный, растоптав ее самопожертвование, окончательно забрал все, что от нее оставалось.

Мучительно содрогаясь всем телом, я отвернулся.

Я не испытывал вины за этот ужасный конец Анджелы. Я не приставал к ней с расспросами. Она сама позвала меня, сняв трубку автомобильного телефона и пригласив к себе. И тогда некто решил, что она должна умолкнуть — как можно скорее и навсегда. Возможно, неизвестные заговорщики сочли, что депрессия Анджелы представляет для них угрозу? Ведь она бросила любимую работу в больнице, считала, что ей не имеет смысла жить. И еще — была страшно напугана тем, что «превращается», что бы это ни означало. Этой женщине уже нечего было терять, и поэтому ее стало невозможно контролировать. Анджелу убили бы даже в том случае, если бы я не откликнулся на ее приглашение.

И все же, несмотря на доводы разума, мое сердце ледяными волнами обжигало ощущение огромной вины. Я задыхался.

Подобно жирному скользкому червю по моим внутренностям поползла непреодолимая тошнота. Поднимаясь все выше, этот червь вполз в мою глотку, а оттуда — в рот. Согнувшись в три погибели, я выблевал его на пол.

Мне нужно было как можно скорее убираться

отсюда, и в то же время я не мог двинуться с места. Я был раздавлен страхом и чувством вины.

Под тяжестью оружия моя правая рука плетью висела вдоль тела. Фонарик, судорожно зажатый в левой, выписывал причудливые узоры на стене. Мысли в моей голове шевелились тупо и безвольно, словно комки морских водорослей в грязи раннего прилива.

На ближайшей ко мне тумбочке возле кровати внезапно зазвонил телефон.

Я не тронулся с места. Я испытывал необъяснимую уверенность в том, что на другом конце провода — тот самый неизвестный, который незадолго до этого звонил мне и дышал в трубку. Мне было страшно, что с помощью своего собачьего чутья он похитит какую-то частицу меня, будто мою душу с помощью некоего магического пылесоса можно было засосать прямо через телефонную линию. Я больше не хотел слышать это низкое, невнятное, бессмысленное мычание, напоминающее шорох ползущей змеи.

Наконец телефон умолк, но его пронзительное дребезжание прочистило мне мозги. Я выключил фонарик, поднял руку с пистолетом и в ту же секунду осознал, что кто-то включил свет в вестибюле второго этажа.

Поскольку минутой раньше я видел перепачканное кровью открытое окно, я решил, что убийца убрался восвояси. Оказывается, я ошибался. Неизвестный по-прежнему оставался в доме и теперь находился между мной и лестницей, отрезав мне путь на первый этаж.

Преступник вряд ли бежал через спальню, поскольку в этом случае путь его отступления был бы отмечен кровавым следом на кремового цвета ковре. Однако для чего ему было вылезать через окно, чтобы тут же вернуться через входную дверь?

Возможно, улизнув из дома, убийца затем передумал и, решив, что не должен оставлять свидетеля в моем лице, вернулся? Но зачем в таком случае ему включать свет, выдавая тем самым свое присутствие? Было бы логичнее, если бы он попытался застать меня врасплох.

Щурясь от света, я осторожно вышел из спальни. Коридор второго этажа был пуст.

Когда я поднимался по лестнице, три двери, выходящие сюда, были плотно закрыты. Теперь они стояли нараспашку, а комнаты заливал яркий свет — мой самый главный враг.

14

С первого этажа вверх по лестнице, подобно вязкому потоку крови из раны, текла тишина. Внезапно она была нарушена каким-то звуком, но он донесся снаружи дома. Видимо, это ветер играл в кронах деревьев.

Я чувствовал себя участником диковинной игры, правила которой были мне неизвестны. Мне не был известен даже мой противник. Я ощущал себя полностью сбитым с толку.

Пошарив рукой по стене, я нащупал выключатель, и лампы в вестибюле погасли. От этого свет, лившийся из-за открытых дверей, показался мне еще ярче.

Мне хотелось броситься вниз по ступеням, поскорее выбраться отсюда и убежать к чертовой матери! Но я не мог уйти, оставив за своей спиной три комнаты, в которых неизвестно что скрывалось. Иначе я кончу так же, как несчастная Анджела — с глоткой, разрезанной от уха до уха.

Производить как можно меньше шума — только это могло помочь мне остаться в живых. Думать. Проявлять максимальную осторожность, приближаясь к каждой из дверей. Ступать бесшумно, словно призрак. Ни на секунду не допускать возможности, чтобы опасность подкралась ко мне сзади.

Забывая щуриться, я стал прислушиваться, но ничего не услышал и двинулся по направлению к двери, расположенной прямо напротив спальни Анджелы.

Я предпочел не входить в комнату, оставаясь в тени у порога и приставив ладонь козырьком к глазам, чтобы защитить их от яркого света.

Если бы у Анджелы были дети, эту комнату могли бы занимать ее сын или дочь. Сейчас здесь располагались шкаф со множеством выдвижных ящиков, высокий стул с прямой спинкой и рабочий стол, изогнутый в форме буквы Г. Именно здесь Анджела коротала долгие часы, предаваясь своему единственному хобби — изготовлению кукол.

Я кинул взгляд в сторону вестибюля. Он был по-прежнему пуст.

Двигайся! Ты не должен стать легкой мишенью для убийцы!

Я толкнул дверь, и она открылась еще шире. За ней никто не прятался.

Я сделал шаг вперед и, оказавшись в ярко освещенной комнате, тут же прижался спиной к стене.

Анджела была прекрасным мастером, и это доказывали тридцать кукол, выставленных на открытых полках стоявшего поодаль шкафа. Все они были одеты в красочные наряды, также изготовленные собственными руками Анджелы с неисчерпаемой фантазией и мастерством: ковбойские и матросские костюмчики, вечерние платья с пышными юбками... Однако наиболее примечательным в этих куклах были их лица. Анджела вылепливала каждое из них с невероятным терпением, проявляя при этом талант подлинного художника, а затем обжигала в горне, стоявшем в гараже. Некоторые из них были матовыми, другие — покрыты глянцем, но все они были раскрашены вручную — с таким тщанием и настолько детально, что выглядели живыми.

За многие годы своего увлечения кое-какие куклы Анджела продала, многие — просто раздарила. Те, что остались в этой комнате, были, видимо, ее любимыми, с которыми она не могла расстаться. Забыв о том, что в любой момент на меня может наброситься психопат с зазубренным ножом, я рассматривал кукол. Каждая из них была уникальной, словно Анджела не просто мастерила игрушки, а с нежностью вылепливала лица детей, которых ей не суждено было выносить.

Я выключил верхний свет, оставив гореть только настольную лампу. В сгустившемся сумраке куклы, казалось, зашевелились на полках, словно приготовившись спрыгнуть на пол. Нарисованные глаза одних светились в отблесках света, у других были непроницаемо темны. Но взгляды их казались пристальными и напряженными.

У меня задрожали колени.

Однако это были всего лишь куклы. Они ничем не угрожали мне.

Я выскользнул обратно в коридор, повернул «глок» направо, затем налево и снова направо. Никого.

Следующая дверь по коридору вела в еще одну ванную комнату. В ней горел ослепительный свет, отражаясь от зеркал, фарфора и желтой керамической плитки. Однако, сузив глаза в щелочки, я все же заглянул в каждый уголок. И здесь меня никто не подкарауливал.

В тот момент, когда я протянул руку к выключателю на стене, позади меня — со стороны хозяйской спальни — послышался какой-то звук. Быстрый и тихий, словно крыса пробежала по деревянному полу. Краем глаза я успел заметить едва уловимое движение.

Я молниеносно развернулся, выставив «глок» перед собой и удерживая его двумя руками. Черт знает что я творил! Будто изображал из себя не то Сталлоне, не то Шварценеггера, не то Иствуда, не то Кейджа — в боевиках, где они только и делали, что прыгали и палили из пистолетов. Да они и сами-то не знали, что творят! Наверное, я ожидал увидеть подкрадывающуюся фигуру, занесенную руку с кривым кинжалом, но не обнаружил ровным счетом никого.

Движение, которое мне удалось заметить, произвела дверь в спальню Анджелы. Кто-то плотно захлопнул ее изнутри. В светлом проеме между дверью и косяком мелькнула какая-то сгорбленная, скрючившаяся тень. Дверь захлопнулась гулко, как тяжелый банковский сейф.

Когда я выходил из спальни, там никого не было, и никто не проходил мимо меня с тех пор, как я поднялся на второй этаж. Значит, это мог быть только убийца, и то лишь в том случае, если он вернулся через открытое окно в ванной, где я обнаружил тело Анджелы.

Однако если в спальне находился преступник, значит, чуть раньше мимо меня проскользнул кто-то другой, включивший затем свет в вестибюле второго этажа. Выходит, что злоумышленников двое, и я между ними словно в мышеловке.

Что делать: идти вперед или двигаться назад? Небогатый выбор. Куда бы я ни пошел, неизбежно окажусь в дерьме, а я как раз не прихватил резиновых сапог.

Они, видимо, ожидают, что я побегу вниз по лестнице, но для меня безопаснее делать как раз то, чего они от меня не ждут. Поэтому без малейших колебаний я кинулся к спальне Анджелы и, не обращая внимания на ручку, ударил ногой в то место, где располагался замок. Дверь с грохотом распахнулась, и я ворвался в комнату с пистолетом в вытянутой руке, готовый выпустить пулю в любого, кого увижу.

Никого.

По-прежнему горит ночник. На ковре — никаких кровавых отпечатков, значит, никто не проходил через комнату из залитой кровью ванной, чтобы закрыть дверь.

Тем не менее я снова заглянул в ванную. На сей раз я не стал доставать из кармана фонарик, понадеявшись на рассеянный свет от ночника. Мне не хотелось еще раз во всех деталях видеть жуткую картину. Окно оставалось открытым, запах — таким же тошнотворным, как минуту назад. На полу все так же было распростерто тело Анджелы. Несмотря на сумрак, я видел ее открытый рот и изумленно распахнутые глаза.

Нервно оглянувшись, я бросил взгляд в вестибюль. Никого.

Сбитый с толку, я вышел на середину спальни.

Сквозняк из открытого окна был не настолько силен, чтобы от него захлопнулась дверь, и уж тем более он не мог создать ту жуткую тень, которую я успел заметить.

Возможно, под кроватью и мог бы спрятаться взрослый мужчина, но тогда он оказался бы зажатым между матрацем и полом. Кроме того, за то короткое время, которое понадобилось мне, чтобы ворваться в спальню, спрятаться под кроватью не успел бы даже самый проворный человек.

В стенном шкафу, дверца которого была также открыта, пришелец тоже не мог бы укрыться, но на всякий случай я заглянул и туда. Взглянув наверх, я увидел в свете фонарика люк, ведущий на чердак. Лестницы под ним не было, но даже если бы она там стояла, никто не успел бы с быстротой паука взобраться по ней на чердак и втянуть ее за собой. В распоряжении злоумышленника было не более трех секунд — явно недостаточно, чтобы спрятаться.

Рядом с кроватью располагались два задернутых шторами окна, и оба были надежно заперты изнутри. Убийца никак не мог выбраться через них. Но, возможно, смогу я? Мне крайне не хотелось возвращаться в вестибюль.

Не выпуская из поля зрения входную дверь, я попытался открыть окно. Это мне не удалось. Оконные рамы были закрашены масляной краской и не поддавались. Это были массивные окна, разделенные деревянными планками на несколько узких частей. Не приходилось и мечтать о том, чтобы просто выбить стекло и бежать.

Я стоял спиной к ванной. Внезапно мне показалось, что по моей шее забегали насекомые. Мне почудилось, что Анджела уже не лежит на полу, а поднялась и стоит сзади меня — залитая кровью, с глазами светлыми и пустыми, как серебряные монеты. Мне показалось, что я слышу, как она пытается говорить, но не может, и вместо речи раздается лишь булькание из ее страшной раны.

Когда я, дрожа от ужаса, обернулся, позади меня никого не было. Я выдохнул, испытав неимоверное облегчение, и только тут понял, насколько напугало меня собственное воображение, нарисовав столь чудовищную картину.

Однако я все еще находился во власти этого жуткого видения. Мне казалось, что я вот-вот услышу, как несчастная поднимается в ванной на ноги. Горе, вызванное смертью Анджелы, мгновенно сменилось страхом за собственную жизнь. Я уже не воспринимал ее как личность. Она стала неодушевленным предметом, воплощением смерти, чудовищем, оглушительным напоминанием о том, что всем нам уготованы кончина, гниение и превращение в прах. Мне стыдно признаться, но в этот момент я даже испытал ненависть по отношению к ней. Я ненавидел ее из-за того, что чувствовал себя обязанным подняться сюда, на второй этаж, из-за того, что она втравила меня в этот ужас, и в то же время ненавидел себя за то, что ненавижу ее — обожавшую меня медсестру. Ненавидел ее за то, что из-за нее ненавижу себя. Наверняка в основе этой омерзительной психологической спирали лежал скорее страх, нежели ненависть, но, несомненно, присутствовала и она.

Иногда трудно найти более мрачное место, чем наши собственные мысли — эта безлунная полночь души.

От холодного пота мои ладони стали влажными и скользили на рукоятке пистолета.

Я перестал гоняться за призраками и с неохотой вернулся в коридор. Там меня ждала кукла.

Самая большая по размеру кукла с полки в рабочем кабинете Анджелы — более полуметра ростом — сидела на полу, раздвинув ноги и глядя на меня в свете, лившемся из открытой двери в единственную комнату, которую я еще не успел обследовать, — напротив еще одной ванной. Руки куклы были подняты, и на них что-то висело.

В этом было что-то нехорошее.

Я заметил это при первом же взгляде на куклу, но когда пригляделся, то понял, что это было нечто очень нехорошее.

Если бы дело происходило в голливудском фильме, то вслед за этой куклой на сцене должен был бы появиться человек с весьма дурными намерениями. Здоровенный парень в маске хоккейного вратаря. Или в капюшоне. В руках у него должна быть бензопила или, на худой конец, пневматический пистолет, стреляющий гвоздями, или, если он находился в хорошем расположении духа, топор — достаточно большой, чтобы с легкостью расчленить тиранозавра.

Я заглянул в рабочий кабинет Анджелы, где все так же горела лампа на столе. Нет, ни один злоумышленник там не прятался.

Двигайся! Дальше — ванная комната, выходящая в коридор второго этажа. Никого. Мне хотелось по-маленькому. Не время! Двигайся!

Теперь — к кукле, одетой в черные кроссовки, черные джинсы и черную футболку. То, что она держала в руках, оказалось синей кепкой-бейсболкой с двумя вышитыми кроваво-красной нитью словами над козырьком: «ЗАГАДОЧНЫЙ ПОЕЗД».

Поначалу мне показалось, что эта кепка просто похожа на мою. В следующее мгновение я увидел, что это — моя кепка, которую я оставил внизу, на кухонном столе.

Бросив быстрые взгляды в сторону лестницы и комнаты, куда я еще не успел заглянуть, я выдернул бейсболку из маленьких фарфоровых рук и натянул ее себе на голову.

При определенном освещении и в определенных обстоятельствах любая кукла может показаться зловещей и даже внушить суеверный ужас. Здесь был другой случай, поскольку в чертах этой куклы не заключалось какого-либо зла, и все же при более пристальном взгляде на нее по моей шее пополз неприятный холодок, как во время вечеринки в Хэллоуин.

Действительно, меня напугало нечто странное в лице куклы. Приглядевшись, я понял, что именно: необъяснимое сходство со мной. Да что там сходство! У куклы было мое лицо! Это была маленькая копия меня самого.

Я был одновременно тронут и напуган. Оказывается, я до такой степени был дорог Анджеле, что она с любовью увековечила мои черты в одной из своих кукол и посадила ее на полку, где стояли ее любимые творения. Внезапно меня, словно дикаря, обуял примитивный страх, что стоит мне прикоснуться к этому фетишу, как он похитит мою душу и разум. Как будто какой-то злой дух оставил здесь куклу специально для того, чтобы заманить меня в ловушку и переселиться в мое тело. Вселившись в меня, он с ликующим воплем вырвется в ночь, чтобы грызть черепа девственниц и пожирать сердца новорожденных младенцев.

В обычные времена, если таковые, конечно, бывают, мое бурное воображение в основном развлекает меня. Бобби Хэллоуэй насмешливо называет его «стометровой цирко-мозговой ареной». Это свойство я, без сомнения, унаследовал от своих родителей, которые были достаточно умны, чтобы понимать, насколько мало мы знаем, достаточно любопытны для того, чтобы стремиться к новым знаниям, и достаточно проницательны, чтобы отдавать себе отчет в том, что любая вещь и любое событие таят в себе бездну непознанного. Когда я был маленьким, они читали мне не только стихи Артура Милна и Беатрисы Поттер, но, учитывая мое раннее развитие, еще и Дональда Джастиса и Уоллеса Стивенса. Образы, встречавшиеся в этих стихотворных строках, будоражили мое воображение: десять розовых пальцев на ноге Тимоти Тима, светлячки, мерцающие в крови... В необычные времена, как, например, нынешняя ночь похищенных трупов, воображение играет со мной злые шутки: сейчас на этой «стометровой цирко-мозговой арене» тигры приготовились сожрать своих дрессировщиков, а под мешковатой одеждой клоунов скрывались злобные сердца и ножи мясников.

Двигайся!

Еще одна комната. Заглянуть туда, не забывая об опасности сзади, а затем — вниз по лестнице.

Суеверно избегая куклы — моего второго «я» — и стараясь держаться от нее подальше, я подошел к открытой двери в комнату, располагавшуюся напротив ванной. Это была незатейливо обставленная спальня для гостей.

Пониже пригнув голову и щурясь от света люстры, я заглянул внутрь, но никого не увидел. Кровать имела боковые поручни и подножку, которая не позволяла покрывалу спускаться до пола, так что все пространство под ней хорошо просматривалось.

Здесь не было стенного шкафа. Вместо него стояла мебельная стенка с рядами выдвижных ящиков и отделением для верхней одежды. Под его высокими дверцами располагалась еще пара ящиков. Платяной шкаф был достаточно вместительным для того, чтобы в нем мог спрятаться взрослый человек — с бензопилой или без оной.

В этой комнате меня поджидала еще одна кукла. Она сидела посередине кровати, так же как кукла Кристофер Сноу, вытянув руки по направлению ко мне. Однако свет здесь был таким ярким, что я не мог как следует разглядеть, что именно она держала в своих розовых ручках.

Я выключил верхний свет. Продолжала гореть лишь лампа на тумбочке.

Повернувшись спиной к порогу и готовый стрелять в любого, кто появится в коридоре, я, пятясь, вошел в комнату.

Краем глаза справа от себя я видел платяной шкаф. Если бы его дверцы вдруг начали открываться, мне бы даже не понадобился лазерный прицел, чтобы наделать в них дырок диаметром в девять миллиметров каждая.

Я ткнулся задом в край постели и повернул голову в ее сторону — не до конца, но достаточно для того, чтобы рассмотреть куклу. В каждой из повернутых кверху ладошек она держала по одному глазу. Не стеклянные пуговичные глаза из набора кукольника. Не фарфоровые шарики, разрисованные рукой мастера. Настоящие человеческие глаза.

Двери шкафа оставались неподвижными на своих петлях.

Если в доме что-то и двигалось, то это было время.

Я тоже оставался неподвижным, как прах в урне, но жизнь внутри меня продолжалась: сердце обезумело и мчалось, словно угорелая белка в колесе из ребер.

Я снова посмотрел на глазные яблоки в протянутых фарфоровых ручках: затекшие кровью карие глаза со свисающими молочно-белыми нитями, влажные, изумленно глядящие на меня и кажущиеся голыми в отсутствие век. Я не сомневался: последнее, что им довелось увидеть, был белый фургон, останавливающийся на поднятый вверх большой палец. А потом — человек с бритой головой и жемчужной серьгой в ухе.

И все же я был уверен, что сейчас, находясь в доме у Анджелы, имею дело не с тем, лысым. Подобная игра в «кошки-мышки» была не в его стиле. Он наверняка предпочитал действовать быстро, зло и жестоко.

Мне скорее казалось, что я очутился в детской психиатрической клинике, пациенты которой перебили врачей и санитаров, а теперь, наслаждаясь свободой, играют в свои безумные игры. Мне казалось, я слышу их тихий смех за порогом комнаты — зловещее серебристое хихиканье, которое они пытаются приглушить, прижимая ко рту маленькие холодные ладошки.

Я не смог заставить себя открыть дверцы платяного шкафа.

Я поднялся сюда для того, чтобы помочь Анджеле, но это уже было невозможно — ни сейчас, ни потом. Теперь мне хотелось только одного: спуститься вниз, выбраться из дома, вскочить на велосипед и помчаться куда глаза глядят.

Стоило мне двинуться по направлению к двери, как погас свет. Видимо, кто-то выключил рубильник на распределительном щитке. Наступившая темнота была такой непроницаемой, что даже я не мог разглядеть ничего вокруг. Окна были плотно зашторены, и молочный свет луны не проникал в комнату. Воцарившаяся тьма была чернее самых черных чернил.

Шаря руками в пространстве перед собой, я продолжал слепо двигаться к двери, но затем шагнул в сторону. У меня возникло необъяснимое чувство, что в коридоре кто-то притаился и на пороге меня настигнет удар ножа.

Прижавшись спиной к стене спальни, я замер и стал прислушиваться. Я задержал дыхание, но был бессилен сделать что-либо с сердцем, которое стучало словно лошадиные копыта по брусчатке — целый кавалерийский эскадрон. Мне чудилось, что меня намеревается предать мое собственное тело.

Однако, несмотря на этот бешеный галоп, я услышал, как скрипнули петли. Дверцы платяного шкафа медленно открывались.

О Боже!

Это была и молитва, и проклятие одновременно.

Вцепившись в рукоятку «глока» обеими руками, я вытянул его в том направлении, где, по моим расчетам, находился шкаф. Потом, подумав, переместил дуло на десять сантиметров левее и тут же вернул в прежнее положение.

В абсолютной темноте я был полностью дезориентирован. Я не сомневался, что сумею попасть в шкаф, но не был уверен, что попадание придется точно по центру. Стрелять надо было наверняка, поскольку первая вспышка от выстрела сразу же выдаст мое местоположение. Не мог я также и устроить канонаду, паля вслепую по сторонам. Каскад пуль наверняка разорвал бы ублюдка на части, но лишь при том условии, что все они попадут в цель.

Однако в такой темноте я мог только ранить его, и еще вероятнее, просто бы промахнулся.

А что будет, когда обойма опустеет?

Что тогда?

Я выскользнул в коридор, в любую секунду ожидая нападения, но его не последовало. Притворившись, будто не слышал скрипа петель, я переступил порог комнаты и закрыл за собой дверь, отгородившись таким образом от того, кто вылезал из шкафа, — кем бы он ни был.

Из лестничного проема в конце длинного темного коридора лился неяркий свет. Видимо, лампы на первом этаже питались от другой электрической цепи.

Не дожидаясь, пока из гостевой комнаты кто-то появится, я кинулся к лестнице и услышал, как дверь за моей спиной открылась.

Задыхаясь и перескакивая сразу через две ступени, я почти успел добежать до лестничной площадки между первым и вторым этажами, как вдруг мимо моего виска пролетела моя же фарфоровая голова в миниатюре и вдребезги разлетелась, ударившись о стену передо мной. Я поднял руку, чтобы защитить глаза. В лицо мне брызнул град фарфоровых осколков.

Правая нога неудачно опустилась на самый край ступени и соскользнула. Я потерял равновесие, чуть не упал, бросил свое тело вперед и с силой врезался в стену, но на ногах все же устоял.

Оказавшись на площадке и давя каблуками фарфоровые осколки собственного лица, я резко развернулся вокруг своей оси, готовый отразить нападение.

В меня полетело обезглавленное тело куклы в черном. Я нырнул, и она пролетела над моей головой, врезавшись в стену позади меня.

Подняв голову, я направил ствол пистолета на верхние ступени лестницы, но стрелять было не в кого. Складывалось впечатление, что кукла сама оторвала у себя голову, швырнула ее в меня, а затем метнулась в мою сторону через лестничный пролет.

Огни на первом этаже дома погасли.

В наступившей темноте я почувствовал запах гари.

15

Пошарив рукой в кромешной тьме, я наконец нащупал поручень лестницы, вцепился в гладкое дерево потной ладонью и стал спускаться по второму лестничному пролету, который вел в прихожую.

Меня охватило странное чувство, будто темнота вокруг меня клубится, извивается кольцами, но затем я понял, что движется не мрак, а воздух — ленты горячего воздуха, которыми, словно червями, заполнился лестничный пролет.

Почти сразу же вслед за этим снизу на лестницу потянулись стебельки отвратительно пахнущего дыма, которые мгновением позже превратились в щупальца, а затем стали мощным потоком. Самого дыма я не видел, но мне казалось, что его можно потрогать рукой. Он обволакивал меня, как какая-нибудь гигантская водяная лилия обволакивает ныряльщика. Кашляя и широко разевая рот, я кинулся в обратном направлении — наверх, надеясь спастись через одно из окон второго этажа — любое, кроме того, что находилось в ванной и возле которого меня поджидала Анджела.

Я вернулся на лестничную площадку, поднялся на несколько ступенек по верхнему пролету и тут был вынужден остановиться. Сквозь слезы от дыма и сквозь клубы его самого я увидел наверху какой-то колеблющийся свет.

Пожар.

Дом подожгли одновременно с двух сторон — снизу и сверху. Сумасшедшие детишки продолжали свою игру, но теперь мне казалось, что их здесь не один и не два, а намного больше. Я припомнил своих многочисленных преследователей, которые словно из-под земли выросли на заднем дворе похоронного бюро, будто Сэнди Кирк обладал способностью поднимать мертвецов из могил.

Я вновь кинулся вниз по ступеням — к глотку спасительного воздуха. Я обязательно найду его, и именно там, внизу, поскольку дым и пламя всегда поднимаются вверх, оставляя внизу чистый воздух, которым они и питаются.

Каждый вдох вызывал у меня новый приступ кашля, заставлял задыхаться и из-за этого бояться еще больше. Поэтому я задерживал дыхание до тех пор, пока не оказался в прихожей. Там я упал на колени и, распластавшись на полу, сумел наконец вдохнуть. Воздух был горячим и отдавал горечью, но все в мире относительно, и сейчас он показался мне более живительным, нежели ласковый бриз с Тихого океана.

Однако я не мог позволить себе валяться на полу и ожидать мучительной смерти от удушья. Я провел в таком положении ровно столько времени, сколько понадобилось, чтобы, прочищая легкие, сделать несколько глубоких вдохов и отплеваться от попавшей в рот гари.

Затем я поднял голову, желая выяснить, на каком расстоянии от пола держится спасительный слой воздуха. Не очень высоко — сантиметров на десять-пятнадцать. Тем не менее этого скудного воздушного запаса должно было хватить мне на то время, пока я буду выбираться из дома.

Хорошо хоть не загорелся ковер, иначе я был бы лишен и этого.

Свет в доме по-прежнему не горел, клубы дыма заполняли все пространство. Ожесточенно работая руками и ногами, я по-пластунски пополз в том направлении, где, по моим расчетам, должна была находиться входная дверь — ближайший ко мне выход из дома.

Вскоре я на что-то наткнулся, и, судя по всему, это был диван. Значит, я сбился с правильного курса по крайней мере на девяносто градусов, прополз под аркой и оказался в гостиной.

Теперь, находясь в пространстве относительно чистого воздуха возле самого пола, я уже видел, что густая пелена дыма подсвечивается оранжевыми сполохами огня. Так выглядит гроза, когда ее наблюдаешь сверху, через иллюминатор самолета. Поскольку я находился в лежачем положении, зеленое ковровое покрытие выглядело широкой, уходящей вдаль лужайкой, которую освещают далекие зарницы. А узкая полоса животворного воздуха под сплошной пеленой дыма показалась мне каким-то новым миром, куда я попал, шагнув в дверь, ведущую в другое измерение.

Мутные вспышки пламени были, однако, недостаточно яркими, чтобы с их помощью я мог определить, в какую сторону ползти. Стробоскопическое мерцание еще больше сбивало меня с толку, к тому же усиливая страх.

До тех пор пока не было видно самого пламени, я успокаивал себя тем, что оно еще далеко, что горит где-то в глубине дома, но теперь притворяться перед самим собой стало уже невозможно. Всматриваться в пламя тоже не имело смысла. Это лишь усиливало мой страх и не давало никаких подсказок: я не мог определить, горит ли огонь в нескольких сантиметрах или в нескольких метрах от меня, приближается ли он ко мне или удаляется.

Либо начало сказываться пагубное действие дыма, попавшего в мои легкие, и я утратил чувство времени, либо поджигатели использовали бензин, но мне казалось, что огонь распространяется с немыслимой быстротой.

Полный решимости вернуться в прихожую, я несколько раз судорожно глотнул ставший еще более горьким воздух и снова пополз, отталкиваясь от ковра локтями, а затем подтягивая тело. То и дело я ударялся об углы мебели. Вскоре с силой врезался головой в кирпичную стенку камина. Я находился еще дальше от прихожей, нежели прежде. Но не лезть же мне в камин, а затем через трубу и на крышу, словно Санта-Клаус, который возвращается к своим саням!

Я почти ослеп. Невыносимая головная боль раскалывала мой череп по диагонали — от левой брови к правой части затылка. Глаза щипало от дыма и ручейков соленого пота. Меня больше не тошнило, но зато я все время давился от омерзительных струек дыма, которые уже вились даже здесь, у самого пола. Мне начинало казаться, что я не выживу.

Я изо всех сил напрягал память, пытаясь вспомнить, где располагался камин по отношению к входной арке, затем пополз под углом от камина и... уткнулся головой в стену.

Мне казалось абсурдным то, что я не могу найти выход. В конце концов, это был не дворец, не особняк с сотней комнат, а всего лишь скромный провинциальный дом. Ни один, даже самый ушлый, риэлтер на свете не смог бы разрекламировать его в качестве жилища, достаточно просторного для принца Уэльского и всей его свиты.

Время от времени в выпусках вечерних новостей дикторы рассказывают о жертвах пожаров, и вы каждый раз удивляетесь тому, почему жившие в загоревшемся доме люди не могли спастись, находясь всего лишь в нескольких метрах от окна или двери. Если, конечно, в тот момент они не были в стельку пьяны, не находились под действием наркотиков и не были до такой степени глупы, чтобы кидаться в огонь ради спасения котенка Мохнатика. Впрочем, думать так было с моей стороны неблагодарностью, поскольку нынешней ночью я сам был спасен как раз кошкой. Но теперь мне было понятно, как гибнут люди во время пожаров: дым и клубящаяся вокруг темнота не хуже выпивки или наркотиков делают их беспомощными, и чем дольше они дышат отравленным воздухом, тем хуже начинают соображать, пока вообще не утратят способность ориентироваться.

Когда я поднимался на второй этаж, чтобы посмотреть, что случилось с Анджелой, меня самого удивило собственное спокойствие и самообладание. И это при том, что я в любой момент мог столкнуться с безжалостными убийцами. Надувшись, как индюк, преисполнившись гордости за самого себя, я испытывал даже удовольствис при мысли о том, как отважно я противостою опасности.

Как быстро все может измениться! Прошло всего десять минут, и жизнь жестоко доказала мне, что в моей душе не было и сотой доли уверенности, присущей Бэтмену, и я не предназначен для того, чтобы крутить роман со смертью.

Неожиданно вынырнув из зловещей пелены, ко мне что-то прикоснулось, ткнувшись сначала в подбородок, а потом в шею. Что-то живое! На «стометровой цирко-мозговой арене» моего воображения незамедлительно возникла очередная кошмарная картина: оживленная с помощью каких-то заклинаний вуду, ко мне подползает Анджела Ферриман и запечатлевает на моей шее холодный кровавый поцелуй. Последствия кислородного голодания сказывались так сильно, что даже такой придуманный мной ужас не сумел прочистить мои мозги. Я непроизвольно нажал на курок.

Слава Богу, я промахнулся, поскольку, как только умолк грохот выстрела, я сразу же узнал холодный нос и теплый язык моей единственной и неповторимой собаки, моего верного друга и спутника, моего Орсона.

«Привет, парень», — хотел сказать я, но вместо слов прозвучало какое-то хриплое карканье.

Орсон лизнул меня в лицо. Из пасти барбоса пахло не очень-то приятно, но я не мог осуждать его за это.

Я не переставая моргал, пытаясь разогнать пелену перед глазами, а оранжевый свет тем временем пульсировал в клубах дыма гораздо ярче, нежели прежде. Даже мохнатая морда Орсона, прижатая к ковру совсем близко от моего лица, казалась мне всего лишь расплывчатым пятном.

Тут я сообразил, что, если пес сумел войти в дом и отыскать меня, он сможет точно так же вывести меня отсюда раньше, чем на мне загорятся джинсы, а на нем — шерсть.

Собравшись с силами, я кое-как поднялся на дрожащие ноги. К горлу снова подкатила тошнота, но на сей раз мне удалось подавить ее.

Плотно закрыв глаза и стараясь не обращать внимания на обдавшую меня волну жара, я нагнулся и вцепился в толстый кожаный ошейник Орсона. Это было несложно, поскольку пес жался к моим ногам.

Орсон держал голову низко опущенной к полу, чтобы иметь возможность дышать. Я же задерживал дыхание и с трудом терпел щипавший ноздри дым, пока пес вел меня через пылающий дом. Он выбирал такой маршрут, чтобы я как можно реже натыкался на мебель, и я не имел ни малейшего представления, гордился ли он собой в эти страшные, трагичные мгновения. Врезавшись лицом в притолоку, я чудом не выбил себе ни одного зуба. И все же на протяжении этого недолгого путешествия я непрерывно благодарил Господа за то, что он решил испытать меня ХР, а не слепотой.

Мне уже стало казаться, что если я сейчас же не упаду на пол и не сделаю хотя бы одного глотка воздуха, то потеряю сознание, но в этот момент я почувствовал на своем лице прохладное дуновение, а когда открыл глаза, то обнаружил, что.могу видеть. Мы находились на кухне, до которой огонь еще не успел добраться. Здесь не было и дыма, поскольку ветер, врываясь в открытую дверь, выдувал его в столовую.

На столе по-прежнему стояли три церковных свечи в подсвечниках из толстого рубинового стекла, два глубоких бокала и початая бутылка абрикосового бренди. Растерянно мигая, я смотрел на этот уютный натюрморт. Мне вдруг показалось, что события последних нескольких минут — всего лишь кошмарный сон, а Анджела — живая и здоровая, в свитере своего покойного мужа — вот-вот войдет в кухню, сядет за стол и, долив себе в бокал, закончит свой удивительный рассказ.

Во рту у меня царила такая сушь, что я едва не прихватил с собой бутылку бренди, но затем вспомнил, что у Бобби Хэллоуэя всегда есть пиво, а это гораздо лучше.

Когда я уходил с кухни, дверь была надежно заперта, и я сомневаюсь, что Орсон при всей своей сообразительности сумел бы открыть ее. Хотя бы потому, что у него не было ключа. Было ясно, что убийцы покинули дом именно этим путем.

Оказавшись снаружи, я еще раз прокашлялся, чтобы окончательно избавиться от попавшего в легкие дыма, сунул «глок» в карман куртки и, вытирая взмокшие ладони о штанины, нервно окинул взглядом двор.

Тени от облаков плыли по залитой лунным светом лужайке, словно рыбы, резвящиеся под серебряной поверхностью пруда.

Кроме колеблющихся на ветру ветвей, не было заметно ни единого движения.

Ухватив велосипед за руль, я покатил его по направлению к увитому зеленью выходу со двора, а дойдя до него, обернулся и посмотрел на дом. Я ожидал, что он будет объят пламенем до самой крыши. К моему удивлению, снаружи пожар был почти незаметен. Лишь слабые отблески указывали на то, что огонь начинает взбираться по шторам двух окон второго этажа, а из вентиляционных отдушин под кровлей вились тонкие змейки белого дыма.

Если не считать непрекращающихся порывов ветра, в ночи царила противоестественная тишина. Мунлайт-Бей — маленький городишко, но и он обладает характерными для ночи звуками — то автомобиль проедет, то послышится мелодия какой-то далекой вечеринки, то мальчишка, практикуясь в игре на гитаре, забренчит, сидя на крыльце, то залает собака, то раздастся шуршание щеток поливальной машины, послышатся голоса гуляющих, смех старшеклассников, кучкующихся ниже по Эмбаркадеро-уэй, невдалеке от супермаркета «Миллениум», а время от времени ночь нарушает меланхоличный свист пассажирского поезда или загремит якорная цепь прибывшего к Оушн-авеню парома. Сейчас же вокруг нас с Орсоном царила такая тишина, словно мы находились посредине города призраков, затерянного в пустыне Мохаве.

Звук выстрела, который я случайно произвел, находясь в доме, был, очевидно, недостаточно громким, чтобы привлечь внимание тех, кто в этот час находился на улице.

Я торопливо шел за Орсоном сквозь увитый зеленью проход по направлению к выходу со двора, ощущая сладкий аромат жасмина и слушая, как негромко щелкают спицы велосипеда. Сердце мое билось в прежнем темпе. Пес поднялся на задние лапы, толкнул калитку передними, и она открылась. Этот его трюк был мне хорошо знаком. Бок о бок мы вышли на тротуар и быстро двинулись вдоль по улице, стараясь не припустить во весь опор.

Нам повезло — нас никто не заметил. Улица, насколько хватает глаз, была пуста: ни пешеходов, ни автомобилей.

Если бы кто-нибудь из соседей увидел меня выходящим из дома, который через несколько минут запылает, как свеча, это стало бы для шефа полиции Стивенсона лучшим подарком, поскольку у него появился бы законный повод объявить на меня охоту. А потом пристрелить «при сопротивлении во время ареста».

Я взобрался на велосипед и, опершись на одну ногу, чтобы удерживать равновесие, в последний раз оглянулся на дом. Ветер трепал листья огромных магнолий, и сквозь их ветви я увидел огонь уже в нескольких окнах на обоих этажах дома.

Исполненный горечи и возбуждения, любопытства и страха, я быстро ехал вдоль тротуара, мечтая поскорее оказаться на менее освещенной улице. Орсон громко шлепал лапами по асфальту сбоку от меня.

Мы удалились примерно на квартал, когда я услышал, как от страшного жара в доме Ферриманов стали взрываться оконные стекла.

16

Звезды в просветах между ветвями, лунный свет, пробивающийся сквозь сито листьев, огромные дубы, убаюкивающая темнота, кладбищенский покой, а для одного из нас — еще и волнующий запах прячущихся белок. Мы снова оказались на кладбище, примыкающем к церкви святой Бернадетты.

Мой велосипед был прислонен к гранитному надгробию, которое венчала мраморная голова ангела. Я сидел, без особого стеснения прислонившись спиной к другому надгробию, увенчанному крестом.

За несколько кварталов отсюда раздались, а затем внезапно умолкли сирены — это пожарные машины подъехали к пылающему дому Анджелы Ферриман.

Я не смог одолеть весь путь до дома Бобби Хэллоуэя, поскольку грудь мою раздирал судорожный кашель, который мешал мне крутить педали. Орсону тоже было тяжело бежать, и он пытался отделаться от запаха гари, ожесточенно чихая.

Изо всех сил откашлявшись, я сплюнул на корни ближайшего дуба сгусток черной сажи. Здешние жители слишком мертвые, чтобы обижаться. Оставалось лишь надеяться, что я таким образом не убью могучее дерево, пережившее двести лет землетрясений, ураганов, пожаров, насекомых, болезней и даже охватившую в последнее время Америку эпидемию возводить на каждом шагу мини-маркеты с непременным отделом по продаже пончиков.

Думаю, если бы я съел парочку угольных брикетов и запил их бокалом тормозной жидкости, вкус у меня во рту был бы именно таким, как сейчас.

Орсон пробыл в горящем доме меньше, чем его неугомонный хозяин, и поэтому очухался гораздо быстрее. Я еще отхаркивал сажу и отплевывался, а он уже бегал взад-вперед среди ближайших надгробий, старательно обнюхивая следы обитающих на деревьях хвостатых грызунов.

В те минуты, когда я не был занят очищением дыхательных путей, я размышлял вслух, обращаясь к Орсону, и временами он поднимал свою благородную черную голову, делая вид, что слушает, и даже ободряюще помахивал хвостом. А иногда, без остатка поглощенный восхитительными беличьими экскрементами, пропускал мои слова мимо ушей.

— Что, черт побери, произошло в том доме? — задумчиво проговорил я. — Кто убил Анджелу? Кто играл со мной в «кошки-мышки», зачем понадобилась вся эта возня с куклами? Почему они просто не перерезали мне глотку и не сожгли заодно с хозяйкой?

Орсон потряс головой, давая понять, что у него нет ответов на эти вопросы. Он, так же как я, пребывал в растерянности и не знал, почему мне все-таки не перерезали глотку.

— Вряд ли они испугались «глока». Их было несколько — минимум двое, а то и трое. При желании они легко справились бы со мной. И хотя Анджелу убили ножом, у них наверняка были пистолеты. Они не сопляки. Серьезные сволочи. Настоящие убийцы, которые вырывают у людей глаза просто так, для развлечения. Они повсюду таскают с собой пистолеты и не испугались бы моего «глока».

Орсон склонил голову набок, обдумывая мои слова. Может, дело действительно в «глоке», а может, и нет. Кто знает? И кстати, что такое «глок»? А что это за восхитительный запах? Просто головокружительный! Может, здесь белка пописала? Извини, хозяин Сноу, дела. Неотложные дела.

— Вряд ли они подожгли дом только для того, чтобы убить меня. На самом деле им наплевать, жив я или нет. В противном случае они бы предприняли более решительные действия. Замести следы убийства Анджелы — вот в чем истинная причина поджога. Только в этом, и больше ни в чем.

— Фх-фх-фх-фх, — сопел в ответ Орсон, выдыхая гарь пылающего дома и вдыхая волшебный запах белок, выдыхая плохое, вдыхая хорошее.

— Господи, она была такой чудесной, такой доброй женщиной! — горько посетовал я. — Она не заслужила такой смерти. Она вообще не заслуживала смерти.

Орсон на секунду прекратил обнюхивать следы. Человек страдает. Ужасно! Это просто ужасно! Несчастье, смерть, отчаяние. Но что поделать! Тут уже ничем не помочь. Так устроен мир, так устроена жизнь человека. Пойдем, хозяин Сноу, будем вместе вынюхивать белок. Тебе станет гораздо легче, вот увидишь.

В моем горле поднялся комок. Это было не горе, а нечто гораздо более прозаическое. Закашлявшись с одержимостью туберкулезника, я согнулся пополам и посеял между корнями деревьев отвратительную черную устрицу.

Лицо мое было липким, и я обтер его потной ладонью.

— Будь здесь Саша, вряд ли я показался бы ей сейчас Джеймсом Дином, — пробормотал я.

На жиденькой траве могил и полированной поверхности надгробий, похожие на кладбищенских эльфов, плясали лунные тени листьев, шевелящихся на слабом ветру.

Даже при таком скудном освещении я увидел, что ладонь, которой я провел по лицу, измазана сажей.

— От меня, должно быть, воняет до небес.

Орсон немедленно утратил интерес к беличьим следам, подбежал ко мне и принялся усердно обнюхивать мои туфли, ноги, грудь. Засунул морду даже под мою куртку, а под конец уткнулся носом мне в подмышку.

Временами я начинаю думать, что Орсон не только понимает больше, чем положено собаке, но обладает также чувством юмора и определенной долей сарказма.

С усилием я вынул его голову у себя из-под мышки и, держа ее обеими руками, сказал:

— Ты тоже не благоухаешь розами, приятель. И какая из тебя, к черту, сторожевая собака! Может, они уже и находились в доме, когда я туда вошел, а Анджела об этом просто не подозревала. Но почему ты не вцепился в их задницу, когда они убежали? Если они вышли через кухонную дверь, то должны были нарваться прямиком на тебя. Почему в таком случае я не обнаружил на заднем дворе парочку негодяев, катающихся по земле, держась за задницы и воя от боли?

Взгляд бездонных глаз Орсона оставался неподвижным. Пес был явно шокирован моим вопросом и прозвучавшим в нем чудовищным обвинением. Он был миролюбивым псом, а не кусачим. Он был добрым приятелем, неутомимым преследователем брошенных ему резиновых мячиков, вылизывателем людских физиономий, наконец — философом. Кроме того, хозяин Сноу, приказ был не впускать злодеев в дом, а не препятствовать им выходить оттуда. Ну их, этих злодеев! Кому они нужны! От злодеев и блох — одни неприятности. Лучше держаться от них подальше.

Сидя нос к носу с Орсоном и глядя ему в глаза, я вдруг испытал жуткое чувство. А может, это было секундное помешательство? Мне вдруг почудилось, что я могу прочитать его подлинные мысли, которые наверняка отличались от выдуманного мной нашего с ним диалога. Мысли его были совсем иными. И очень тревожными.

Я отпустил голову Орсона, но он не отвернулся и продолжал смотреть мне в глаза. Я тоже не мог отвести взгляд.

Расскажи я об этом Бобби Хэллоуэю, наверняка получил бы совет сделать себе лоботомию, и тем не менее я чувствовал, что собака боится за меня, жалеет, ощущая глубину грызущей меня боли, с которой я безуспешно боролся. Орсон жалел меня и потому, что даже я сам не мог прочувствовать до конца, насколько пугала меня перспектива остаться совсем одному. Но больше всего он боялся за меня, поскольку видел неотвратимо надвигавшуюся на меня неумолимую безжалостную силу, которую мне самому видеть было не дано, — ослепительное, огромное, как гора, колесо должно было проехаться по мне и оставить в своей колее мой пылающий прах.

— Что это будет? Когда это случится? Где? — спрашивал я собаку.

Взгляд Орсона жег меня. Так не мог бы смотреть даже Анубис — египетское божество с собачьей головой, повелитель мертвого царства, весовщик сердец умерших. Да, мой пес не был Лэсси или сметливой диснеевской собакой с точно рассчитанными движениями и неистощимым запасом хитроумных проделок.

— Иногда ты пугаешь меня до дрожи, — сказал я.

Орсон моргнул, тряхнул головой и, отбежав от меня, принялся резвиться вокруг надгробий, деловито обнюхивая траву и опавшие дубовые листья. Он вновь прикидывался самой обычной собакой.

Но, может быть, меня напугал вовсе не Орсон? Может, я напугал себя сам? Может, его блестящие глаза оказались просто зеркалами, в которых я увидел собственные глаза, а в них — отражение правды, которая гнездилась в моем сердце и на которую мне было страшно взглянуть?

— Именно так истолковал бы все это Хэллоуэй, — проговорил я.

С неожиданным возбуждением Орсон вдруг принялся рыть покров из душистых листьев, все еще влажных после того, как в полдень ненадолго включилась система орошения. Пес совал нос так глубоко в землю, словно искал трюфеля, фыркал и мел хвостом по земле.

Белки! Белки занимались сексом! Здесь занимались сексом белки! Белки! Прямо здесь! На этом самом месте пахнет беличьей похотью, хозяин Сноу! Иди сюда, понюхай! Скорей, скорей беги сюда и понюхай, как пахнет беличьим сексом!

— Ты заставляешь меня краснеть, — сказал я псу.

Во рту у меня по-прежнему стоял вкус переполненной пепельницы, однако дьявольская апатия отпустила меня. Я должен найти в себе силы крутить педали, чтобы добраться до дома Бобби.

Прежде чем поднять с травы велосипед, я встал на колени и, обернувшись, посмотрел на могильный камень, на который до этого опирался спиной.

— Ну, как дела, Ноа? Все еще покоишься с миром?

Мне не нужен был фонарик, чтобы прочитать надпись на камне. Я читал ее уже тысячу раз до этого и часами размышлял над выбитыми здесь словами и датами.

НОА ДЖОЗЕФ ДЖЕЙМС
5 июня 1888 г. — 2 июля 1984 г.

Ноа Джозеф Джеймс — человек с тремя именами и без фамилии. Но меня всегда поражало даже не то, как тебя зовут, а то, как поразительно долго ты прожил.

Девяносто шесть лет.

Девяносто шесть весен и зим.

Мне, вопреки всему, пока что удалось прожить двадцать восемь лет, и если леди Удача будет милостива, возможно, удастся дотянуть до тридцати восьми. Если же врачи окажутся плохими прорицателями, если будет попран закон вероятности, а судьба возьмет отгул, — я смогу проскрипеть даже до сорока восьми. И даже тогда мне будет отпущена всего лишь половина того срока, который прожил Ноа Джозеф Джеймс.

Я не знал, кем был этот человек, что он делал в течение почти целого отпущенного ему века, делил ли он свои дни с одной женой или пережил трех, стали ли его дети священниками или серийными убийцами, да и не хотел этого знать. Я придумал для этого человека насыщенную жизнь. Мне казалось, что он вдоволь путешествовал, бывал на Борнео и в Бразилии, на Креветочном фестивале в Мобил-Бей и в Новом Орлеане во время Марди-Гра, на омытых солнцем островах Греции и в потаенной стране Шамбала, укрытой в высокогорьях Тибета. Я верил в то, что ему довелось страстно любить и быть любимым, что он был воином и поэтом, искателем приключений и ученым, музыкантом, художником и моряком, проплывшим семь морей и не пасовавшим ни перед какими препятствиями. До тех пор пока он является для меня всего лишь именем на могильном камне, я могу представлять его кем угодно и с полным правом вновь и вновь жить за него долгую жизнь, которую этот человек провел под солнцем.

— Знаешь, Ноа, — тихо обратился я к могиле, — я уверен, что, когда ты умер в 1984 году, люди, пришедшие за твоим телом, не имели при себе пистолетов.

Затем я встал в полный рост и сделал шаг к соседнему надгробию, прислоненным к которому под неусыпным надзором каменного ангела стоял мой велосипед.

Из глотки Орсона послышалось низкое ворчание. Еще секунда — и он насторожился: голова поднята, уши торчком, хвост напряжен и опущен вниз.

Я посмотрел в ту сторону, куда были устремлены угольные глаза пса, и увидел долговязую, с опущенными плечами фигуру человека, пробиравшегося между надгробий. Даже в ночном сумраке было видно, что она состоит из одних углов — будто скелет, нарядившийся в темный костюм, будто один из соседей Ноа, выбравшийся из могилы и отправившийся к кому-то в гости.

Человек остановился в том самом ряду могил, в котором находились и мы с Орсоном, и поднес к глазам левую руку с каким-то зажатым в ней предметом. По его размерам и светившейся зеленоватой панели я поначалу сделал вывод, что это — сотовый телефон.

Мужчина принялся нажимать кнопки, и кладбищенскую тишину нарушили мелодичные нотки электронного набора. Однако звук был не таким, как бывает от телефона.

Ветер накинул на лицо луны рваный шарф облака, и неизвестный поднес предмет поближе к лицу, чтобы лучше видеть зеленый, как незрелое яблоко, дисплей и то, что на нем высветилось. Скудный свет от прибора упал на лицо мужчины, но этого оказалось достаточно, чтобы я в тот же момент узнал его. Я, конечно, не мог различить рыжие волосы и красные заячьи глаза, но вытянутое собачье лицо и тонкие губы заставили меня задрожать: Джесси Пинн, помощник нашего похоронщика.

Мы с Орсоном находились метрах в тридцати слева от него, но он не замечал нас, и мы застыли, словно превратились в мраморные статуи. Орсон больше не издавал ни звука, хотя шум ветра в широких кронах дубов наверняка заглушил бы его ворчание.

Пинн поднял голову от прибора, бросил взгляд вправо, в сторону церкви святой Бернадетты, а затем снова стал вглядываться в экран. Наконец он повернулся и пошел направо, к церкви.

Он так и не догадался о нашем присутствии, хотя теперь нас с ним разделяло всего-то метров пятнадцать.

Я взглянул на Орсона.

Орсон взглянул на меня.

Белки были забыты, и мы последовали за Пинном.

17

Похоронщик спешил по направлению к задней части церкви и даже ни разу не оглянулся. Добравшись до цели, он спустился по каменным ступеням, которые вели в подвал.

Чтобы не потерять мужчину из виду, мне приходилось следовать за ним почти по пятам. Остановившись всего метрах в трех от первой ступеньки и под углом к входу, я заглянул вниз.

Если бы Пинн поднял голову, то заметил бы меня прежде, чем мне удалось отпрянуть назад, но ему, похоже, было не до того. Он выглядел настолько озабоченным выполнением данного ему поручения, что, даже если бы в тот момент прогремели трубы Страшного суда и мертвые начали подниматься из своих могил, Пинн не обратил бы на это никакого внимания.

Он снова посмотрел на таинственный прибор в

своей руке, выключил его и сунул во внутренний карман пиджака. Затем извлек из другого кармана еще один предмет, разглядеть который из-за скудного освещения мне не удалось. В отличие от первого в нем ничего не светилось. Однако, несмотря на бормотание ветра и шелест дубовых ветвей, я отчетливо расслышал несколько последовательных хлопков и скрежещущие звуки. Затем раздался громкий щелчок, еще один и еще.

После четвертого щелчка мне показалось, что я узнаю эти звуки. Пистолет фирмы «Локейд» для открывания замков. Это приспособление оснащено тонким стержнем, который всовывается в замочную скважину и оказывается прямо под кулачками замка. Когда вы нажимаете на курок, из стержня выпрыгивает вверх тонкая стальная пружина, нажимая на некоторые кулачки и выстраивая их в нужном порядке для того, чтобы замок открылся.

Несколько лет назад Мануэль Рамирес продемонстрировал мне действие этих инструментов. Они продаются только учреждениям, связанным с охраной порядка, и спецслужбам, если же подобное устройство оказывается в руках частного лица, это считается серьезным правонарушением и совершенно противозаконно.

Пусть Джесси Пинн умел с не меньшей, нежели Сэнди Кирк, убедительностью натягивать на свою собачью физиономию маску печального сочувствия, он тоже был причастен к совершению тягчайших преступлений, участвуя в сожжении жертвы убийства в печи крематория. Так что вряд ли его могло смутить такое незначительное по сравнению с этим правонарушение, как владение пистолетом для взлома замков. Возможно, и его беспринципность имела свои пределы. Возможно, Джесси Пинн и не стал бы сбрасывать с утеса монашенку без особой надобности, но все же... Припомнив хищную мордочку Пинна и острый, словно лезвие стилета, взгляд его красных глаз, когда несколькими часами раньше он подошел к окошку крематория, я не рискнул бы поставить деньги на монашенку.

Долговязому взломщику понадобилось нажать на курок пистолета пять раз, прежде чем все кулачки замка встали на свои места и замок открылся. Осторожно подергав за ручку двери, чтобы убедиться в этом, Пинн сунул приспособление в карман.

Затем он толкнул дверь. Пространство за ней оказалось ярко освещенным. Превратившись в черный силуэт на фоне светлого прямоугольника двери, похоронщик с минуту постоял, прислушиваясь. Голова на его костистых плечах свесилась влево, растрепанные ветром волосы топорщились в разные стороны, как солома. Внезапно, неуклюже дернувшись, словно слезшее со столба на огороде пугало, он переменил позу, вошел внутрь и наполовину прикрыл за собой дверь.

— Сидеть здесь, — велел я Орсону и стал спускаться по ступеням. Моя неизменно послушная собака последовала за мной.

Оказавшись внизу, я повернулся ухом к проему двери. Из подвала не доносилось ни звука. Орсон протиснулся между мной и дверью, засунул голову внутрь и начал принюхиваться. Я легонько стукнул его по упрямой башке, но он и ухом не повел.

Я перегнулся через собаку и тоже засунул голову вовнутрь. Я, правда, не собирался нюхать воздух, а всего лишь хотел рассмотреть, что делается в подвале. Щурясь от флуоресцентного света, я увидел помещение размером семь на тринадцать метров, с бетонными стенами и потолком. Здесь находилось оборудование, которое помогало содержать в рабочем состоянии церковные помещения и классы воскресной школы, располагавшиеся в левом крыле здания. Тут также располагалась котельная с пятью газовыми топками и большим водонагревателем, электрощиты и еще какое-то непонятное для меня оборудование.

Я увидел спину Джесси Пинна, направлявшегося к закрытой двери в дальнем конце комнаты. Он успел пройти уже три четверти пути.

Отступив на шаг от двери, я вынул из кармана чехол с темными очками. Очки вышли из чехла от «Велкро» с таким звуком, с каким змея выползает из старой кожи. Впрочем, я отродясь не слышал, с каким звуком змеи меняют кожу. Мое буйное воображение, о котором я уже упоминал, подсказало мне подобное сравнение.

К тому времени, когда, нацепив очки, я снова сунул голову в светящийся проем, Пинн уже исчез за дальней дверью подвального помещения, оставив ее, так же как первую, приоткрытой. Из-за нее тоже сочился свет.

— Тут цементный пол, — прошептал я, обращаясь к Орсону. — Я в кроссовках, меня не услышат, а твои когти будут клацать по полу. Оставайся здесь.

Надавив на дверь, я протиснулся внутрь. Орсон остался снаружи, у подножия лестницы. Может быть, на сей раз он повиновался потому, что я сумел логично объяснить ему необходимость этого?

Впрочем, возможно, он что-то учуял и сообразил, что соваться внутрь не самая лучшая мысль. Обоняние у собак в тысячу раз острее, чем у людей, и с помощью носа они способны получать больше информации, чем мы с помощью всех наших органов чувств, вместе взятых.

Темные очки защищали мои глаза от света и вместе с тем нисколько не мешали ориентироваться в незнакомом помещении. Стараясь избегать открытого пространства, я держался поближе к стенам, чтобы в случае неожиданного появления Пинна нырнуть в какую-нибудь нишу и укрыться.

От времени и пота кокосовый лосьон на моей коже, должно быть, почти утратил свои защитные свойства, однако я рассчитывал на то, что его успешно заменит слой сажи, покрывавшей мои руки словно тонкие шелковые перчатки. Лицо, вероятно, выглядело так же.

Подойдя к двери в дальнем конце подвала, я услышал в отдалении два мужских голоса, один из которых явно принадлежал Пинну. Они, однако, звучали настолько приглушенно, что я не мог разобрать, о чем говорят мужчины.

Бросив взгляд в сторону входной двери, я увидел просунутую в щель морду Орсона. Он наблюдал за мной с неподдельным интересом, задрав правое ухо.

За второй дверью располагалась длинная узкая и почти пустая комната. Вдоль стен тянулись водопроводные и отопительные трубы, с потолка на цепях свешивались лампы. Хотя горело лишь несколько из них, я тем не менее не стал снимать очки.

Вытянутое помещение изгибалось в форме буквы Г, и вторая его часть — более длинная и широкая — уходила вправо под прямым углом. Освещение здесь было таким же скудным.

Эта часть комнаты, видимо, использовалась в качестве склада, поскольку, двигаясь в направлении голосов, я видел выстроившиеся вдоль стен коробки со всевозможными припасами, украшениями, предназначавшимися для проведения праздников, а также тяжелые ящики, где хранились церковные записи. Тени по углам напоминали согбенные фигуры монахов в длинных власяницах. Я снял очки.

По мере моего продвижения вперед голоса становились все громче, и я уже был в состоянии различать отдельные слова. По голосу Пинна чувствовалось, что он крайне зол. Хотя он и не кричал, в тоне его звучала неприкрытая угроза. Собеседник его, наоборот, говорил с примирительными интонациями, словно пытаясь успокоить взломщика из похоронного бюро.

Почти половину комнаты занимала модель яслей, в которых родился Сын Божий. Фигуры в человеческий рост изображали не только Иосифа, Деву Марию и младенца Иисуса, лежавшего в колыбели. Когда по праздникам эту конструкцию собирали, она полностью отображала сцену рождения Христа в том виде, в котором она традиционно изображается. Поэтому тут были и волхвы, и верблюды, и ослы, и овцы, и ангелы, возвещающие о появлении на свет Сына Божьего. Сами ясли были сколочены из досок, и в них лежали охапки настоящей соломы. Фигуры людей и животных были сделаны из гипса, державшегося на каркасе из мелкой проволочной сетки и деревянных реек. Лица и одежда были выписаны одаренным, по всей видимости, художником и покрыты слоем защитного лака, который поблескивал даже в теперешнем полумраке. По ярким краскам и ряду других деталей можно было предположить, что модель недавно подновляли. Видимо, скоро ее накроют тряпичным чехлом, и она останется здесь дожидаться следующего Рождества.

Выхватывая из разговора отдельные слова, я пробирался между фигурами, некоторые из которых были гораздо выше меня. Сейчас они стояли как попало, а не как положено. Один из волхвов уткнулся лицом в жерло трубы в поднятой руке ангела, а Иосиф, похоже, был погружен в глубокомысленную беседу с верблюдом. Всеми позабытый маленький Иисус тосковал в скособочившейся колыбели, одна половина которой опиралась на охапку соломы. Мария сидела с блаженной улыбкой на устах и благоговением во взоре, однако и то, и другое было адресовано не святому младенцу, а оцинкованному ведру. Еще один волхв сосредоточенно рассматривал верблюжью задницу.

Я пробрался через это обескураживающее сборище и притаился за фигурой ангела, играющего на лютне. Оставаясь в тени, я выглянул из наполовину распростертого гипсового крыла и метрах в пяти от себя увидел Джесси Пинна. Он свирепо отчитывал другого мужчину, стоявшего у подножия лестницы, которая вела наверх, в основные церковные помещения.

— Тебя же предупреждали, — заговорил Пинн, возвышая голос почти до визга. — Сколько раз прикажешь повторять тебе одно и то же?

Поначалу я, как ни пытался, не мог разглядеть, с кем разговаривает Пинн, поскольку он загораживал от меня спиной того, к кому обращался. Собеседник Джесси Пинна что-то ответил, но говорил он тихо, ровным голосом, и я не мог разобрать его слов.

Лицо взломщика исказилось гримасой отвращения. Он стал возбужденно мерить комнату шагами, со злостью ероша свои и без того всклокоченные волосы. Только тогда я увидел, что его собеседником был преподобный отец Том Элиот, настоятель церкви святой Бернадетты.

— Ты болван! Ты глупый кусок дерьма! — бесился Пинн. — Жалкий лепетун! Богомольный дегенерат!

Отец Том был маленьким пухлым человечком с подвижным выразительным лицом прирожденного комического артиста. Хотя я не посещал ни эту, ни какую-либо другую церковь, несколько раз мне все же приходилось беседовать с отцом Томом, и он показался мне очень добрым человеком, способным посмеяться над самим собой, и с почти детской тягой к жизни. Поэтому я не находил ничего странного в том, что прихожане святой Бернадетты обожали своего пастыря.

По всему было видно, что Пинн не разделял эти чувства. Он поднял свою руку скелета и направил костлявый палец в лицо священника.

— Меня тошнит от тебя, лицемерный сукин сын.

Отец Том предпочел оставить этот шквал оскорблений без ответа.

Расхаживая взад-вперед, Пинн рубил воздух острым ребром ладони. Казалось, он тщетно сражается за то, чтобы слепить из своих слов некое подобие правды, которая была бы доступна пониманию священника.

— Мы больше не желаем выслушивать твои бредни и не намерены терпеть твое вмешательство. Я не буду грозить тебе тем, что вышибу у тебя все зубы, хотя, видит Бог, это доставило бы мне огромное удовольствие. Я никогда не любил танцевать, но с радостью сплясал бы на твоей глупой роже. Однако все, довольно угроз. Я не собираюсь больше запугивать тебя, как прежде. Ни сейчас, ни когда-либо еще. Я не стану даже грозить тебе тем, что натравлю их на тебя. Хотя тебе это, пожалуй, пришлось бы по вкусу. Как же, преподобный Элиот — мученик, страдающий во имя Господа! Тебе ведь только того и надо, правильно? Стать мучеником, принять страдание, подохнуть ужасной смертью, не жалуясь и не ропща.

Отец Том стоял с безвольно опущенными руками, склонив голову и опустив глаза. Могло показаться, что он покорно ждет, когда минует эта буря. Однако подобное смирение лишь еще больше разжигало злобу, которой кипел Пинн. Стиснув правую руку в острый кулак, он изо всех сил треснул им по ладони левой, словно испытывал потребность услышать удар плоти о плоть. Затем он снова заговорил, но теперь в его голосе звучала не только ярость, но и презрение:

— Однажды ты вдруг проснешься, а они будут кишеть на тебе. А может, они застанут тебя на колокольне или у алтаря, когда ты преклоняешь колени на молельную скамеечку. И ты отдашься им в отвратительном экстазе — упиваясь болью, принимая муку во имя своего Бога. Ведь ты это именно так представляешь? Думаешь, что страдаешь за своего мертвого Бога и эти страдания обеспечивают тебе прямую дорожку на небеса! Эх ты, тупой ублюдок! Безнадежный идиот! Ты ведь, чего доброго, еще и молиться за них станешь. Будешь благословлять их, когда они начнут рвать тебя на куски. Будешь или нет? Отвечай, поп!

Ответом был опущенный долу взгляд священника и его терпеливая покорность. Мне стоило огромных усилий не выдать своего присутствия. У меня были вопросы, которые я хотел задать Пинну.

Масса вопросов. Однако здесь не было печи крематория, куда я мог бы засунуть голову этого мерзавца и, крепко удерживая его, потребовать ответа на них.

Пинн перестал метаться по комнате и навис над отцом Томом.

— Нет, я не стану больше грозить тебе, святоша. Не вижу смысла. Это лишь приводит тебя в благоговейный трепет при мысли о возможности стать мучеником во имя своего Господа. Мы поступим иначе: если ты, сволочь, не уберешься с нашего пути, мы просто пустим в расход твою сестру — милейшую Лору.

Священник поднял голову и посмотрел в глаза Пинну, но так и не произнес ни слова.

— Я лично пристрелю ее, — пообещал Пинн, — вот из этого пистолета.

С этими словами он сунул руку за отворот пальто и вытащил пистолет. Видимо, младший по рангу могильщик тоже, подобно своему хозяину, носил наплечную кобуру. Даже издалека и в сумраке я увидел, что ствол пистолета был необычно длинным. Моя рука непроизвольно скользнула в карман куртки и легла на рукоятку «глока».

— Отпустите ее, — попросил священник.

— Мы не отпустим ее никогда. Слишком... слишком интересный экземпляр. Кстати, — сообщил Пинн, — перед тем как застрелить Лору, я ее изнасилую. Она все еще не утратила привлекательности, хотя день ото дня становится все более странной.

Лора Элиот, с которой когда-то дружила и работала моя мать, была действительно очень симпатичной. Я не видел ее уже целый год, но прекрасно помнил, как выглядела эта женщина. Поскольку ее должность в Эшдоне сократили, она, насколько нам было известно, подыскала себе работу в Сан-Диего. После гибели мамы мы с отцом получили от Лоры письмо с соболезнованиями и были очень разочарованы тем, что она не сочла нужным приехать и лично проститься со своей подругой. Теперь я понял, что все это было «легендой». Лора, по всей видимости, до сих пор находилась где-то поблизости, насильно удерживаемая в неволе.

Преподобный Том обрел наконец-таки голос и проговорил:

— Да простит вас Господь.

— Я не нуждаюсь в его прощении! — рявкнул Пинн. — Прежде чем нажать на курок, я затолкаю ствол в рот Лоры и сообщу, что ее братец обещал ей скорую встречу — в аду. А затем вышибу ее куриные мозги.

— Помоги мне, Господи!

— Что ты сказал, поп? — издевательским тоном переспросил Пинн.

Отец Том не ответил.

— Ты сказал «помоги мне, Господи»? «Помоги мне, Господи»? Вряд ли он тебе поможет. Тем более что ты больше не принадлежишь к его стаду, верно?

Эти странные слова заставили преподобного Тома отшатнуться. Он прижался спиной к стене и закрыл лицо руками. Плакал ли он? Возможно. Точно сказать не могу.

— Представь себе симпатичное лицо своей сестрички, — прошипел Пинн. — Теперь представь: выстрел, и ее кости крошатся, разъезжаются, а потом верхняя часть черепа разлетается в разные стороны кровавыми ошметками.

Он задрал пистолет вверх и выстрелил в потолок. Оказалось, что ствол оружия был таким длинным из-за навинченного на него глушителя. Поэтому вместо оглушительного грохота в подземелье раздался лишь тихий хлопок, будто кто-то ударил ладонью по подушке.

В то же мгновение, громко клацнув, пуля ударила в прямоугольный металлический плафон, висевший на четырех цепях прямо над головой похоронщика. Флуоресцентная лампа, однако, не разбилась, а лишь заметалась на длинных цепях, к которым была подвешена. Ледяное лезвие света летало по комнате, как яркое лезвие косы, выписывая широкие круги на полу подземелья.

Пинн не двигался, но его долговязая тень, напоминавшая, как и ее хозяин, пугало, присоединилась к дикому танцу, который в ритмичном качании лампы исполняли другие тени, летавшие по комнате, словно черные дрозды.

Звенья пляшущих и подпрыгивающих цепей терлись друг о друга и звякали. Так могли бы звенеть в маленькие колокольчики мальчики-служки с глазами ящериц и в пропитанных кровью хитонах, прислуживая на дьявольской мессе.

Пинн засунул пистолет в кобуру. Сатанинская музыка и пляшущие тени, похоже, привели его в возбуждение. Он вдруг издал нечеловеческий вопль — дикий вопль безумца, похожий на ноту из кошачьего концерта. Такие порой будят вас по ночам и заставляют гадать, глотка какого существа способна издавать подобные звуки. После того как с губ могильщика вместе с брызгами слюны сорвался этот чудовищный вопль, он вдруг нанес обоими кулаками два удара в живот отцу Тому.

Торопливо выйдя из-за играющего на лютне ангела, я попытался вытащить из кармана «глок», но он зацепился за подкладку и никак не хотел вылезать.

От боли священник сложился пополам, а Пинн сплел кисти рук и со страшной силой ударил отца Тома по шее чуть ниже затылка. Священник рухнул на пол, а мне наконец удалось извлечь из кармана оружие.

Не успокоившись на этом, Пинн ударил священника ногой по ребрам. Я включил луч лазерного прицела. Между острыми лопатками могильщика возникла смертоносная красная точка, и я уже был готов крикнуть: «Довольно!», но в этот момент долговязый подонок отступил от поверженного священника.

Я так и не открыл рта, а Пинн, обращаясь к распростертому на полу отцу Тому, проговорил:

— Если ты не помощник, то значит — помеха, и если не способен стать частью будущего, то — прочь с дороги!

Эта фраза прозвучала заключительным аккордом. Я выключил лазерный прицел и снова спрятался за ангела с лютней. Это оказалось весьма своевременным, поскольку в тот же самый момент могильщик отвернулся от отца Тома. Меня он не заметил.

Под сатанинское дребезжание цепей Джесси Пинн пошел обратно тем же путем, каким явился сюда, и казалось, что звенящие, скрежещущие звуки исходят из него, а не сверху, будто внутри этого угловатого долговязого тела копошилась металлическая саранча. Тень Пинна совершила несколько прыжков впереди него, а затем, когда он прошел под качавшейся лампой, оказалась сзади, сливаясь с другими тенями, и под конец, переломившись пополам, исчезла за прямоугольным изгибом комнаты.

Я сунул «глок» обратно в карман.

По-прежнему скрываясь за бестолково стоявшими гипсовыми фигурами, я теперь наблюдал за отцом Томом. Он лежал у подножия лестницы, скрученный страшной болью, скорчившись наподобие зародыша в материнской утробе.

Я раздумывал, не подойти ли к священнику, чтобы посмотреть, насколько серьезны нанесенные ему повреждения, и заодно попытаться выяснить, что означала сцена, свидетелем которой я стал. Однако, поразмыслив, я решил не обнаруживать своего присутствия и остался там, где стоял.

По логике вещей, враг Джесси Пинна должен быть моим другом, но я не считал возможным в одночасье довериться святому отцу. Пусть могильщик и священник были противниками, но они оба являлись участниками некоей загадочной, сложной и к тому же преступной игры, о которой я не имел ни малейшего представления вплоть до сегодняшнего вечера, а значит, имели гораздо больше общего друг с другом, нежели со мной. Поэтому я бы не удивился, если бы при виде меня отец Том стал бы вопить и звать на подмогу ушедшего Джесси Пинна, и тот немедленно прибежал бы обратно — с развевающимися полами черного пальто и нечеловеческим воплем, летящим из раззявленного рта.

Кроме того, было очевидным, что Пинн и его сообщники держат в заложницах сестру священника. Наложив на нее лапу, они получили и рычаг, и точку опоры для того, чтобы вертеть преподобным, как им вздумается. Я же не имел возможности влиять на него.

Леденящая кровь мелодия звенящих цепей постепенно сходила на нет, а круги, которые выписывало на полу лезвие белого света, становились все уже.

Без причитаний, не издав даже слабого стона, священник поднялся на ноги, а затем заставил себя встать в полный рост. От боли он был не в состоянии держаться прямо. Согнувшись наподобие обезьяны, утратив любое сходство с актером-комиком и цепляясь правой рукой за поручень лестницы, пастор с видимым трудом стал подниматься по скрипучим ступеням, ведущим в церковь.

Добравшись до верха, он непременно выключит свет, и тогда здесь наступит такая кромешная темнота, в которой не сумеет сориентироваться сама святая Бернадетта — чудесная провидица из Лурда. Пора уходить.

Перед тем как двинуться в обратный путь, вновь пробираясь между высокими — с меня, а то и выше ростом — гипсовыми фигурами, я посмотрел в глаза ангелу с лютней, за которым прятался все это время, и увидел, что они — синего цвета, совсем как мои. Тогда я внимательно всмотрелся в его гипсовое, покрытое лаком лицо. Несмотря на сумрак, сомнений быть не могло: мы с ним были похожи как две капли воды.

Я был парализован этим сверхъестественным сходством. Как могло случиться, что в пыльном церковном подвале меня поджидал ангел с лицом Кристофера Сноу? Я не часто видел себя при свете, но в мозгу у меня накрепко отпечаталось мое отражение в зеркалах моей сумеречной комнаты, а здесь царил такой же полумрак. Это был я — вне всяких сомнений. Облагороженный, приукрашенный, но — я.

После того, что я увидел в гараже, и всех последующих событий каждая мелочь казалась мне наполненной каким-то тайным смыслом. Я уже не мог тешить себя надеждами на случайность совпадений. Куда бы ни упал мой взгляд, отовсюду вытекал медленный, вязкий поток чего-то жуткого и сверхъестественного.

Это, без сомнения, был прямой путь к помешательству: рассматривать все происходящее вокруг тебя в качестве составляющих элементов заговора, во главе которого стоит таинственная группа неких избранных, видящих и знающих все. Здравомыслящий человек понимает, что в большинстве своем люди не способны участвовать в широкомасштабном заговоре, поскольку неотъемлемыми качествами человеческого характера являются невнимательность к мелочам, склонность к безотчетной панике, а также неспособность держать рот на замке. Оперируя глобальными понятиями, можно сказать, что мы едва способны завязать собственные шнурки. Если в устройстве Вселенной действительно существует какой-то секрет, то он лежит за пределами нашего понимания. Мы не можем не только разгадать, в чем он заключается, но даже охватить его разумом.

Священник преодолел уже треть пути наверх.

Ошеломленный, я продолжал вглядываться в лицо ангела.

Сколько раз по ночам — до, во время и после Рождества — я проезжал на велосипеде мимо церкви святой Бернадетты. Обычно модель рождественской идиллии была установлена прямо перед ее фасадом: каждая фигура — на своем месте, никто из волхвов не изображает из себя верблюжьего проктолога, но... Этого ангела среди знакомых мне фигур никогда не было. Или я его просто не замечал?

Впрочем, разгадка ребуса была скорее всего гораздо проще: каждый раз, когда я видел эту рождественскую композицию, она была ярко освещена, и я не мог пристально вглядываться в нее. Наверняка в ней и раньше присутствовал ангел с лицом Кристофера Сноу, но каждый раз, проезжая мимо, я отворачивал голову в сторону, да к тому же щурился.

Священник уже добрался до середины лестницы и продолжал карабкаться все быстрее.

Тут я вспомнил, что Анджела Ферриман регулярно посещала службы в церкви святой Бернадетты. Учитывая то, с каким талантом она делала свои куклы, можно было с уверенностью предположить, что ее привлекли и к изготовлению фигур для рождественских декораций.

Вот и разгадка.

И все же я, как ни силился, не мог понять, почему она наделила ангела моими чертами. Если я и заслуживал чести присутствовать в этом скульптурном ансамбле, то только в качестве одного из ослов. Мнение Анджелы обо мне было явно завышено.

Помимо воли образ Анджелы навязчиво возник перед моим внутренним взором. Той Анджелы, какой я видел ее в последний раз — на кафельном полу ванной комнаты, с мертвым взглядом, устремленным дальше созвездия Андромеды, разорванным горлом и головой, откинутой на край унитаза.

Неожиданно для самого себя я понял, что упустил какую-то очень важную деталь, когда смотрел на ее несчастное изувеченное тело. Испытывая отвращение при виде крови, скованный горем, я пребывал в состоянии шока и, перепугавшись до смерти, был не в состоянии долго смотреть на нее. Точно так же на протяжении многих лет я избегал смотреть на ярко освещенную рождественскую композицию, предпочитая отворачиваться в сторону от залитых светом фигур перед фасадом церкви.

Я почувствовал, что ключ к разгадке — почти у меня в руках, но пока не мог определить, в чем он заключается. Подсознание откровенно глумилось надо мной.

Добравшись до верха, отец Том стал всхлипывать, а затем опустился на верхнюю ступеньку лестницы и зарыдал.

Я безуспешно пытался восстановить в памяти лицо мертвой Анджелы. Ну, ничего, позже еще будет время мысленно вернуться в тот театр ужасов и, набравшись мужества, переступить через себя и вспомнить все до единой детали.

От ангела — к волхву, от волхва — к Иосифу, от Иосифа — к ослу, от осла — к Святой Деве, от нее — к овце, затем — ко второй... Я бесшумно крался от одной фигуры к другой, затем прошмыгнул мимо ящиков с церковной писаниной, документами, коробок с припасами и оказался в более короткой и пустой секции подвала, а затем двинулся к двери в котельную.

Рыдания священника, отражаясь от бетонных сводов, становились все тише и напоминали стенания некоего потустороннего существа, еле слышно доносящиеся из-за холодной стены между двумя мирами.

Я вспомнил мучительные страдания отца в ту ночь, когда мы сидели в покойницкой больницы Милосердия. В ту ночь, когда умерла мама.

Сам не знаю почему, но я всегда пытаюсь удержать свое горе в себе, и, если чувствую, что внутри меня начинает подниматься безысходный вопль отчаяния, я вцепляюсь в него зубами и грызу до тех пор, пока он не обессилеет и не умрет. Иногда во сне я сжимаю зубы с такой силой, что после пробуждения мои челюсти невыносимо болят. Наверное, таким образом я даже во сне пытаюсь удержать внутри себя то, что не выпускаю наружу во время бодрствования.

На протяжении всего пути к выходу из подвала мне постоянно казалось, что на меня вот-вот набросится могильщик — бледный как воск и с глазами, похожими на кровавые пузыри. Возможно, он кинется на меня с потолка, или вырастет из темноты под моими ногами, или, подобно злобному чертику из коробочки, выскочит из газовой печи котельной. Однако страхи мои оказались напрасны.

Когда я очутился снаружи, из-за надгробий, за которыми он, видимо, спрятался от Пинна, появился Орсон и подбежал ко мне. Судя по поведению собаки, могильщик уже ушел.

Пес смотрел на меня с неподдельным любопытством, а может, мне это только показалось, но я все же сообщил ему:

— Откровенно говоря, не понимаю, что произошло там, внизу. Что-то необъяснимое.

На морде Орсона отразилось недоверие. Эта мина удавалась ему лучше других: бесстрастная лохматая физиономия, немигающий взгляд.

— Честно! — заверил я его и пошел к велосипеду. Орсон шлепал лапами сбоку от меня. Мраморный ангел по-прежнему бдительно охранял мое транспортное средство. Хорошо хоть этот не был похож на меня.

Капризный ветер снова улегся, и дубы стояли неподвижно.

Филигрань плывущих по небу облаков была серебряной в серебряном свете луны.

С церковного дымохода сорвалась стайка стрижей и, стремительно спикировав вниз, расселась по ветвям деревьев. Прилетела и парочка соловьев. Птицы как будто специально дожидались, пока с кладбища уйдет Пинн, словно одно его присутствие оскверняло это место.

Держа велосипед за руль, я катил его между рядами надгробий.

— «...И тьма, сгустившись вокруг них, могилой обратилась», — процитировал я. — Луиза Глюк. Великий поэт.

Орсон одобрительно фыркнул.

— Я не знаю, что происходит, но уверен в одном: прежде чем все это закончится, умрет еще очень много людей, и среди них, возможно, будут те, кого мы любим. А может быть, даже я. Или ты.

Орсон окинул меня взглядом, полным молчаливого негодования.

Я посмотрел на улицы моего родного города, начинавшиеся за пределами кладбища, и внезапно они показались мне гораздо более пугающими, нежели любой погост.

— Пора выпить пива. Поехали, — сказал я псу, взобравшись на велосипед. Орсон напоследок исполнил собачий танец на кладбищенской траве, и мы двинулись вперед, оставив царство мертвых позади. По крайней мере на время.

Часть третья

ПОЛНОЧЬ

18

Коттедж на берегу океана — самое подходящее жилище для такого фанатика серфинга, каким является Бобби. Он расположен на южной оконечности залива, вдалеке от прочих строений — уединенное жилище отшельника, на милю вокруг которого нет ни одного другого дома.

Если смотреть из города, огни в окнах коттеджа Бобби Хэллоуэя отстоят так далеко от остальных жилищ, расположенных вдоль берега, что туристы порой принимают их за огоньки яхты, стоящей на якоре в заливе. Для постоянных обитателей Мунлайт-Бей коттедж Бобби — межевой знак, определяющий границу города.

Этот дом был построен сорок пять лет назад, когда еще не существовало никаких ограничений на прибрежное строительство, а соседями он не обзавелся потому, что в те времена было еще сколько угодно дешевых участков в тех местах на побережье, где ветер дул не так безжалостно и погода была гораздо мягче, чем на оконечности мыса, на которой уже были проложены дороги и существовала городская инфраструктура, необходимая для нормальной и комфортной жизни. А к тому времени, когда земли не берегу не осталось и дома начали карабкаться по склонам холмов, комиссия штата Калифорния, в ведении которой находится побережье, выпустила циркуляр, запрещавший любое строительство на оконечностях залива.

Для старика, которому принадлежал тогда дом, было сделано исключение, поскольку коттедж уже стоял. Он хотел дожить здесь до самой смерти, слушая шум разбивающихся о берег волн. Это удалось ему в полной мере.

На мысе не существует мощеных или гравийных дорог. Здесь есть лишь широкая каменистая тропа, петляющая между невысокими песчаными дюнами, неподвластными ветру благодаря высокой, хотя и редкой прибрежной траве.

Оба мыса, огибающие залив, образовались естественным образом и представляют собой остатки подножия взорвавшегося в древности вулкана. Сам же залив является бывшим вулканическим кратером, который на протяжении многих тысячелетий заносило песком. В своем начале мыс имеет ширину метров в сто пятьдесят, однако у оконечности сужается до тридцати.

Преодолев три четверти пути к дому Бобби на велосипеде, я под конец спешился и повел своего железного спутника за руль. Ветер нанес на тропу неглубокие полосы песка. Для полноприводного джипа Бобби они не являются препятствием, но преодолевать их, крутя педали, было делом не из легких.

Обычно путешествие по этой дороге навевало на меня покой и тягу к размышлениям, однако нынче ночью пустынный мыс выглядел таким же чужеродным, как горные кряжи на поверхности Луны.

Одноэтажный коттедж был сложен из тисовых бревен, его кровля покрыта кедровой дранкой. Поседевшее от непогоды дерево принимало лунный свет с такой же готовностью, как женщина принимает прикосновения любимого. С трех сторон дом окружен широкой открытой верандой, на которой расставлены кресла-качалки и подвешенные на цепях диванчики.

Здесь нет деревьев. Вокруг — только песок да жидкая прибрежная трава. И все же вид отсюда открывается чудесный: небо, море, мерцающие огни Мунлайт-Бей. Когда смотришь на них, то кажется, что они расположены не в миле отсюда, а гораздо дальше.

Мне требовалось немного времени, чтобы привести в порядок нервы, поэтому я прислонил велосипед к перилам крыльца и пошел вдоль дома, направляясь к конечной точке мыса. Дойдя до края обрыва, в десяти метрах ниже которого плескались океанские волны, мы с Орсоном немного постояли.

Прибой был таким слабым, что волны едва можно было различить. Они лениво накатывались на берег. Прилив почти не ощущался, хотя луна была во второй четверти.

Сейчас ветер дул с моря, но мне больше по душе береговой бриз, который срывает пену с гребней валов, делая их выше и заставляя скручиваться, прежде чем обрушиться вниз.

Бобби занимался серфингом с девяти лет, я же присоединился к нему, когда мне исполнилось одиннадцать. Лунными ночами серферов в заливе сколько угодно. Когда луны нет, желающих покататься на волнах гораздо меньше, нам же с Бобби больше всего нравилось делать это в шторм, когда на небе не видно даже звезд.

Мы были одержимы серфингом. Мы лезли в воду с раздражавшим всех упорством при любой возможности, благодаря чему к четырнадцати годам добились заметных успехов на этом поприще. К тому времени, когда Бобби закончил школу, а я перешел к новому этапу своего домашнего обучения, мы были уже вполне сформировавшимися, зрелыми серферами. Сейчас Бобби является не просто серфером-виртуозом. Он — настоящий оракул в этой области, и люди со всего мира обращаются к нему для того, чтобы узнать, где в ближайшее время следует ожидать наиболее высоких волн.

Господи, как я люблю ночной океан! В это время суток его воды являют собой темноту чистейшей пробы, и ни в одном другом месте мира я не чувствую себя в большей степени дома, нежели на гребнях этих черных валов. Единственное свечение в эти минуты исходит лишь от скоплений фосфоресцирующего планктона, которое становится еще ярче, если его потревожить. Этот свет, делающий волны зеленоватыми, неопасен для моих глаз. В ночном море вообще нет ничего такого, от чего мне надо было бы прятаться или отворачиваться.

Вернувшись к коттеджу, я увидел Бобби, стоявшего на пороге распахнутой входной двери. Как следствие нашей многолетней дружбы, все выключатели в доме Бобби, так же как в моем, были оснащены реостатами, и теперь свет был притушен до яркости обычной свечи.

Понятия не имею, каким образом Бобби узнал о нашем приходе. Приближаясь к дому, мы с Орсоном не произвели ни звука. Но каким-то невероятным образом он всегда чувствует мое появление.

Он был босой, но не в шортах или плавках, а в джинсах. Как всегда, в гавайской рубахе навыпуск — других он не признавал, — Бобби сделал лишь одну уступку погоде, надев под рубашку с короткими рукавами легкий белый свитер с остроконечным вырезом на груди. Рубашка была расписана яркими попугаями и пальмами.

Я поднялся на крыльцо, и Бобби приветствовал меня шакой — жестом, принятым у серферов. Прижмите три средних пальца к ладони, оттопырьте большой и мизинец, а затем лениво помашите рукой — вот вам и шака. Она может означать все, что угодно: привет, как поживаешь, расслабься, классная волна и так далее.

Шака — исключительно доброжелательный жест. Он не может обидеть никого, если только вы адресуете его серферу. Разумеется, не стоит махать растопыренными пальцами перед носом у члена какой-нибудь бандитской группировки из Лос-Анджелеса, если, конечно, вы не хотите, чтобы он вас пристрелил.

Мне не терпелось поведать Бобби обо всем, что приключилось со мной после захода солнца, но мой друг предпочитает неспешный подход ко всему на свете. Не всегда, конечно, иначе его давно не было бы в живых, но в большинстве случаев, за исключением тех моментов, когда он катится на гребне волны, Бобби больше всего ценит спокойствие и неторопливость. Для того чтобы быть другом Бобби Хэллоуэя, надо прежде привыкнуть к стилю его жизни и понять: ни одно из событий, происходящих дальше чем в полумиле от берега, не заслуживает беспокойства, и нет в мире ни одной причины, достаточно веской для того, чтобы нацепить на шею галстук. Бобби предпочитает неспешную беседу легкой болтовне, уклончивость — прямолинейным утверждениям.

— Угостишь пивом? — спросил я.

— «Корона»? «Хайникен»? «Лавенбрау»?

— «Корону».

Идя через гостиную, Бобби поинтересовался:

— А этот, с хвостом, будет что-нибудь пить?

— Ему — «Хайникен».

— Светлое или темное?

— Темное, — ответил я.

— Сегодня у песика будет крутая вечеринка.

Коттедж состоял из большой гостиной, кабинета, откуда Бобби следил за волнами по всему земному шару, спальни, кухни и ванной. Стены здесь — из пропитанных олифой тиковых бревен, окна — большие, полы — идеально чистые, мебель — максимально удобная.

Из украшений тут — всего лишь восемь удивительных акварелей, принадлежащих кисти Пиа Клик — женщине, которую Бобби любит до сих пор, хотя она покинула его и уехала в Уэймеа-Бей, что на северном берегу острова Оахе. Бобби намеревался поехать с ней, но Пиа сказала, что хочет побыть одна в Уэймеа, который является ее духовным домом. Царившие там гармония и красота, по словам Пиа, вселяли в нее покой, а он, в свою очередь, необходим ей, чтобы решить, стоит ли жить в согласии с судьбой. Лично я не понимаю, что это означает. Бобби — тоже. Пиа сказала, что уезжает на месяц или на два. Это случилось три года назад.

Пиа рассказывала, что во время приливов залив Уэймеа становится чрезвычайно глубоким, а волны там огромные, как стены дома. Они высокие, зеленые, словно нефрит, и светятся. Иногда я мечтаю пройтись как-нибудь по тому далекому берегу и послушать, как грохочут эти валы.

Раз в месяц Бобби звонит Пиа, или она звонит ему, и они разговаривают — иногда по нескольку минут, иногда часами. У нее нет другого мужчины, и она тоже любит Бобби. Пиа — одна из самых добрых, мягких и умных людей из всех, кого я встречал. Я не знаю, почему она так поступает. Не знает и Бобби. Дни сменяются днями. Бобби ждет.

На кухне он достал из холодильника бутылку «Короны» и сунул мне. Отвинтив крышку, я сделал глоток, но вкуса не почувствовал.

Для Орсона Бобби открыл бутылку «Хайникена».

— Всю или половину?

— Нынче все позволено, — ответил я. Несмотря на жуткие события сегодняшней ночи, на меня все равно действовала неизменно веселая атмосфера Боббиленда.

Мой друг опорожнил бутылку в железную эмалированную миску на полу, которую держал специально для Орсона. На миске он вывел прописными буквами слово «РОЗАНЧИК» — так назывались детские санки в фильме Орсона Уэллса «Гражданин Кейн».

Мне вовсе не хочется, чтобы мой хвостатый приятель превратился в алкоголика, поэтому он получает пиво далеко не каждый день и лишь время от времени делит со мной бутылочку. Тем не менее это доставляет ему удовольствие, зачем же лишать псину того, что ей нравится? Учитывая его солидный вес, он вряд ли свалится с катушек после одной бутылочки пива, но, если ему дать вторую, Орсон вполне способен наглядно проиллюстрировать, что означает выражение «нализаться, как собака».

Пес принялся шумно лакать пиво, а Бобби откупорил для себя бутылочку «Короны» и прислонился спиной к холодильнику.

Я облокотился на шкафчик возле кухонной мойки. Здесь был и стол, и стулья, но, оказываясь на кухне у Бобби, мы с ним всегда предпочитали оставаться на ногах.

Мы во многом похожи: почти одного роста, одинаково весим и сложены. И хотя волосы у Бобби иссиня-черные, нас нередко принимают за братьев.

На ногах у нас имеется целый набор шишек, без которых не обходится ни один серфер. И сейчас, облокачиваясь на холодильник, Бобби поглаживал ступней босой ноги шишки на верхней части другой. Эти известковые отложения появляются из-за того, что ноги серфера находятся в постоянном напряжении и изо всех сил прижаты к доске. Пытаясь удержать равновесие, он переносит вес своего тела то на пальцы, то на пятки. Такие же шишки у нас на коленях, а у Бобби в придачу еще и на нижних ребрах.

Я, конечно, не такой загорелый, как Бобби. Он-то просто бронзовый. Молодой загорелый бог пляжа. Причем загар не сходит с его кожи круглый год, а летом моего друга вообще можно сравнить с хорошо поджаренным тостом. Он танцует мамбо с меланомой, и, возможно, когда-нибудь нас убьет одно и то же солнце, которое он боготворит, а я отвергаю.

— Сегодня была классная волна: трехметровка и отличной формы.

— Сейчас, похоже, улеглось.

— Да. Начало успокаиваться примерно на закате.

Мы потягивали свое пиво, Орсон, счастливый до предела, лакал свое.

— Значит, твой папа умер, — констатировал Бобби.

Я кивнул. Должно быть, Саша уже успела ему позвонить.

— Хорошо, — сказал он.

— Да.

Бобби вовсе не жестокий или бесчувственный человек. Под этим «хорошо» подразумевалось, что мой отец наконец-то отмучился.

Разговаривая друг с другом, мы с Бобби умели сказать многое с помощью немногих слов. Видимо, люди принимали нас за братьев не только потому, что мы схожи ростом и сложением.

— Ты все же сумел оказаться в больнице вовремя. Это классно.

— Ага.

Бобби не стал спрашивать, каково мне там пришлось. Он знал.

— А после больницы ты, стало быть, загримировался под негра, чтобы спеть парочку блюзов?

Я прикоснулся черным от сажи пальцем к такому же грязному лицу.

— Кто-то убил Анджелу Ферриман и поджег ее дом, чтобы замести следы. Я сам чуть не повстречался на небесах с великим Окаула-Лоа.

— И кто же этот «кто-то»?

— Хотел бы я знать. Те же люди похитили тело папы.

Бобби отхлебнул пива и ничего на сказал.

— Они убили какого-то бродягу и кремировали его вместо папы. Может, ты не хочешь слушать про все это?

Некоторое время Бобби молчал, мысленно взвешивая, предпочесть ли мудрость незнания или уступить зову любопытства.

— В конце концов я смогу все забыть, если сочту это наиболее разумным выбором.

Орсон громоподобно рыгнул. Сказывалось выпитое им пиво. Он тут же завилял хвостом и посмотрел на нас извиняющимся взглядом, но Бобби был неумолим:

— Больше не получишь, мохнатая харя.

— Я голодный, — сказал я.

— И грязный. Прими душ и надень что-нибудь из моих шмоток, а я пока сварганю неизъяснимо отвратительные такос.

— Я рассчитывал помыться в океане.

— Слишком холодно. Настоящий колотун.

— Градусов двадцать пять.

— Я говорю про воду. Уж ты мне поверь, колотунный фактор весьма ощутим. Лучше полезай в душ.

— Орсону тоже нужно помыться и переодеться.

— Возьми его с собой в душ. Полотенец — навалом.

— Какой ты добрый! — восхитился я.

— Ага, я стал до такой степени праведником, что уже не катаюсь по волнам, а просто хожу по ним.

После нескольких минут пребывания в Боббиленде я стал расслабляться и уже испытывал потребность поудобнее, словно в кресле, расположиться в этом мире, пусть даже Анджела была права и он катился к своей гибели. Бобби для меня не просто любимый друг. Он мой транквилизатор.

Внезапно он оттолкнулся от холодильника и наклонил голову набок, прислушиваясь.

— Что там? — спросил я.

— Не что, а кто.

Лично я не слышал ничего, кроме звуков ветра, да и те с каждой минутой становились все тише. Поскольку окна были закрыты, до моего слуха не доносился даже шум моря, но я заметил, что Орсон тоже насторожился.

Бобби направился к выходу из кухни, желая выяснить, кому вздумалось нанести нам визит в столь поздний час.

— Эй, брат! — окликнул я его, протягивая «глок».

Он скептически посмотрел на пистолет, а затем перевел взгляд на меня.

— Остаешься в резерве.

— Помнишь, я сказал тебе о бродяге? Они вырезали у него глаза.

— Зачем?

Я пожал плечами.

— Потому что они на это способны.

Несколько секунд Бобби обдумывал мои слова, а затем вытащил из кармана джинсов ключ и отомкнул стенной шкафчик, где обычно хранились швабры. Насколько я помню, эта дверь никогда не запиралась на замок. Из узкого пространства Бобби извлек укороченное помповое ружье с пистолетной рукояткой.

— Это что-то новенькое, — заметил я.

— Противонегодяйский репеллент, — пояснил мой друг.

Нет, и в Боббиленде что-то изменилось.

Мы с Орсоном проследовали за Бобби через гостиную и вышли на крыльцо. Ветер с океана нес с собой запах водорослей.

Фасад коттеджа выходил на север. Сейчас в заливе не было ни единого судна — по крайней мере по черной поверхности воды не скользил ни один огонек. К востоку от нас — вдоль береговой линии и выше, по холмам — мигали светлячки городских огней. Коттедж окружали лишь невысокие песчаные дюны да стебли травы, подмороженные лунным светом. И ничего больше. И никого.

Орсон подошел к лестнице крыльца и остановился на верхней ступеньке — напряженный, голова поднята и вытянута вперед. Он настороженно нюхал воздух, видимо чуя нечто более интересное, нежели запах водорослей.

Бобби, наверное, обладал каким-то шестым чувством. Ему даже не понадобилось смотреть на собаку, чтобы укрепиться в своих подозрениях.

— Оставайся здесь. Если кого увидишь, растолкуй ему, что он не может уехать, пока мы не проверим его талон на парковку.

Как был, босиком, Бобби сошел с крыльца и двинулся к оконечности мыса, через каждые пять шагов оборачиваясь и оглядывая пространство, отделявшее его от крыльца. Держа ружье наготове обеими руками, он проводил эту рекогносцировку с методичностью профессионального военного.

Видимо, ему уже не раз приходилось этим заниматься. Однако Бобби никогда не говорил мне, что ему досаждают какие-то посторонние. А ведь обычно, если у него возникали какие-то проблемы, я был первым, кто о них узнавал.

«Что же за тайны у тебя появились?» — подумал я.

19

Переместившись вбок от крыльца и просунув нос между балясинами перил, Орсон теперь смотрел не на запад, куда направился Бобби, а в противоположном — в сторону города — направлении. Из его глотки послышалось низкое угрожающее ворчание.

Я проследил за взглядом пса. Луна светила в полную силу, и даже рваные тряпки облаков не закрывали ее лик. Но я все равно не видел ровным счетом никого.

И все же сдерживаемый в глотке собачий рык не умолкал, напоминая ровное урчание мотора.

Бобби дошел до крайней точки мыса и теперь продолжал двигаться вдоль обрыва. Сейчас он виделся мне расплывчатым серым силуэтом на фоне абсолютно черного пространства, где сливались ночное небо и океан.

Вполне возможно, что, пока я смотрел в другую сторону, кто-то мог «снять» Бобби — так внезапно и жестоко, что он не успел даже вскрикнуть, а я этого не заметил. В таком случае размытая фигура, которая, обойдя мыс, уже приближалась к дому, могла принадлежать кому угодно.

Обращаясь к рычащему псу, я сказал:

— Ты меня пугаешь.

Как я ни напрягал зрение, мне все же не удавалось разглядеть какой-либо опасности, которая могла бы грозить нам с той стороны, куда смотрел Орсон. Кроме высокой травы, ничто вокруг нас не двигалось. Лишь на это и хватало силы у ослабшего ветра.

Орсон перестал рычать и сбежал вниз по ступенькам крыльца, словно бросившись в погоню за дичью, но, пробежав по песку менее метра, остановился возле столба, поддерживавшего крыльцо, задрал заднюю ногу и опорожнил мочевой пузырь. Затем пес вернулся к ступеням. Он волновался, да так сильно, что по его телу пробегала явственная дрожь. Вновь повернув голову на восток, он, вместо того чтобы возобновить свое ворчание, вдруг жалобно завыл. Эта перемена в его поведении встревожила меня больше, чем если бы он бешено залаял.

Я боком перебрался к западному углу дома, чтобы наблюдать за песчаным пространством двора и вместе с тем не выпускать из поля зрения Бобби... Если, конечно, это все еще был Бобби. Впрочем, вскоре фигура, продолжавшая двигаться вдоль южного берега залива, скрылась за углом дома.

Тут до моего сознания дошло, что Орсон больше не воет. Я обернулся и увидел, что собака исчезла.

Может быть, пес все же погнался за какой-то ночной дичью? Но как ему удалось убежать, не произведя ни малейшего шума? Я торопливо двинулся обратно — вдоль перил террасы, — по направлению к крыльцу, но нигде среди залитых лунным светом дюн собаки тоже не было видно.

И тут, обернувшись назад, я увидел Орсона. Он ретировался в гостиную и теперь стоял прямо за порогом, боязливо выглядывая наружу. Уши его были плотно прижаты к низко опущенной голове, шерсть на загривке стояла дыбом, будто его ударило током. Он уже не рычал и не выл, но тело его сотрясала неудержимая дрожь.

Орсон — необычный пес, и ему присущи многие качества, но глупость и трусость в их число не входят. А значит, того, что заставило его дрожать, следовало бояться.

— В чем дело, парень?

Не удостоив меня даже мимолетным взглядом, Орсон продолжал трястись, вглядываясь в бесплодный ландшафт за крыльцом. Он задрал нос, обнажив верхнюю десну и острые клыки, но не рычал. Видимо, у него уже не было никаких агрессивных намерений, а оскаленные зубы означали лишь крайнюю степень отвращения и гадливости.

Повернув голову, чтобы еще раз оглядеть ночное пространство, я вдруг краем глаза уловил какое-то движение. Мне почудилось, будто кто-то, наполовину согнувшись, пробежал от восточной стороны коттеджа к западной, передвигаясь длинными плавными прыжками через последнюю гряду дюн, возвышавшихся вдоль линии обрыва примерно в пятнадцати метрах от того места, где находился я.

Я резко развернулся и выхватил «глок», но на фоне береговой линии уже никого не было. Бегущий человек либо распластался на песке, либо просто привиделся.

«Может, это Пинн? — подумалось мне. — Нет, Орсон не испугался бы ни Джесси Пинна, ни кого-то другого из подонков его породы».

Спустившись по трем ступенькам крыльца, я остановился на песке и стал пристально вглядываться в окружавшие меня дюны. На фоне холмистого пейзажа волнами колыхались на ветру высокие стебли травы. В темных волнах залива трепещущими светлячками отражались городские огни. И — ничего больше.

Может, бегущий человек был всего лишь скользнувшей по земле тенью от облака? Возможно, но я в это почему-то не верил.

Я бросил взгляд назад, в сторону открытой двери коттеджа. Орсон отодвинулся от порога еще дальше в глубь гостиной. Видимо, в ночи, вне дома, он чувствовал себя неуютно. Мне тоже было не по себе.

Звезды. Луна. Песок. Трава. И неотвязное чувство, что за тобой наблюдают.

То ли со склона, спускавшегося к океану, то ли из углубления между двумя дюнами, но за мной определенно следили. Взгляд тоже может иметь вес, и сейчас чей-то взгляд давил на меня подобно морской волне. Не как мягкая волна прибоя, а огромная водяная стена, махина, готовая обрушиться на меня с чудовищной силой.

Теперь волосы стояли дыбом не только у собаки, но и у меня.

Отсутствие Бобби уже начинало казаться мне смертельно долгим, но тут он появился из-за восточного угла коттеджа. Он приближался, утопая босыми ногами в песке, но ни разу не посмотрел на меня, неустанно обшаривая взглядом окрестности.

— У Орсона вся шерсть дыбом, — сказал я ему.

— Не обращай внимания.

— Честное слово! Раньше с ним такого никогда не бывало. Ты же знаешь, у него крепкие нервы.

— Ну и что с того? — пожал плечами Бобби. — Я его не осуждаю. У меня у самого шерсть дыбом.

— Там кто-то есть.

— И не один.

— Кто?

Бобби не ответил. Он немного расслабился, но продолжал держать ружье наготове, всматриваясь в окружавшую нас темноту.

— Они уже досаждали тебе раньше? — предположил я.

— Да.

— Как? Что им нужно?

— Не знаю.

— Кто они? — снова спросил я и вновь не дождался ответа. — Бобби! — не отставал я.

Огромная белая масса тумана, поднимаясь на много метров ввысь, смягчила темноту океана. Луна омывала своим светом эту седую махину, широким горизонтом протянувшуюся с севера на юг. Надвинется ли она на берег или так и будет всю ночь висеть над водой? Этого я не знал, но мне казалось, что от тумана исходит какая-то успокаивающая сила. Неслышно отталкиваясь от воздуха огромными крыльями, низко над мысом пролетела стая пеликанов и растворилась вдали, над черными водами залива.

Ветер с океана окончательно улегся, стебли травы выпрямились в полный рост и теперь стояли неподвижно. Звук прибоя стал более отчетливым, но и он напоминал даже не плеск, а скорее потаенный шепот.

Внезапно эту тишину нарушил крик, прозвучавший со стороны обрыва, — жуткий, словно вопль безумца. Из-за дюн, прилегавших к дому, послышался ответный вой — такой же резкий и леденящий кровь.

Я сразу вспомнил старые вестерны, в которых индейцы перекликались между собой по ночам, подражая голосам птиц или койотов. Таким образом они переговаривались друг с другом перед тем, как напасть на фургоны поселенцев.

Бобби выстрелил в сторону ближайшего песчаного холма, напугав меня чуть не до смерти.

Грохот выстрела отразился от прибрежной воды и эхом вернулся обратно. Когда же замолкли его последние раскаты, утонув в толстой перине тумана, я спросил:

— Зачем ты это сделал?

Вместо ответа Бобби перезарядил оружие и прислушался.

Я вспомнил, как, желая показать преподобному Тому, что его угрозы — не просто пустые слова, Джесси Пинн выстрелил в потолок церковного подвала.

Безумные крики больше не раздавались, и Бобби задумчиво, словно разговаривая с самим собой, сказал:

— Может, это и необязательно, но время от времени не мешает напомнить им, что на свете существует такая замечательная вещь, как картечь.

— Кому «им»? Кого ты хочешь напугать?

Бобби и раньше иногда напускал на себя таинственность, но таким загадочным, как сейчас, он не был никогда.

Все его внимание по-прежнему было приковано к дюнам, и прошла еще одна томительная минута, прежде чем он взглянул на меня, словно только что вспомнив о моем существовании.

— Пойдем в дом. Ты соскребешь с себя грим Дензела Вашингтона, а я исполню свое обещание и угощу тебя убийственными такос.

Я знал, что давить на него бессмысленно. Бобби мог разыгрывать из себя сфинкса по двум причинам: либо для того, чтобы еще больше раззадорить мое любопытство и укрепить свою репутацию чудака, либо потому, что у него имелись весьма веские причины хранить какую-то тайну — даже от меня.

Так или иначе, сейчас он, словно в детской игре, находился в «домике» и был недосягаем, как если бы скользил на доске по гребню падающей волны.

Идя следом за Бобби в дом, я по-прежнему не мог отделаться от ощущения, что на меня направлены чьи-то глаза. Этот неотступный взгляд буравил мою спину, словно краб-отшельник — разглаженный волнами прибрежный песок. Перед тем как захлопнуть за собой входную дверь, я еще раз окинул взглядом оставшуюся позади ночь, но наши незваные гости, видимо, хорошо притаились.

* * *

Ванная комната у Бобби была просторной и шикарной: полы и крышки тиковых шкафов сделаны из абсолютно черного полированного мрамора, а на стенах — целый гектар зеркал с наискось срезанными краями. В душевой кабине могло поместиться не менее четырех человек одновременно, поэтому она как нельзя лучше подходила для купания большой собаки.

Корки Коллинз, построивший этот дом задолго до появления на свет Бобби, был, в общем-то, неприхотливым парнем, но в некоторых вещах отличался тягой к излишествам. Таким, например, как расположенная наискось от душа огромная, отделанная мрамором четырехместная ванна. Возможно, Корки, звавшийся прежде, чем сменить имя и фамилию, Тоширо Тагава, грезил об оргиях с тремя молоденькими девицами одновременно, а может, он был просто одержим манией чистоты.

Еще совсем молодым, только окончив юридический колледж, Тоширо в 1941 году был интернирован и помещен в Мансанар — концлагерь, где на протяжении всей Второй мировой войны томились вполне лояльные американцы японского происхождения. После окончания войны, униженный и озлобленный, он пополнил ряды тех, кто боролся за права всех и всячески обездоленных. Еще через пять лет он утратил веру в возможность добиться справедливости для всех. Более того, Тоширо убедился в том, что при первой же возможности униженные немедленно начинают с наслаждением унижать других.

После этого Тоширо переключился на адвокатскую практику в области защиты прав граждан, получивших те или иные физические увечья. Обладая первоклассной профессиональной подготовкой, а также чисто японским трудолюбием и дотошностью, он довольно быстро стал самым популярным адвокатом в районе Сан-Франциско.

Еще через четыре года, сколотив приличное состояние, Тоширо отошел от юридической практики. В 1956 году, в возрасте тридцати четырех лет, он построил этот коттедж на южной оконечности залива Мунлайт, заплатив довольно большие деньги за подземную подводку воды, электричества и телефона. Со сдержанным чувством юмора, которое не позволяло его здоровому цинизму перерасти в озлобление, Тоширо Тагава официально переменил свои имя и фамилию, превратившись в Корки Коллинза. Это случилось в тот день, когда он окончательно переехал в коттедж, и с тех пор каждый новый день его жизни — вплоть до последнего вздоха — был посвящен лишь берегу и океанским волнам.

Он приобрел серферские шишки на больших пальцах ног и пятках, под коленными чашечками и на нижних ребрах. Желая постоянно слышать грохот волн, Корки, занимаясь серфингом, никогда не использовал ушные затычки, в результате чего заработал заболевание ушей. Из-за того, что канал, который ведет к среднему уху, постоянно заполняется холодной водой, в нем со временем образуется доброкачественный нарост, и канал сужается. Таким образом, к сорока годам Корки мало-помалу оглох на левое ухо.

К окончанию сезона каждого серфера вдобавок во всему отличает постоянно текущий нос. Морская вода, попавшая в лобные пазухи за долгие часы скольжения по волнам, постепенно вытекает обратно. По закону подлости эта позорная «ниагара» из носа начинается обычно в тот самый момент, когда вы знакомитесь со сногсшибательной девушкой в умопомрачительном бикини, состоящем из трех ниточек.

После двадцати лет непрерывного серфинга, проглотив тонны морской волны, Корки заработал и это заболевание, избавиться от которого можно было только с помощью хирургического вмешательства. Корки сделали эту операцию, и с тех пор он ежегодно отмечал юбилей этого события, называя его «сопливой вечеринкой».

За годы, проведенные под палящим солнцем и в соленой воде, Корки заполучил еще одну характерную для серферов болезнь — крыловидную плеву. Так называется утолщение в виде птичьего крыла, которое образуется на слизистой оболочке глаза. Сначала оно закрывает белок, а со временем распространяется и на роговицу. Корки стал гораздо хуже видеть.

Он отказался от операции на глазах и девять лет назад был убит — не меланомой, не акулой, а общей для всех нас Большой Мамой — океаном.

Хотя в ту пору Корки уже исполнилось шестьдесят семь, он взял доску и вошел в океан, когда на нем бушевал шторм и гуляли гигантские волны высотой в семь метров. Они вздымались и обрушивались вниз с грохотом, достойным землетрясения. В такую погоду в море не решился бы полезть даже серфер втрое моложе, так что в этот — последний для себя — раз Корки катался в гордом одиночестве. Очевидцы утверждают, что это было сверхъестественное зрелище: он, словно на крыльях, перелетал с гребня на гребень, громко крича от радости, то оказываясь на головокружительной высоте, то с невероятной скоростью падая вниз. Этот феерический аттракцион продолжался до тех пор, пока Корки не накрыла огромная волна. Водяные чудища такого размера могут весить тысячи тонн, а это, поверьте, очень много. Даже сильного пловца подобная волна может удерживать под водой с минуту, а то и больше, прежде чем ему удастся глотнуть воздуха. Корки, помимо того, еще и вынырнул в неподходящий момент: на него сразу же обрушился второй гигантский вал и вбил его еще глубже в морскую пучину. Больше он на поверхности не появился.

Серферы на всем побережье Калифорнии сходились во мнении, что Корки прожил прекрасную жизнь и умер прекрасной смертью. Больные уши, нос и глаза — все это для него ровным счетом ничего не значило. Это, по крайней мере, было гораздо лучше, чем скучные болезни сердца и даже щедрая пенсия, которую он мог заработать, если бы на протяжении многих лет протирал штаны в конторе. Серфинг был его жизнью, се́рфинг стал его смертью. Словно с одного гребня на другой, он выскользнул из этого мира, предоставив оставшимся здесь копошиться в мелочных заботах повседневных будней.

Все свое имущество, включая коттедж, он завещал Бобби.

Известие об этом изумило моего друга. Мы оба знали Корки с тех пор, как нам исполнилось по одиннадцать и мы впервые приехали сюда на велосипедах, прихватив с собой доски для серфинга. Он был учителем и наставником для всех начинающих серферов, которые стремились перенять его опыт или усовершенствовать свое мастерство. Он не изображал из себя хозяина мыса, но все вокруг уважали Корки, как если бы побережье от Санта-Барбары до Санта-Круса на самом деле принадлежало ему. Он презирал людей, относившихся к серфингу как к бездумному развлечению, но зато был преданным другом и вдохновителем для тех, кто искренне любит море и находит наслаждение в его ритмах. У Корки был целый легион друзей и поклонников, многих из которых он знал по тридцать лет. Вот почему мы были безмерно удивлены тем, что он оставил все свои земные сокровища Бобби, с которым был знаком всего восемь лет.

Разгадка заключалась в его письме, которое передал Бобби душеприказчик Корки. Это был подлинный шедевр лапидарности:

«Бобби, для тебя не имеет значения все, что важно для других. Это мудро.

Тому, что ты считаешь важным, ты готов отдать свой ум, сердце и душу. Это благородно.

У нас есть только океан, любовь и время. Господь подарил тебе океан. С помощью своих действий ты всегда сможешь найти любовь. Я же дарю тебе для этого время».

Корки видел в Бобби человека, с малых лет понявшего истины, которые открылись самому Корки лишь в тридцать пять лет. Он хотел воодушевить Бобби, поддержать его на этом пути. Благослови его Господь!

Следующим летом, после того как Бобби унаследовал дом и скромную — с учетом выплаты налогов — сумму денег, он бросил колледж Эшдон, проучившись там всего один год. Его родители были в ярости, однако Бобби их гнев был до лампочки, поскольку ему принадлежал весь пляж, океан и будущее.

Кроме того, его предки все время на что-то злились, и Бобби давно к этому привык. Они являются хозяевами и издателями городской газеты и почитают себя неутомимыми крестоносцами в борьбе за «чистоту» общественной жизни. Из этого следует, что они либо подозревают поголовно всех своих сограждан в испорченности, либо считают их слишком глупыми и неспособными самостоятельно разобраться в том, что для них лучше. Родители Бобби предполагали, что их сына также будет волновать то, что сами они называли «важнейшими вопросами современности», однако тот всеми силами сторонился широко разрекламированного семейного идеализма и неотделимых от него плохо скрываемых зависти, злобы и эгоизма. Родители Бобби боролись за мир во всем мире и даже в самых отдаленных уголках Солнечной системы, но были не способны обеспечить этот самый мир в стенах собственного дома.

Бобби обрел мир, получив коттедж и начальный капитал для создания собственного дела, на доходы от которого жил сейчас.

Стрелки любых часов — это ножницы, отрезающие от нашей жизни кусок за куском. Цифры, сменяющие друг друга на циферблате, — обратный отсчет времени на бомбе с часовым механизмом, который неумолимо приближает момент, когда жизнь взорвется, бесследно разметав наши горящие останки. Цена времени настолько высока, что его не купишь. На самом деле Корки подарил Бобби не время, а возможность жить, не глядя на часы и не думая о них. Время тогда бежит незаметно, и ежесекундное щелканье его ножниц не так пугающе.

Мои родители пытались сделать мне такой же подарок, но из-за своей болезни я иногда все же слышу роковое тиканье. Возможно, порой его слышит и Бобби. Наверное, никто из нас все-таки не в состоянии целиком и полностью отрешиться от хода времени.

Я вспомнил ночь, когда Орсона обуяла безысходная тоска, когда он с отчаянием смотрел на звезды и не реагировал на все мои попытки успокоить его. Может быть, тогда он тоже почувствовал, как неумолимо сыплется песок в часах, отмеряющих его собачий век? Нам внушают, что примитивный ум животных не способен понять и принять мысль о том, что они смертны. Но ведь любое животное обладает чувством опасности и инстинктом самосохранения. А если оно борется за выживание, значит, понимает и то, что означает смерть. И пусть ученые и философы твердят все, что им вздумается, меня им переубедить не удастся.

Это не романтическая чушь. Это всего лишь здравый смысл.

Стоя под душем в доме Бобби, я отмывал шерсть собаки от сажи. Пес продолжал дрожать, но, поскольку вода была теплой, дрожь эта была вызвана чем-то другим.

К тому времени, когда я вытер пса несколькими полотенцами и высушил его шерсть феном, оставшимся от Пиа Клик, он наконец перестал трястись. Пока я натягивал принадлежащие Бобби джинсы и тонкий синий свитер, Орсон несколько раз поворачивал голову в сторону матового окошка, будто за ним, в ночи, кто-то притаился. Однако казалось, что пес снова обрел уверенность в себе.

Скомкав несколько бумажных полотенец, я протер свою куртку и кепку. От них до сих пор пахло дымом, причем от кепки — сильнее.

В ванной, естественно, царил сумрак, и слова «ЗАГАДОЧНЫЙ ПОЕЗД» над козырьком едва угадывались. Я провел подушечкой большого пальца по выпуклым буквам, припомнив бетонный бункер без окон в одном из наиболее странных отсеков заброшенного Форт-Уиверна, где я ее нашел.

В моем мозгу вновь прозвучали слова Анджелы Ферриман, которые она произнесла в ответ на мое замечание о том, что Уиверн прикрыли уже больше полутора лет: «Прикрыли, да не весь. Есть вещи, которые не прикроешь, невозможно прикрыть, как бы сильно нам этого ни хотелось».

В голове у меня снова вспышкой высветилась картина, которая предстала моему взору в залитой кровью ванной комнате: широко распахнутые мертвые глаза и рот Анджелы, округлившийся в молчаливом изумлении. И опять меня охватило чувство, что, глядя на ее мертвое тело, я упустил, просмотрел какую-то очень важную деталь. Как в тот, первый раз, я попытался напрячь память, чтобы отчетливо представить себе ту сцену, но она, наоборот, становилась еще более расплывчатой, словно уходила в туман.

«Мы загнали себя в западню, Крис. Такое с нами и раньше случалось, но сейчас все гораздо хуже и страшнее. И уже нельзя изменить содеянного».

* * *

Такос — мексиканские блинчики с начинкой из мелко нарезанных кусочков цыпленка, салата-латука и острого соуса — были сущим объедением. Мы уже не стояли, прислонившись к стенам, а расположились за кухонным столом и запивали острую еду пивом.

Хотя несколько часов назад Саша накормила Орсона, он все равно вился вокруг стола и все-таки выклянчил у меня несколько кусочков цыпленка.

Но вторая бутылка «Хайникена» ему так и не обломилась.

Бобби включил радио. Оно было настроено на волну, по которой транслировали шоу Саши. Была полночь. Передача уже началась. Саша не упомянула меня и не сказала, что посвящает мне песню, но первой включила «Сердце в форме мира» Криса Айзека — мою любимую композицию.

В самом сжатом виде, пропуская незначительные, на мой взгляд, детали, я поведал Бобби обо всех событиях последнего вечера: о том, что случилось в гараже больницы, о сцене в крематории Кирка, о взводе безликих преследователей, которые гоняли меня по холмам позади похоронного бюро.

Выслушав мой рассказ, Бобби спросил:

— Табаско хочешь?

— Чего?

— Табаско. Чтобы соус был поострее.

— Нет, — ответил я, — у меня от твоих такос и без того дым из ушей валит.

Бобби вынул из холодильника бутылочку огненно-острого соуса табаско и побрызгал им на свой первый, наполовину съеденный тако.

Из радиоприемника неслась мелодия «Двух сердец» того же Криса Айзека.

Время от времени я непроизвольно смотрел в сторону окна, думая, не наблюдают ли за мной оттуда чьи-то глаза. Поначалу мне казалось, что Бобби не разделяет моих опасений, но затем заметил, что и он нет-нет да и кинет взгляд в темноту за окном.

— Может, задернем шторы? — предложил я.

— Нет. Пусть не думают, что я их боюсь.

Мы оба делали вид, что не боимся.

— Кто они?

Бобби хранил молчание, но я все же перемолчал его, и он наконец ответил:

— Точно не знаю.

Ответ был не слишком честным, но я решил пощадить друга.

Продолжая свое повествование, я, не желая нарываться на скепсис Бобби, не стал упоминать о кошке, которая вывела меня через дренажную трубу, но рассказал про коллекцию черепов, найденных мной на двух нижних ступеньках подземной лестницы. Я рассказал и о том, что увидел шефа полиции Стивенсона беседующим с лысым убийцей и как нашел пистолет у себя на кровати.

— Клевая пушка! — заметил он, с восхищением рассматривая «глок».

— Папа позаботился даже о лазерном прицеле.

— Класс!

Иногда Бобби кажется таким равнодушным и спокойным, что я начинаю сомневаться в том, что он вообще меня слушает. Такое случалось с ним и в детстве, но с годами он все чаще оказывается в подобной прострации. Я рассказываю ему о фантастических, без преувеличения сверхъестественных событиях, а он реагирует так, будто ему зачитывают сводку результатов баскетбольных матчей.

Я снова бросил взгляд за окно и подумал: а вдруг там, в ночи, кто-то держит меня в перекрестье прицела ночного видения, привинченного к стволу мощной винтовки? Нет, вряд ли. Если бы неизвестные враги намеревались прикончить нас, они сделали бы это, пока мы находились снаружи.

Затем я пересказал Бобби все, что произошло в доме Анджелы.

— Абрикосовое бренди, — поморщился он.

— Я выпил совсем чуть-чуть.

— Двух стаканов этого пойла хватит для того, чтобы начать задушевную беседу с толчком. — На жаргоне серферов это означало блевать.

К тому моменту, когда я рассказал о сцене в церковном подвале и о том, как Джесси Пинн третировал преподобного Тома, каждый из нас успел прикончить по три такос. Бобби разогрел еще парочку и поставил на стол.

Саша крутила по радио «Выпускной бал».

— Прямо-таки бенефис Криса Айзека, — хмыкнул Бобби.

— Это она для меня.

— Да уж понятно. Я и не думал, что Крис Айзек собственной персоной стоит возле пульта, приставив пистолет к ее виску, и требует крутить только его песни.

Последние такос мы доели в молчании.

Наконец Бобби все же решил задать вопрос по существу. Его заинтересовала одна из фраз, произнесенных Анджелой.

— Значит, она сказала тебе, что это была обезьяна и одновременно — не обезьяна?

— Насколько я помню, она сказала так: «Это была не обезьяна. Она только казалась обезьяной. И, конечно же, это была обезьяна. Была и не была — вот что с ней было не так».

— Все это звучит так, будто у Анджелы окончательно съехала крыша.

— Она выглядела растерянной, до смерти напуганной, но свихнувшейся не казалась. К тому же Анджелу убили именно для того, чтобы заткнуть ей рот, значит, в ее словах что-то было.

Бобби кивнул и отхлебнул пива. Он молчал так долго, что я наконец не выдержал и спросил:

— Ну и что дальше?

— Ты меня спрашиваешь?

— Не собаку же!

— Плюнь.

— Не понял.

— Забудь обо всем и живи спокойно.

— Я не сомневался, что ты скажешь именно это.

— А зачем тогда спрашивал?

— Бобби, возможно, смерть моей мамы была вовсе не случайностью.

— Не «возможно», а наверняка.

— И возможно, рак, от которого умер папа, тоже не был случайным.

— Ты что, собираешься встать на тропу войны и превратиться в мстителя?

— Не всегда же этим людям будут сходить с рук убийства. Им не удастся бесконечно уходить от ответственности.

— Еще как удастся! Убийцы сплошь и рядом остаются безнаказанными.

— Но это неправильно!

— Я и не говорю, что это правильно. Просто так оно и есть.

— А ты не думал, Бобби, что жизнь состоит не только из серфинга, бокса, еды и пива?

— Я и не говорю, что это так, хотя к этому нужно стремиться.

— Что ж, — проговорил я, вглядываясь в темноту за окном, — по крайней мере я не наложил себе в штаны.

Бобби вздохнул и откинулся на стуле.

— Допустим, ты ждешь момента, чтобы поймать волну. На море штормит, в берег долбают здоровенные валы, и вот идет цепь семиметровок. Времени у тебя в обрез, но ты чувствуешь, что успеешь поймать гребень, и тем не менее ничего не предпринимаешь, а продолжаешь болтаться, как буек. Вот тогда можно сказать, что ты наложил в штаны. А теперь представь другую ситуацию: к берегу идет цепь десятиметровок — здоровенных сволочей, которые наверняка сшибут тебя с доски, швырнут на дно и заставят сосать водоросли. У тебя есть выбор: либо подохнуть, либо болтаться, как буек, в ожидании более подходящей волны. Ты выбираешь второе. Но ты не наложил в штаны, а проявил здравую рассудительность, которая необходима даже самому отчаянному серферу. А придурок, который лезет на волну, заранее зная, что не возьмет ее, что она его попросту размажет, — кто он? Козел!

Я был тронут этой тирадой. Подобное красноречие свидетельствовало о том, что Бобби не на шутку переживает за меня.

— Выходит, ты считаешь меня козлом?

— Пока еще нет. Все будет зависеть от твоих дальнейших действий.

— В таком случае я — будущий козел.

— Я бы сказал, что твой козлиный потенциал невозможно определить даже по шкале Рихтера.

Я с сомнением покачал головой.

— И все же эта волна не кажется мне десятиметровкой.

— Напрасно. Возможно, она даже покруче. Метров на тринадцать потянет.

— Семь, не больше.

Бобби страдальчески закатил глаза. Похоже, единственным местом, где он рассчитывал узреть хотя бы крупицу здравого смысла, был его собственный череп.

— Судя по тому, что рассказала Анджела, все это каким-то образом связано с проектом, над которым работали в Форт-Уиверне.

— Она поднялась наверх, так как хотела мне что-то показать — какое-то доказательство своей правдивости. Нечто такое, что в свое время припрятал ее муж. Что бы это ни было, оно сгорело в пожаре.

— Форт-Уиверн. Армия. Военные.

— Ну и что?

— Дело каким-то образом касается правительства, — задумчиво проговорил Бобби, — а правительство, братишка, это даже не десятиметровка. Это тридцатиметровка. Цунами.

— Но мы же в Америке!

— Жили когда-то.

— У меня есть долг.

— Какой еще долг?

— Моральный.

Вздернув бровь и пощипывая переносицу кончиками большого и указательного пальцев, с таким лицом, будто от моих слов у него разболелась голова, Бобби сказал:

— Мне кажется, если в вечерних новостях сообщат, что к нам приближается комета и вот-вот должна врезаться в Землю, ты немедленно напялишь свою кепку, темные очки и стартуешь в космическое пространство, чтобы выгнать мерзавку за пределы Галактики.

— Если только накануне не сдал кепку в химчистку.

— Козел.

— От козла слышу.

20

— Гляди сюда, — сказал Бобби. — Как раз сейчас с английского метеоспутника поступает информация. Обработай ее, и сможешь узнать высоту любой волны в любой точке земного шара с точностью до нескольких сантиметров.

Бобби не стал включать свет в кабинете. Ему, а тем более мне, вполне хватало освещения от нескольких огромных мониторов установленных здесь компьютерных рабочих станций. На экранах друг друга сменяли яркие цветные графики, карты, увеличенные снимки, сделанные со спутников, сводки метеорологической динамики в различных уголках мира.

Дитя компьютерного века — это не про меня, и я никогда им не стану. В темных очках — да еще несколько часов кряду — не очень-то посидишь перед монитором компьютера, который к тому же излучает ультрафиолет. Излучение не очень интенсивное, но, учитывая его кумулятивный эффект, с меня хватит и нескольких часов. Вот почему я всегда пишу от руки в обычном блокноте. Именно так рождаются статьи, которые я время от времени публикую, так родилась ставшая бестселлером книга, после которой в журнале «Тайм» появилась статья про меня и мою болезнь.

Эта уставленная компьютерами комната являлась центром «Серфкаста» — принадлежащей Бобби информационной службы. Ежедневно сотни одержимых серфингом подписчиков по всему миру получают по факсу сообщения с прогнозом высоты волн в самых разных концах света. «Серфкаст» имеет также собственную страничку в Интернете, а самые нетерпеливые могли позвонить по справочному телефону 900 и сразу же получить интересующие их сведения. Бобби имел еще четырех сотрудников, которые работали в разных концах Мунлайт-Бей на компьютерах, соединенных через модемы с этой комнатой, однако окончательный анализ информации и заключительный прогноз Бобби всегда делал только сам.

Ежедневно вдоль всего побережья Мирового океана на волнах катается примерно шесть миллионов серферов, и примерно пять миллионов из них вполне довольны волнами высотой в два-три метра от подножия до гребня. Силы, заставляющие водяные валы перекатываться по поверхности океана, скрыты под поверхностью, на глубине до трехсот метров, и до конца 80-х было невозможно более или менее точно предсказать, где и когда стоит ожидать приличных трехметровок. Серферы могли неделями — в прямом и переносном смысле — загорать на пляже, изнывая от мертвого штиля и не зная, что всего в сотне миль правее или левее по берегу море похоже на вельвет от стойкой и частой волны — именно такой, какая им нужна. Поэтому неудивительно, что большинство этих свихнувшихся на серфинге людей были готовы заплатить Бобби несколько баксов, чтобы со стопроцентной точностью узнать, где и когда они смогут всласть порезвиться на своих досках. Теперь им не нужно было пассивно ждать, уповая на милость Господа и Кахуны — покровителя серферов.

Несколько баксов... Да по одному только справочному телефону 900 ежегодно раздавалось восемьсот тысяч звонков по два доллара за звоночек! По иронии судьбы, прирожденный ленивец и одержимый серфер Бобби превратился в самого обеспеченного гражданина Мунлайт-Бей, хотя об этом мало кто знал, а самому Бобби на это было наплевать.

— Значит, так, — сказал он, плюхнувшись в кресло напротив одного из компьютеров, — прежде чем ты поскачешь спасать мир и тебе вышибут мозги, подумай об этом.

Орсон наклонил голову набок, уставившись на монитор, а Бобби принялся стучать по клавишам, вызывая новую информацию.

Большая часть оставшегося полумиллиона серферов предпочитала волны повыше — метров на пять, и около десяти тысяч были способны оседлать семиметровки. Но хотя таких сорвиголов насчитывалось меньше всего и они были опытнее всех других, именно им в первую очередь и были нужны прогнозы Бобби. Они жили и умирали только ради серфинга. Пропусти они появление эпических водяных чудовищ, в особенности у себя по соседству, на песке пляжа могла бы разыграться подлинная шекспировская драма.

— В воскресенье, — сообщил Бобби, продолжая тюкать по клавишам.

— В это воскресенье?

— Через две ночи, считая с сегодняшней, ты, наверное, предпочтешь находиться здесь. Здесь, а не в могиле — вот что я имею в виду.

— Идет хорошая волна?

— Потрясающая!

Возможно, три или четыре сотни серферов по всему миру обладают достаточно крепкими нервами, опытом и талантом для того, чтобы кататься на волнах выше семи метров, и уж совсем маленькая горстка людей — любителей играть со смертью — платит Бобби хорошие деньги, чтобы тот отслеживал волны-гиганты. Среди этих маньяков есть настоящие богачи, готовые лететь в любой конец света, чтобы бросить вызов штормовым волнам — настоящим монстрам высотой по десять и даже по четырнадцать метров. Чтобы оказаться на гребне такого гиганта, им нередко приходится прибегать к помощи вертолета, поскольку взобраться туда обычным порядком зачастую бывает невозможно.

Волны по десять и выше метров, причем нужной формы и с хорошим ходом, можно найти по всему миру примерно тридцать дней в году, причем чаще всего они появляются в наиболее экзотических районах. С помощью карт, спутниковых фотографий, метеорологической информации из самых разных источников Бобби способен предсказать их появление за два-три дня, и прогнозы его неизменно отличаются такой непогрешимостью, что на них не жаловался еще ни один — даже самый привередливый — клиент.

— Вот, — сказал Бобби, ткнув пальцем в контур волны на экране. Орсон подошел поближе, чтобы лучше видеть, а Бобби продолжал: — Мунлайт-Бей, волна у оконечности мыса. Классная волна! Будет держаться в течение всего воскресенья — до самого заката.

Я моргнул, уставившись на экран.

— Это что же, четырехметровки?

— От трех до четырех, а местами — до четырех с половиной. Скоро дойдут до Гавайских островов, а потом пожалуют к нам.

— То-то, наверное, живчики будут?

— Еще какие! Идут к нам из большого шторма, который медленно проходит севернее Таити. Ветер к тому же будет с берега, так что получишь такие каташки, о которых даже не мечтал.

— Круто!

Бобби крутанулся на стуле и посмотрел на меня.

— Так на чем ты предпочитаешь прокатиться: на волне с Таити в воскресенье ночью или на цунами, который прет из Форт-Уиверна?

— На обоих.

— Камикадзе, — печально констатировал он.

— Слабак, — ответил я. На жаргоне серферов это означало то же, что и буек — человек, который болтается в воде и не может набраться духу, чтобы встать на волну.

Орсон вертел головой, глядя то на меня, то на Бобби, будто наблюдал за теннисным матчем.

— Дегенерат, — сказал Бобби.

— Тухлятина, — парировал я, что на нашем сленге было равнозначно слабаку.

— Засранец, — сказал он. В жаргоне серферов и в нормальном английском языке это означало абсолютно одно и то же.

— Насколько я понял, на тебя в этом деле рассчитывать не приходится?

Поднимаясь из кресла, Бобби сказал:

— В полицию с этим ты сунуться не можешь, в ФБР — тоже, поскольку они жрут из одной кормушки. На что же ты рассчитываешь, надеясь хоть что-то разузнать о некоем секретном проекте Форт-Уиверна?

— Я уже кое-что разузнал.

— Следующее, что ты «разузнаешь», это каким именно образом тебя грохнут. Послушай, Крис, ты ведь не Шерлок Холмс и не Джеймс Бонд. Тебя в лучшем случае можно сравнить с Нэнси Дрю — дамочкой-детективом из детских книжек, которые мы читали с тобой в сопливом возрасте.

— Нэнси Дрю, между прочим, раскрывала все преступления, за которые бралась, и настигала всех мерзавцев, за которыми начинала охоту, — напомнил я. — Сравнение с таким безжалостным врагом преступности, как эта милая дама, делает мне честь.

— Камикадзе.

— Слабак.

— Дегенерат.

— Тухлятина.

Бобби негромко рассмеялся, разлохматил бороду пятерней и заявил:

— Меня от тебя тошнит.

— Взаимно

Зазвонил телефон, и Бобби снял трубку.

— Привет, красавица. Я уже вконец ошалел от твоего Криса Айзека. Но так уж и быть, поставь специально для меня «Танец», о'кей? — Он протянул трубку мне. — Это тебя.

Мне нравится, как звучит голос Саши по радио. Он немного отличается от ее голоса в повседневной жизни — чуть глубже, мягче и кажется шелковистым. Он никого не может оставить равнодушным. Когда я слышу Сашу по радио, мне хочется в ту же секунду оказаться с ней в постели. Этот голос появляется у нее сразу же после того, как Саша переступает порог студии, и исчезает только тогда, когда она уходит с работы.

— Эта песня заканчивается через минуту, а перед следующей мне нужно немного поболтать, так что я — коротко. Недавно ко мне в студию приходил один человек. Искал тебя. Сказал, что ты ему очень нужен и речь идет о жизни и смерти.

— Кто такой?

— Не могу назвать его имя по телефону. Он взял с меня слово. Я сказала ему, что ты, наверное, у Бобби, но он не захотел ни звонить, ни ехать туда.

— Почему?

— Точно не знаю, но... Он очень нервничал. «Лишь я один — знакомец ночи». Ты понял, кого я имею в виду, Крис?

«Лишь я один — знакомец ночи».

Это была строчка из стихотворения Роберта Фроста.

Отец привил мне страсть к поэзии, а я заразил ею Сашу.

— Да, — откликнулся я, — по-моему, я знаю, о ком ты говоришь.

— Он хочет увидеться с тобой как можно скорее. Говорит, что это вопрос жизни и смерти. Что происходит, Крис?

— Приближается большой серфинг, — ответил я. — В воскресенье, после полудня.

— Я не об этом.

— Понимаю. Об остальном расскажу позже.

— Большой серфинг... А я справлюсь?

— Четырехметровки.

— Ну, тогда я лучше посижу на берегу.

— Я люблю твой голос, — сказал я.

— Гладкий, как вода в заливе.

Саша повесила трубку, я тоже.

Хотя Бобби мог слышать лишь половину разговора — то, что говорил я, — сверхъестественная интуиция не подвела его и на сей раз.

— Во что ты влезаешь? — спросил он.

— Да так, — сдержанно ответил я, — кое-какие делишки в духе Нэнси Дрю. Тебе это будет неинтересно.

* * *

Пока мы с Бобби и все еще до конца не успокоившимся Орсоном шли к выходу из дома, радио заиграло «Танец» Криса Айзека.

— Саша — необыкновенная женщина, — заявил Бобби.

— Второй такой нет, — согласился я.

— Но если ты подохнешь, ты не сможешь быть с ней. Она хоть и чудная, но не до такой степени.

— Намек понял.

— У тебя темные очки с собой?

— Ага. — Я похлопал себя по нагрудному карману.

— Намазался моим лосьоном?

— Да, мамуля.

— Дегенерат.

— Знаешь, — начал я, — я тут подумал...

— Давно пора.

— ...Я начал работать над новой книгой.

— Неужели наконец соизволил оторвать свою ленивую задницу от дивана?

— Хочу написать книгу о дружбе.

— А я там буду?

— Как ни странно, да.

— Надеюсь, ты не назовешь меня моим настоящим именем?

— Я назвал тебя Игорем. Вот только... Я боюсь, читателю будет ясно далеко не все из того, что я собираюсь сказать. Ведь я и все мои друзья — мы живем совершенно особой жизнью.

Остановившись на верхней ступеньке крыльца, Бобби окинул меня своим коронным взглядом патентованного скептика и промолвил:

— А я-то думал, чтобы писать книги, нужны мозги.

— В законах про это ничего не говорится.

— Ясное дело. Но, по-моему, даже самое тупое бревно должно понимать, что у всех людей — разные, отличные от других, неповторимые жизни.

— Да? Может, ты скажешь, что и Мария Кортес живет «неповторимой» и какой-то особой жизнью?

Марии Кортес, младшей сестре Мануэля Рамиреса, было двадцать восемь лет — столько же, сколько и нам с Бобби. Она работала косметологом, а ее муж ремонтировал автомобили. У них было двое детей, одна кошка, маленький дом и большие долги.

— Она ведь живет не у себя на работе, делая кому-то прическу, и не дома, когда пылесосит ковер. Жизнь Марии протекает в том пространстве, которое находится у нее между ушей. В голове каждого человека заключен целый мир, и вполне возможно, что мир этот гораздо более причудлив, чем мы можем представить своими мелководными извилинами. Шесть миллиардов таких, как мы, ходят по этой планете. Шесть миллиардов маленьких миров на поверхности одного большого. Может статься, что какой-нибудь сапожник или повар в закусочной, на которого без зевоты не взглянешь, живет более необычной жизнью, чем ты. Шесть миллиардов историй, каждой из которых можно зачитываться без конца, историй, полных страданий и счастья, добра и зла, надежд и разочарований. На самом деле мы с тобой не такие уж особенные, братишка.

На несколько мгновений я утратил дар речи, а потом прикоснулся к его цветастой рубашке, на которой орали попугаи и качали ветвями пальмы.

— Я и не знал, что ты такой философ.

Он лишь передернул плечами.

— Подумаешь, перлы мудрости! Я почерпнул все это из бумажки предсказаний внутри печенья, которое подают к чаю в китайских ресторанах.

— Большое, наверное, было печенье.

— О-о-о, настоящая глыба!

Огромная стена пропитанного лунным светом тумана вздымалась в миле от берега — не ближе и не дальше, чем раньше. Ночной воздух оставался неподвижным, как в холодной покойницкой больницы Милосердия.

Мы спустились по ступенькам. Стрелять в нас никто не стал, не раздавались больше и безумные крики.

И все же они по-прежнему находились здесь — притаившись между дюнами и за обрывом, спускавшимся к морю. Я ощущал на себе их взгляды, как чувствуют злобную энергию неподвижной, изготовившейся к броску гремучей змеи.

Бобби оставил свое ружье в доме, но держался настороже и обшаривал взглядом ночной ландшафт. Внезапно в нем проснулся интерес к рассказанной мной истории.

— Ты хорошо помнишь то, что Анджела говорила тебе про обезьяну?

— Конечно.

— На что она была похожа?

— На обезьяну.

— На шимпанзе, орангутанга или какую-то другую?

Взяв велосипед за руль и развернув его, чтобы катить по песку, я ответил:

— Это была макака-резус. Разве я не сказал?

— Большая?

— По словам Анджелы, сантиметров шестьдесят и килограммов на двенадцать весом.

Не отрывая взгляда от темных дюн, он процедил:

— Я сам видел несколько таких.

Я настолько удивился, что снова прислонил велосипед к перилам крыльца и недоверчиво переспросил:

— Ты видел резусов? Здесь?

9 Зак. № 693 Кунц

— Каких-то обезьян. Примерно такого же размера.

Обезьяны в Калифорнии не водятся. Единственная разновидность человекообразных, которая здесь встречается, это люди.

— Проснулся как-то ночью, посмотрел в окно, а оттуда на меня таращится макака. Вышел на улицу — уже нет.

— Когда это было?

— Ну, может, месяца три назад.

Орсон втиснулся между нами. Видимо, так ему было спокойнее.

— А после этого случая ты их еще видел?

— Раз шесть или семь. И всегда по ночам. Они очень скрытны, но в последнее время начали наглеть. Передвигаются отрядом.

— Отрядом?

— Волки передвигаются стаей, лошади — табуном. Когда речь идет об обезьянах, это называется отрядом.

— Ты прямо целое исследование провел. А почему же ты мне сразу об этом не сказал?

Бобби молчал, рассматривая песчаные холмы. Я смотрел в ту же сторону, что и он.

— Значит, это они там сейчас прячутся?

— Возможно.

— И сколько их в этом... отряде?

— Точно не знаю. Шесть, а может, восемь. Можно только гадать.

— Ты купил ружье. Думаешь, они опасны?

— Не исключено.

— Ты кому-нибудь сообщил об их появлении? Допустим, в комиссию по контролю за животными?

— Нет.

— Почему?

Вместо того чтобы ответить на мой вопрос, он вдруг ни с того ни с сего сказал:

— Пиа когда-нибудь сведет меня с ума.

Пиа Клик, уехавшая в Уэймеа на месяц и живущая там уже три года. Я не понимал, каким образом она связана с тем, что Бобби не стал сообщать о появлении обезьян представителям властей, но чувствовал, что он сейчас разъяснит мне это.

— Она вдруг вбила себе в голову, что является возродившейся в новой жизни реинкарнацией Каха Хуны.

Каха Хуна — мифическая богиня серфинга, которая никогда не существовала и потому никак не могла «возродиться».

Учитывая тот факт, что Пиа была не камайиной, то есть не коренной обитательницей Гавайских островов, а хаоле — родилась в городе Оскалуза, штат Канзас, и росла там до семнадцати лет, покуда не сбежала из дома, — она не очень-то подходила на роль мифологической абэ уэйн.

— Ей для этого не хватает кое-каких полномочий, — сказал я.

— Однако сама она говорит об этом на кровавом серьезе.

— Ну что ж, Пиа достаточно красива, чтобы быть Каха Хуной или любой другой богиней.

Я стоял позади Бобби и не мог видеть его глаз, но лицо его побледнело. Раньше мне и в голову не приходило, что мой друг способен бледнеть.

— Сейчас она раздумывает над тем, не угодно ли Каха Хуне, чтобы она, Пиа Клик, приняла обет безбрачия.

— О Господи!

— Она полагает, что ей, видимо, не пристало

жить с обычным парнем вроде меня. С простым смертным то есть. Иначе она каким-то образом пойдет наперекор своему предначертанию.

— Круто! — с участием в голосе проговорил я.

— Но для нее было бы классно сделать шаку мужчине, который является сегодняшней реинкарнацией Кахуны.

Кахуна — мифический бог серфинга. Он скорее всего является плодом фантазии нынешних серферов, которые возвели в этот ранг какого-нибудь некогда жившего на Гавайях знахаря.

— А разве Кахуна не возродился в тебе? — спросил я.

— Я не хочу им быть.

По этому ответу я понял, что Пиа пытается убедить Бобби в том, что он — Кахуна сегодня.

— Она такая умница, такая талантливая! — несчастным голосом проговорил Бобби.

Пиа с отличием закончила Калифорнийский университет в Лос-Анджелесе. Чтобы платить за учебу, она продавала портреты, которые писала сама. Теперь за ее сюрреалистические полотна знатоки платили большие деньги, и они расходились, как горячие пирожки.

— Как же так? — сокрушался Бобби. — Такая умница, такая талантливая, и вдруг... такое.

— А может, ты и впрямь Кахуна? — спросил я.

— Это не смешно, — заявил Бобби, еще раз удивив меня, поскольку он находил в той или иной степени смешным абсолютно все в этой жизни.

В безветрии лунной ночи не колыхалась ни одна травинка. Негромкий шум прибоя, доносившийся снизу, напоминал далекое бормотание молящейся толпы.

То, что происходило с Пиа, было, конечно, поразительным, но меня больше интересовали обезьяны.

— В последние годы, — заговорил Бобби, — после того как Пиа вбила себе в голову все эти потусторонние бредни... В общем, иногда мне кажется, что все в порядке, а на следующий раз возникает ощущение, что вся жизнь — это одна большая чарли-чарли.

Чарли-чарли серферы называют тяжелую и очень пенистую волну, несущую много песка и донных камней. Когда пытаешься ее оседлать, получаешь страшный удар в лицо, и это ощущение, доложу я вам, не из приятных.

— Иногда, — продолжал Бобби, — когда я кладу трубку после разговора с Пиа, я совершенно сбит с толку, я скучаю, я хочу быть рядом с ней... В такие минуты я почти готов поверить, что она и впрямь Каха Хуна. Она говорит об этом с такой убежденностью! И, представь себе, совершенно спокойно. От этого ее фантастического спокойствия мне становится еще больше не по себе.

— Я и не знал, что тебе может быть не по себе.

— Я сам не знал. — Вздохнув и поковырявшись босой ногой в песке, Бобби перешел наконец к тому, что хотелось услышать мне: — Когда я впервые увидел обезьяну за окном, это было забавно. Мне даже стало смешно: вот, подумал я, кто-то потерял макаку. Но в следующий раз их оказалось уже несколько. Это выглядело не менее странно, чем все дерьмо, связанное с Каха Хуной. Потому что они вели себя совсем не по-обезьяньи.

— Что ты имеешь в виду?

— Обезьяны обычно игривы, прыгучи, веселы. А эти... Они не играли. Сосредоточенные, серьезные, тихонько попискивают. Рассматривают меня, изучают дом, и видно, что не из одного только любопытства, а с какой-то определенной целью.

— С какой еще целью?

Бобби лишь пожал плечами.

— Они вели себя так странно, так...

Ему, похоже, не хватало слов, и я вспомнил одно подходящее, которое очень любил Лавкрафт, чьими рассказами мы зачитывались в возрасте тринадцати лет:

— Сверхъестественно?

— Да, это выглядело непостижимо. Я знал, что мне никто не поверит. Мне даже самому начинало казаться, что я галлюцинирую. Тогда я взял фотоаппарат и решил заснять все это на пленку, но у меня ничего не вышло. Знаешь почему?

— Ты забыл снять крышку с объектива.

— Они не хотели, чтобы их снимали. Как только увидели камеру, сразу же разбежались и попрятались, причем быстро, как молнии. — Бобби посмотрел в мою сторону, словно желая убедиться, что его слова произвели на меня должное впечатление, а затем снова перевел взгляд на дюны. — Они знали, что такое фотоаппарат.

— Эй, а ты случайно не очеловечиваешь этих обезьян? — не удержавшись, поддел его я. — Это, знаешь ли, когда животных наделяют качествами, присущими человеку.

Не обратив внимания на мою иронию, Бобби стал рассказывать дальше:

— С тех пор я постоянно держал фотоаппарат под рукой — на кухонной стойке. Я полагал, что, если обезьяны покажутся еще раз, я сумею сделать хотя бы один снимок раньше, чем они сообразят, что происходит. Как-то ночью, месяца полтора назад, шли отличные трехметровки и замечательный ветер с моря. И хотя было довольно зябко, я надел гидрокостюм, взял доску и провел два чудесных часа на волнах. Разумеется, фотоаппарат я оставил дома.

— Почему?

— Я не видел этих чертовых макак уже с неделю и думал, что, может, никогда их больше не увижу. В общем, вернулся я домой, пошел на кухню и взял бутылку пива. Поворачиваюсь от холодильника и вижу за обоими окнами обезьян — висят снаружи на рамах и смотрят на меня. Я протягиваю руку за фотоаппаратом... А его нет.

— Ты просто оставил его в другом месте.

— Нет, он вообще исчез. Дело в том, что, уходя на пляж, я не запер входную дверь. Больше я так не поступаю.

— Ты хочешь сказать, что мартышки украли фотоаппарат?

— На следующий день я купил одноразовый фотоаппарат и снова положил его на стойку возле плиты. В ту ночь я оставил свет в доме включенным, запер дверь и, взяв борд, снова отправился на пляж.

— Снова шла хорошая волна?

— Волна была так себе, но я хотел дать обезьянам еще один шанс проявить себя. И они ими воспользовались. Пока я отсутствовал, они разбили форточку, открыли окно и украли фотоаппарат. Больше они ничего не взяли.

Теперь я понял, почему в стенном шкафчике вместе со швабрами Бобби хранил помповое ружье.

Этот коттедж всегда привлекал меня, казался идеальным убежищем: на самом краю мыса и ни единого жилища вокруг. По ночам, когда с пляжа уходил последний серфер, небо и океан образовывали сферу, внутри которой уютно светился огнями домик Бобби. Это напоминало круглое стеклянное пресс-папье с метелью, внутри которого царили мир и восхитительное уединение. Однако теперь столь заботливо взлелеянное уединение превратилось в пугающую изоляцию. Вместо ощущения покоя здесь воцарилась напряженная атмосфера тяжелого ожидания.

— И еще они оставили мне предупреждение, — сказал Бобби.

Я тут же представил себе записку, на которой корявыми печатными буквами написано: «ПОБЕРЕГИ СВОЮ ЗАДНИЦУ». И подпись: «ОБЕЗЬЯНЫ». Однако мартышки, видимо, оказались достаточно умны, чтобы не оставлять вещественных улик. И более непосредственны.

— Одна из них нагадила мне на постель.

— Как мило!

— Они очень скрытны, как я уже говорил, — продолжал Бобби. — Я решил не предпринимать больше попыток сфотографировать их. Если бы как-нибудь ночью я все-таки сумел их щелкнуть, они бы, наверное... Ну, разозлились, что ли.

— Ты их испугался. Я не знал, что такому крутому парню может быть не по себе, и не подозревал, что ты способен бояться. Этой ночью я узнал о тебе много нового, братишка.

Бобби не хотелось признаваться в трусости.

— Ты ведь поэтому купил ружье? — не отставал я.

— Просто я решил, что не помешает время от времени ставить этих сволочей на место, показывать, кто тут хозяин и что хозяин этот — я, черт побери! Но я их не боюсь. В конце концов, они всего лишь обезьяны.

— И — не обезьяны.

— Временами мне начинает казаться, что, болтая по телефону с Пиа, я ненароком подхватил какой-нибудь вирус и заразился от нее всем этим сверхъестественным бредом. Если она одержима Каха Хуной, то я, похоже, стал одержим этими обезьянами нового тысячелетия — именно так их могли бы назвать бульварные газеты, верно?

— Обезьяны нового тысячелетия... В этом определенно что-то есть. Что-то сумасшедшее.

— Вот-вот. Поэтому-то я и не стал о них никому рассказывать. Не хочу, чтобы за мной гонялись журналисты из таблоидов, не хочу быть похожим на тех придурков, которые утверждают, что знакомы со снежным человеком и видели инопланетян на летающих блюдцах в форме тостера. Представляешь, что за житуха у меня бы началась?

— Ты превратился бы в такое же чудище, как я.

— Вот именно.

Ощущение, что за мной наблюдают, усилилось еще больше. Я чуть было не позаимствовал у Орсона его любимый номер — низкое горловое рычание.

Пес, стоявший между нами с Бобби, оставался настороже, но хранил молчание. Голова поднята, ухо вздернуто. Он больше не дрожал, но теперь — это было очевидно — относился к тем, кто наблюдал за нами из темноты, с неподдельным уважением.

— Теперь, когда я рассказал тебе про Анджелу, ты знаешь, что обезьяны каким-то образом связаны с тем, что происходило в Форт-Уиверне, — подвел я итог. — Это уже не бредни «желтых газетенок». Это — реальность. Это существует, и мы не в силах что-нибудь предпринять.

— До сих пор происходит, — невпопад, как мне показалось, сказал он.

— Не понял...

— Из слов Анджелы следует, что Уиверн прикрыли не окончательно.

— Но он стоит заброшенным уже полтора года. Если бы там оставался персонал, велись какие-то работы, мы наверняка знали бы об этом. Люди с базы приходили бы в город — за покупками, в кино...

— Ты говоришь, Анджела назвала это апокалипсисом? Концом света?

— Да, ну и что?

— А то, что, если кто-то трудится над проектом, который должен уничтожить весь мир, он не станет шляться по кино. Я повторяю, Крис, это — цунами. Тут замешано правительство! На этой волне нельзя прокатиться и уцелеть.

Я снова ухватил велосипед за руль и поставил его на колеса.

— Неужели даже сейчас, после всего, что я тебе рассказал, и после того, что рассказал мне ты сам, ты все равно будешь сидеть сложа руки?

Бобби утвердительно кивнул.

— Если я буду сидеть спокойно — сложа руки, как ты выразился, — обезьяны, возможно, со временем уйдут. Они и появляются-то далеко не каждую ночь. Я буду выжидать, и может быть, моя жизнь вновь вернется в прежнее русло.

— Не забывай о словах Анджелы. Она ведь была не обкуренной, когда говорила, что ничто уже не будет таким, каким было прежде.

— А ежели все потеряно, зачем же ты тогда продолжаешь таскать на башке свою кепку и темные очки?

— Человек с ХР до последнего момента верит, что еще не все потеряно, — с ироничным пафосом ответил я.

— Камикадзе.

— Слабак.

— Дегенерат.

— Тухлятина.

Я повернулся и покатил велосипед по вязкому песку прочь от дома.

Орсон протестующе заскулил, не желая уходить от сравнительно безопасного жилища, но все же послушно потрусил вслед за мной. По мере того как мы двигались в сторону города, пес ни на шаг не отбегал от меня, настороженно втягивая ноздрями воздух.

Не успели мы отойти и на тридцать метров, как, выбивая пятками маленькие облачка песка, нас догнал Бобби и загородил нам путь.

— Знаешь, в чем твоя главная проблема? — с горячностью спросил он.

— В неумении выбирать друзей, — с не меньшим жаром ответил я.

— Твоя проблема заключается в том, что ты непременно хочешь оставить след на земле. Нацарапать на земном шаре что-нибудь вроде «здесь был я».

— Мне это и в голову не приходило.

— Врешь, говнюк!

— Не выражайся. Здесь собака.

— Вот для чего ты пишешь все эти свои статейки и книжечки. Чтобы остаться в памяти потомков.

— Я пишу потому, что мне это нравится.

— То-то ты все время скулишь о том, как это тяжело.

— Да, тяжело. Тяжелее, чем все, что я пробовал, но зато приносит удовлетворение.

— А знаешь, почему тяжело писать книги? Потому что это занятие противоестественно.

— Только для тех, кто не умеет читать и писать.

— Мы пришли в этот мир не для того, чтобы оставить в нем след, братишка. Памятники, мемуары, скрижали истории — именно на них люди чаще всего и расшибают себе лбы. Мы здесь для того, чтобы наслаждаться жизнью, смаковать причудливость дарованного нам мира, блаженствовать на гребне волны.

— Гляди-ка, Орсон, перед нами опять философ Боб!

— Мир совершенен уже таким, какой он есть, он прекрасен от горизонта до горизонта, а любой след, который мы пытаемся на нем оставить, не лучше жалкой пачкотни на заборе. Ничто не может улучшить мир, дарованный нам свыше, и любая попытка сделать это является вандализмом.

— А музыка Моцарта? — спросил я.

— Вандализм, — ответил Бобби.

— А искусство Микеланджело?

— Пачкотня.

— А Ренуар?

— Пачкотня.

— А Бах? А «Битлз»?

— Звуковая пачкотня, — с горячностью заявил он.

Пока продолжалась наша перепалка, у Орсона, похоже, начался очередной приступ страха.

— Матисс, Бетховен, Уоллес Стивенс, Шекспир...

— Вандалы и хулиганы.

— Дик Дейл, — произнес я священное для каждого серфера имя Короля гитары, отца всей серферской музыки.

Бобби моргнул, но все же выдавил из себя:

— Тоже пачкотня.

— Ты больной.

— Я самый здоровый человек из всех, кого ты знаешь. Прошу тебя, Крис, брось ты этот безумный и бессмысленный крестовый поход!

— Видимо, я и впрямь живу в окружении слабаков, если обычное любопытство воспринимается в качестве крестового похода.

— Живи своей жизнью, смакуй ее, развлекайся. Именно для этого ты появился на свет.

— Я и развлекаюсь. Только по-своему, — заверил его я. — Не волнуйся.

Вывернув велосипедный руль, я попытался обогнуть Бобби, но он сделал шаг влево и снова загородил мне дорогу.

— Хорошо, — проговорил он, идя на попятную, — ладно. Но только прошу тебя об одном: пока ты не достигнешь твердой земли, где можно будет сесть на велосипед, кати его одной рукой, а в другой держи «глок». А потом крути педали как можно быстрее.

Я похлопал себя по карману, который был оттянут тяжелым пистолетом. Одна пуля выпущена в доме Анджелы, значит, в обойме осталось девять.

— Но ведь это всего лишь обезьяны, — усмехнулся я.

— И да, и нет, — ответил он.

Пытаясь поймать взгляд его темных глаз, я спросил:

— Ты больше ни о чем не хочешь мне рассказать?

Он пожевал нижнюю губу и проговорил:

— Возможно, я действительно Кахуна.

— Ты ведь не это собирался сказать.

— Нет, но то, что я тебе скажу, прозвучит еще более дико. — Взгляд Бобби продолжал блуждать по дюнам. — Вожак этого обезьяньего отряда...

Я видел его лишь раз, и то на расстоянии, в темноте, всего лишь промелькнувшей тенью. Он гораздо больше, чем остальные.

— Насколько больше?

Только сейчас Бобби решился встретиться со мной взглядом.

— Очень здоровый. Примерно с меня ростом.

Чуть раньше, стоя на крыльце и дожидаясь, когда Бобби вернется со своего обхода, я краем глаза заметил какое-то движение: будто кто-то длинными плавными скачками, пригнувшись, пробежал между дюнами. Когда я развернулся в ту сторону, выхватив «глок», там уже никого не было.

— Человек? — спросил я. — Бегающий с обезьянами нового тысячелетия и возглавляющий их отряд? Что-то вроде городского Тарзана Мунлайт-Бей?

— Ну, по крайней мере, мне он показался человеком.

— И что из этого следует?

Бобби отвел глаза и пожал плечами.

— Я лишь говорю, что видел не одних только обезьян. Вместе с ними — кто-то или что-то очень большое.

Я посмотрел на огни Мунлайт-Бей и проговорил:

— Такое чувство, что где-то тикает бомба с часовым механизмом и скоро весь город взлетит на воздух.

— Вот и я о том же. Держись подальше от взрыва и постарайся не попасть под осколки.

Придерживая велосипед одной рукой, другой я вытащил из кармана «глок».

— Влезая в это опасное и глупое приключение, ты должен помнить об одной вещи, — продолжал Бобби.

— Очередная порция серферской мудрости?

— Что бы ни происходило там, в Уиверне, в этом было задействовано много ученых — парней, по уши напичканных всякими науками, и лбы у них шире, чем у тебя задница. А помимо них — целая куча разных крутых парней из правительства. Элита. Сливки системы. Лучшие из лучших. И знаешь, ради чего они влезли в это дело, пока оно не пошло наперекосяк?

— Чтобы иметь возможность платить по счетам и содержать семьи?

— Нет. Просто все они — все до единого! — хотели оставить след на земле.

— Я не настолько амбициозен. Я всего лишь хочу узнать, ради чего пришлось умереть моим родителям.

— Твоя голова — тверже, чем морская раковина, — сокрушенно констатировал Бобби.

— Зато внутри ее — жемчужина.

— Дерьмо там сушеное, а не жемчужина, — заверил меня мой друг.

— Ты умеешь работать со словами. Тебе бы книги писать.

Бобби презрительно хмыкнул.

— Я скорее пересплю с кактусом.

— Это почти одно и то же, но писательский труд хотя бы приносит удовлетворение.

— Волна, в которую ты лезешь, накроет тебя с головой, прополощет и вышвырнет на камни сушиться.

— Возможно, это будет самый классный полет в моей жизни. Ты ведь сам сказал, что наше предназначение — наслаждаться полетом на гребне волны.

Побежденный, он отступил с моего пути, поднял правую руку и сделал мне шаку.

Я ответил ему глупым жестом из фильма «Звездный путь».

Он показал мне неприличный жест, оттопырив средний палец.

Сопровождаемый Орсоном, я покатил велосипед на восток — в ту сторону, где песок сменялся каменистым грунтом. Отойдя на несколько метров, я услышал голос Бобби, но не разобрал слов, а обернувшись, увидел его спину. Он направлялся к коттеджу.

— Что ты сказал? — крикнул я ему вдогонку.

Бобби обернулся и крикнул в ответ:

— Туман надвигается.

Посмотрев выше его головы, я увидел, что на мыс и впрямь наползает молочно-белая масса, взбитый пар, подсиненный светом луны. Так, молчаливо, в наших снах иногда вырастает зачарованная стена, отгораживая нас от надежд на спасение.

Городские огни казались чужим далеким континентом.

Часть четвертая

ГЛУБОКАЯ НОЧЬ

21

К тому времени, как мы с Орсоном выбрались из дюн и оказались на каменистой части полуострова, нас поглотила непроницаемая пелена тумана. Она простиралась на сотни метров вглубь — седая лунная пыль, опустившаяся на землю из огромного небесного сита. В этой серой перине мы с Орсоном были более слепы, нежели самой безлунной и беззвездной ночью.

Туман уже поглотил даже городские огни. Он играл злые шутки со звуками: я по-прежнему слышал ритмичное шуршание прибоя, но теперь мне казалось, что оно раздается со всех четырех сторон, будто я стою на острове.

Я был вовсе не уверен, что смогу управлять велосипедом в этом молочном киселе. Видимость колебалась от абсолютного нуля до каких-нибудь жалких трех метров. На извилистой дороге, по которой мне предстояло ехать, не было ни деревьев, ни столбов, но зато я легко мог сбиться с пути и навернуться с обрыва. Это произойдет быстро и трагично: переднее колесо велосипеда зависает в воздухе, заднее буксует в песке, а я перелетаю через руль, падаю на берег и ломаю руку, а то и шею.

Более того, если я хочу ехать быстро и не свалиться, мне предстоит управлять велосипедом обеими руками, а значит, пистолет придется сунуть в карман. Но, прощаясь с Бобби, я обещал постоянно держать «глок» наготове.

В таком тумане кто угодно мог подобраться ко мне на расстояние меньше метра, а я бы ничего не заметил и тем более не успел бы выхватить оружие и выстрелить.

Я шел довольно быстро, держась за руль велосипеда одной рукой и делая вид, что мне все до лампочки и я никого не боюсь. Орсон семенил чуть впереди. Он был сама настороженность и безустанно вертел головой из стороны в сторону. Свистни я ему сейчас, он бы и ухом не повел.

Щелканье спиц и велосипедной цепи выдавали мое местоположение, но -- что поделать! Конечно, я мог бы взвалить велосипед себе на шею и нести его одной рукой, но надолго ли меня хватит?

Впрочем, звук, возможно, ничего не значит. Обезьяны наверняка обладают чутьем достаточно острым для того, чтобы унюхать передвигающийся в тумане клубок нервов под названием Кристофер Сноу. Они могли найти меня по следам.

Орсон, разумеется, тоже способен учуять их. Сейчас, в темноте, его черное тело виделось мне размытым силуэтом, и если бы шерсть на его загривке встала дыбом, я бы наверняка не заметил этого, а значит, пропустил бы приближение врага.

Двигаясь по тропинке, я размышлял над тем, что может отличать этих резусов от других их сородичей.

По крайней мере по внешнему виду тварь, оказавшаяся на кухне Анджелы, являлась типичным представителем своего подвида, хотя и большего размера. Анджела, правда, сказала, что у макаки были «жуткие темно-желтые глаза», но, насколько мне известно, такая окраска радужной оболочки вполне характерна для данной группы приматов. В рассказе Бобби о виденных им обезьянах тоже не было ничего особенного, если не считать их не совсем обычного поведения и размеров вожака. Ни деформированных черепов, ни третьего глаза во лбу, ни здоровенного шурупа в шее, который указывал бы на то, что эти создания были сшиты из кусков трупов и реанимированы в тайной лаборатории сумасшедшей праправнучки доктора Виктора Франкенштейна.

Яйцеголовые подонки из Форт-Уиверна боялись, что обезьяна на кухне Анджелы либо укусила, либо поцарапала ее. Учитывая эти опасения, было бы логично предположить, что животное являлось переносчиком какой-то инфекции, которая передается через кровь или слюну. В пользу этой версии говорило и то, что после этого случая Анджелу заставили ежемесячно сдавать всевозможные анализы. В течение четырех лет у нее регулярно брали кровь, а из этого можно сделать вывод, что потенциальную болезнь отличает сравнительно долгий инкубационный период.

Биологическое оружие. Лидеры всех стран всегда клялись, что не собираются применять это изуверское средство ведения войны. Призывая в свидетели Бога, говоря об ответственности перед судом истории, они торжественно ставили подписи под увесистыми международными договорами, запрещавшими исследования и разработку этого чудовищного оружия. И одновременно с этим в подземных бункерах продолжали готовить коктейли с сибирской язвой, штамповали аэрозольные баллоны с бубонной чумой, выводили новые штаммы кошмарных вирусов и бактерий. Стоит ли удивляться, что ни один из сумасшедших ученых, занятых в этой области, никогда не стоял в очереди на бирже труда.

И все равно непонятно, зачем они подвергли Анджелу принудительной стерилизации. Да, некоторые болезни, перенесенные матерью, могут стать причиной врожденных дефектов у младенца, но, судя по тому, что рассказывала Анджела о своих мучителях из Форт-Уиверна, они вряд ли стали бы беспокоиться о ее возможном потомстве. Было очевидно, что ими двигало не сострадание, а страх, граничащий с паникой.

Я спросил Анджелу, не являлась ли обезьяна переносчиком болезни. Ее ответ не оставлял сомнений: «Хорошо бы, если бы это было так. Возможно, в таком случае меня бы уже вылечили. Или я уже была бы мертва. Смерть гораздо лучше того, что меня ждет».

Но если это не болезнь, то что?

Внезапно ночь и туман прорезал тот самый безумный вопль, который слышали мы с Бобби чуть раньше. Моей задумчивости как не бывало.

Орсон застыл как вкопанный. Я тоже остановился, и щелканье спиц прекратилось.

Мне показалось, что крик раздался с юго-западной стороны, а еще через секунду с противоположной донесся ответный. Охота началась.

В туманной пелене все звуки были обманчивы, поэтому я не мог с точностью определить, на каком расстоянии от нас находились преследователи, но знал, что близко.

Ритмичная, как сердцебиение, пульсация прибоя нарушала тишину ночи. «Интересно, — вдруг подумал я, — какую песню Криса Айзека Саша крутит сейчас?»

Орсон двинулся вперед, и я последовал за ним. Ждать не имело смысла. Мы не могли чувствовать себя в безопасности, оставаясь на пустынном мысе.

Нужно было как можно скорее добраться до города. Впрочем, и там нам грозила опасность.

Не успели мы пройти и двадцати метров, как в тумане снова раздался визгливый улюлюкающий вопль. Через секунду снова прозвучал ответный. На сей раз мы с Орсоном даже не замедлили шаг.

Мое сердце стучало как паровой молот и не успокоилось даже после того, как я напомнил себе, что имею дело всего лишь с обезьянами. Не с хищниками, а с безобидными пожирателями фруктов, ягод и орехов, с миролюбивыми подданными королевства, где не едят мясо.

Неожиданно в моем мозгу сверкнула яркая вспышка, вновь высветив лицо мертвой Анджелы. Я вдруг понял, что именно ускользнуло от моего внимания в тот момент, когда я, потрясенный, вне себя от горя, смотрел на ее распластанное тело. Поскольку рана имела рваные края, мне тогда показалось, что ее горло в несколько приемов перерезано тупым зазубренным ножом, теперь же я осознал, что это не так. Его перегрызли, разорвали зубами. Сейчас, своим внутренним взором, я видел эту страшную картину даже более отчетливо, чем тогда, когда стоял на пороге ванной.

Более того, теперь я вспомнил и другие отметины на ее теле, рассмотреть которые в тот момент у меня не хватило мужества: багровые следы укусов на руках и даже на лице.

Обезьяны. Но не обычные обезьяны.

Поведение убийц в доме Анджелы — возня с куклами, все эти «кошки-мышки» — напоминало скорее игру спятивших детишек. Там, должно быть, находилось несколько обезьян — достаточно маленьких, чтобы прятаться в местах, недоступных для взрослого человека, и передвигавшихся до такой степени быстро, что казались фантомами.

В пелене тумана снова раздался дикий вопль, и ответом на него стали сразу два, прозвучавшие с разных сторон.

Мы с Орсоном быстро двигались вперед. Мне хотелось кинуться сломя голову, но я сдерживал себя. Побеги я, и мои враги с полным основанием сочтут это признаком слабости, а для хищника страх жертвы означает ее слабость и служит сигналом к нападению.

Моя ладонь с такой силой сжимала рукоятку «глока», что они, казалось, срослись.

Сколько этих тварей скрывается в тумане? Может быть, три или четыре, может быть, десять, а может, и больше. Учитывая, что я никогда не стрелял из пистолета, если не считать одного случайного выстрела в доме Анджелы, я был далеко не уверен в том, что сумею поразить всех тварей раньше, чем они меня одолеют.

Мне не хотелось подбрасывать поленья в мрачную топку своего воображения, но помимо собственной воли я стал размышлять о том, какие у резуса зубы. Тупые? Нет, даже травоядным, каковыми являются резусы, необходимо чем-то сдирать кожуру с плодов и раскалывать скорлупу орехов. У них обязательно должны быть резцы. Однако даже в том случае, если именно эти существа отправили на тот свет Анджелу, у них не могло быть клыков, поскольку резусы не относятся к хищникам. У некоторых человекоподобных клыки, правда, имеются. Например, у бабуинов они огромные и страшные. Впрочем, дискуссия по поводу того, какие у резуса зубы, была совершенно непродуктивной, поскольку эти твари показали, на что способны, быстро и жестоко убив Анджелу.

Сначала я даже не увидел, а скорее услышал и почувствовал быстрое движение в тумане, в паре метров справа от себя. А затем заметил темные расплывчатые очертания какого-то существа, которое, прижимаясь к земле, быстро и молча приближалось ко мне. Я повернулся в ту сторону, но оно, задев мою ногу, юркнуло в туман раньше, чем я успел его разглядеть.

Из глотки Орсона послышалось глухое рычание. Повернув морду вправо, он словно угрожал кому-то, не напрашиваясь при этом на драку. Думаю, если бы здесь было светлее, я бы наверняка увидел, что шерсть стоит дыбом не только на загривке пса, а по всей его шкуре.

Я смотрел на пространство низко над землей, опасаясь в любой момент наткнуться на зловещий взгляд темно-желтых глаз, о которых рассказывала Анджела. Однако силуэт нового «гостя», внезапно возникший из тумана, своими размерами не уступал мне, а, возможно, был даже больше. Темный, размытый, он напоминал ангела смерти, парящего в грозовом облаке, скорее даже угадывался, нежели был виден, и от этой его таинственности делалось еще страшнее. Ни желтых глаз. Ни четких очертаний. Ни определенной формы. То ли человек, то ли обезьяна, а может, ни то ни другое. Вожак отряда. Он появился лишь на мгновение и тут же исчез.

Мы с Орсоном снова замерли на месте.

Я медленно поворачивал голову, вглядываясь в колеблющуюся вокруг нас густую муть и пытаясь уловить хотя бы какой-нибудь звук, который мог помочь разобраться в происходящем. Однако враги мои были так же бесшумны, как сам туман.

Я почувствовал себя ныряльщиком, находящимся на огромной глубине. Подводные течения, в которых кружатся планктон и водоросли, тянут его то в одну, то в другую сторону. Вот он увидел акулу, описывающую вокруг него широкие круги, и теперь с трепетом ждет, когда огромная рыба появится снова, чтобы перекусить его пополам.

Что-то задело меня сзади за ноги и ткнулось в джинсы, и это был не Орсон, поскольку оно издало противный шипящий звук. Я попытался лягнуть неизвестное существо, но промахнулся, и оно исчезло в тумане прежде, чем я успел бросить на него взгляд.

Орсон удивленно взвизгнул, как будто с ним случилось то же, что и со мной.

— Ко мне, мальчик! — приказал я, и пес мгновенно подбежал к моей ноге.

Я выпустил руль велосипеда, и тот, звякнув, упал на песок, а затем ухватил пистолет обеими руками и стал медленно поворачиваться вокруг своей оси в поисках подходящей цели.

Неожиданно со всех сторон послышалось мерзкое, злое щебетание. Ошибиться было невозможно: оно принадлежало обезьянам, причем не одной-двум, а как минимум полудюжине.

Если я пристрелю одну из них, другие могут в страхе разбежаться. Или, наоборот, повести себя так же, как обезьяна с мандарином после того, как Анджела пригрозила ей шваброй, — агрессивно и злобно.

Так или иначе, видимость была нулевой. Я не различал не только их желтых глаз, но даже очертаний и поэтому решил не тратить попусту патроны, наобум стреляя в туман. После того как обойма опустеет, я превращусь в легкую добычу.

Щебетание, словно по команде, смолкло.

Сквозь плотные, будто кипящие, волны тумана теперь не пробивались даже звуки прибоя. Я слышал только, как рядом со мной переминается с лапы на лапу Орсон, да собственное тяжелое дыхание.

Из серой клубящейся пелены вновь возник огромный черный силуэт вожака и промелькнул быстро, как на крыльях. Орсон громко зарычал, а я отпрянул назад и включил лазерный прицел. Красная точка заплясала на плотной стене тумана. Однако предводитель обезьян был быстр, как мимолетная тень, пробежавшая по морозному окну. Он исчез раньше, чем я успел навести оружие на его призрачный силуэт.

Я вспомнил коллекцию черепов на лестнице в подземной дренажной трубе. Не исключено, что «коллекционером» был вовсе не безумный подросток, готовящий себя к карьере взрослого садиста. Возможно, черепа являлись трофеями обезьян. От этой мысли я зябко поежился. Однако мне стало еще более не по себе, когда я представил, что к той коллекции могут добавиться еще два экспоната — наши с Орсоном черепа, очищенные от остатков плоти, с пустыми глазницами, мерцающие тусклым блеском.

Из непроницаемой пелены, словно брошенная пращой, вылетела обезьяна и оседлала Орсона. Пес взвыл, начал вертеть головой и клацать зубами, пытаясь укусить непрошеного наездника, и одновременно старался сбросить его со спины.

Тварь находилась так близко, что, несмотря на темноту и густой туман, я видел ее темно-желтые глаза — горящие, холодные и злые, устремленные на меня. Я не мог сбить ее выстрелом, не задев при этом Орсона.

В следующее мгновение обезьяна оттолкнулась от собачьей спины и перелетела на меня. Двенадцать килограммов напружиненных мышц и костей ударили меня в грудь, пытаясь сбить с ног, вцепившись в мою куртку и карабкаясь по ней вверх. Я снова был лишен возможности стрелять, поскольку непременно попал бы в самого себя.

В течение нескольких секунд мы находились лицом к лицу, и я не мог оторвать взгляда от убийственных глаз моего врага. Тварь скалила зубы и злобно шипела, обдавая меня своим зловонным дыханием. Это была обезьяна, и одновременно — что-то другое, а инопланетная чужеродность во взгляде этого существа заставляла кровь сворачиваться в жилах.

Обезьяна сдернула с моей головы кепку. Я попытался ударить ее стволом пистолета, но промахнулся, и тварь, не выпуская кепки, спрыгнула на землю. Я нанес сильный удар ногой, и на сей раз он достиг цели, выбив кепку из лап маленького ублюдка. Резус с визгом подлетел в воздух, тяжело грохнулся на землю и тут же скрылся в тумане.

Забыв про все свои страхи, Орсон с громким лаем кинулся в погоню за обезьяной. Я позвал его обратно, но он не послушался.

После этого передо мной снова возникли огромные очертания вожака. На сей раз его гибкий силуэт промелькнул еще быстрее, чем прежде, но этого хватило для того, чтобы Орсон одумался и сообразил, что преследование обезьяны, пытавшейся похитить мою кепку, является в данной ситуации не самым лучшим выбором. Пес заскулил и вернулся ко мне.

Я поднял с земли кепку, но не стал надевать ее на голову, а смял и сунул во внутренний карман куртки.

Дрожа всем телом, я пытался уверить себя в том, что со мной все в порядке, поскольку обезьяна не укусила меня. Если бы ей удалось меня поцарапать, то сейчас у меня бы саднило лицо или руки, а я ничего похожего не ощущал. Нет, царапин на мне тоже не было. Слава Богу! Даже если обезьяна была переносчиком болезни, передающейся через кровь или слюну, я не мог ею заразиться.

Однако в тот момент, когда тварь сидела у меня на груди, я ощущал ее омерзительное дыхание. Так что если инфекция могла передаваться по воздуху, то у меня на руках уж находился билет в один конец на маршрут в покойницкую.

Услышав позади себя слабое звяканье, я обернулся и обнаружил, что кто-то неразличимый тащит в туман мой велосипед. Его волочили, не поднимая с земли, педаль загребала песок, и я видел уже только заднее колесо. К тому моменту, когда я подскочил и вцепился в него одной рукой, велосипед успел скрыться в тумане почти полностью.

Между невидимым похитителем велосипедов и мной состоялся короткий поединок, в котором я одержал блистательную победу. Судя по всему, скрываясь в густой пелене, мне противостояла пара резусов, а не их здоровенный вожак. Поставив велосипед на колеса, я прислонил его к своему телу и снова поднял «глок».

Орсон подбежал поближе ко мне и, заметно нервничая, еще раз опорожнил мочевой пузырь, избавляясь от остатков выпитого пива. Меня, признаться, удивлял тот факт, что я сам не обмочил штаны.

Некоторое время я хватал ртом воздух, пытаясь восстановить дыхание. Меня била такая крупная дрожь, что пистолет, хоть я и держал его обеими руками, выписывал в воздухе причудливые вензеля. Вскоре, однако, я немного успокоился. Сердце мое стало биться не так часто и уже не грозило сломать мне ребра.

Словно остовы кораблей-призраков, в противоестественной тишине мимо меня нескончаемой флотилией проплывали серые клубы тумана. Никакого щебетания. Никакого визга или шипения. Никаких безумных воплей. Ни дуновения ветра, ни шума прибоя. Ничего! На мгновение мне показалось, что я сам не заметил, как меня убили, и теперь я стою у порога в другой мир, ожидая, пока откроется дверь и меня подведут пред очи Великого Судии.

Неслышно капали секунды. Покой вокруг меня ничем не нарушался, и произошедшее столкновение с обезьянами должно было казаться мне все более нереальным, однако произошло обратное. С каждым мгновением воспоминания о нем приобретали все более яркие краски, и я даже начал думать, что страшные желтые глаза не просто запали мне в память, а оставили зарубку на моей душе.

Наконец стало ясно, что игра — по крайней мере сейчас — окончена. Не выпуская из руки «глок», я покатил велосипед вперед. Орсон семенил рядом.

Я не сомневался в том, что обезьяны продолжают следить за нами, хотя и с большего расстояния, нежели прежде. В тумане не было видно крадущихся силуэтов, но они по-прежнему находились там. Наверняка.

Обезьяны. И — не обезьяны. Вероятно, сбежавшие из лабораторий Форт-Уиверна.

Конец света — так сказала Анджела.

Мир погибнет не в огне.

И не подо льдом.

Гораздо страшнее.

От обезьян. Мир погубят обезьяны.

Апокалипсис, сотворенный лапами приматов.

Армагеддон. Конец, финиш, завершение всего, день обреченных, когда закрывается последняя дверь и навсегда гаснет свет.

Полное, абсолютное, тотальное безумие! Я вновь и вновь пытался объять своим разумом все известные мне факты и выстроить их хотя бы в какое-то подобие логической цепочки, но каждый раз ее разрушала огромная волна чего-то неопределимого и непредсказуемого.

Меня всегда поражала жизненная позиция Бобби, его несокрушимая твердость в стремлении дистанцироваться от неразрешимых проблем повседневности и оставаться чемпионом среди лодырей. Теперь же этот подход к жизни казался мне не только оправданным, но даже логичным, единственно правильным и мудрым.

Не рассчитывая на то, что я доживу до зрелого возраста, мои родители растили меня таким образом, чтобы я имел как можно больше возможностей играть, развлекаться, удовлетворять свое любопытство, жить, не испытывая беспокойства и страха, жить сегодняшним днем, не думая о будущем. Короче говоря, они хотели, чтобы я веровал в Бога и, подобно другим людям, видел в своей жизни определенное предначертание — быть благодарным за свою ущербность в такой же степени, как за дарованные мне таланты и способности, поскольку и то и другое лежит вне пределов нашего понимания. Разумеется, они понимали необходимость привить мне самодисциплину и уважение к другим. Однако все эти вещи приходят сами собой, если человек искренне верит в то, что, помимо материального, его жизнь имеет еще и духовное измерение и что он является тщательно отшлифованной частицей таинственной мозаики под названием Жизнь.

Хотя существовало мало надежд на то, что я сумею пережить своих родителей, мои папа и мама — сразу же после того, как врачи определили у меня ХР, — все же предусмотрели такую возможность. Они приобрели весьма дорогой страховой полис на тот случай, если умрут раньше меня, и благодаря этому я теперь был бы вполне обеспеченным человеком даже в том случае, если бы не написал больше ни одной статьи или книги. Рожденный для того, чтобы играть, развлекаться и удивляться, не предназначенный для работы и обязанностей, которыми отягощен любой другой человек, я мог бы спокойно забросить свою писанину и стать таким отрешенным от всего фанатичным серфером, по сравнению с которым Бобби Хэллоуэй показался бы подлинным трудоголиком, с тягой к развлечениям меньшей, нежели у кочана капусты. Я мог бы предаваться всепоглощающему безделью, не испытывая при этом чувства вины, поскольку был рожден для жизни, какой жили бы все люди, если бы некогда не нарушили условия аренды и не были изгнаны из Эдема. Моей жизнью, так же как жизнью любого человека, правят капризы судьбы, однако благодаря своей болезни я разбираюсь в них лучше остальных и поэтому чувствую себя более уверенно.

И тем не менее сейчас, двигаясь к восточной стороне мыса, я продолжал судорожно искать смысл всего, что мне пришлось увидеть и узнать после захода солнца.

Как раз перед тем, как мы с Орсоном подверглись нападению со стороны обезьян, я сосредоточенно размышлял, что же в них такого особенного. В отличие от обычных резусов эти демонстрировали скорее наглость, нежели застенчивость, были не веселы, а угрюмы. И еще в них угадывалась какая-то бешеная злоба. Это, впрочем, было не главным, что отличало тварей от их обычных сородичей. Их злость являлась результатом какого-то другого, более важного отличия, которое было очевидным, но настолько необъяснимо ужасным, что мне даже не хотелось о нем думать.

Пелена тумана была такой же густой, как раньше, но теперь он стал значительно светлее. Сквозь его клубы уже угадывались едва различимые огоньки. Это светились дома и уличные фонари, расположенные вдоль берега.

Эти первые признаки цивилизации заставили Орсона радостно — а может, просто облегченно — взвизгнуть, однако даже в городе нам продолжала грозить такая же опасность, как за его пределами.

Оставив мыс позади и очутившись на Эмбаркадеро-уэй, я остановился, вынул из кармана смятую кепку, водрузил ее на голову и лихим рывком натянул по самые брови. Человек-слон надевает свой костюм!

Склонив голову набок, Орсон окинул меня оценивающим взглядом, а затем одобрительно фыркнул. В конце концов, он был собакой человека-слона, поэтому его собственный имидж зависел от того, насколько достойно и изящно подаю себя я.

Благодаря уличным фонарям видимость увеличилась примерно до тридцати метров. Словно призрачные волны древнего и давно пересохшего моря, туман поднимался из залива и растекался по улицам города. Свет преломлялся в каждой его крошечной капельке и отражался в следующей.

Если обезьяны и до сих пор продолжали следовать за нами, то теперь, чтобы оставаться незамеченными, им пришлось бы держаться на гораздо большем расстоянии, нежели они могли позволить себе на пустынном полуострове мыса.

Словно в переложении «Убийства на улице Морг» Эдгара По, им пришлось бы красться по паркам, неосвещенным бульварам, перебираться по балконам, карнизам и крышам домов.

В этот поздний час на улицах не было ни пешеходов, ни машин. Город казался вымершим.

У меня возникло тревожное чувство, что сейчас я вижу Мунлайт-Бей таким, каким ему предстоит стать в недалеком будущем — городом призраков.

Я взобрался на велосипед и покатил вверх по Эмбаркадеро-уэй. Человек, который, заявившись в радиостудию, пытался найти меня через Сашу, ожидал на яхте, стоявшей у причала.

Крутя педали, я вновь вернулся мыслями к обезьянам нового тысячелетия, как окрестил их Бобби. Мне казалось, что я уже определил все главные различия между обычными резусами и этим сверхъестественным отрядом, который скрытно преследовал меня в ночи, и все же мне было страшно пойти до конца и сделать финальный вывод, хоть он и напрашивался сам собой: эти обезьяны были умнее обычных.

Гораздо умнее. В тысячу раз.

Они поняли, для чего Бобби понадобился фотоаппарат, и украли его. А потом украли и второй.

Они узнали мое лицо у куклы, стоявшей среди тридцати других на полке в кабинете Анджелы, и выбрали именно ее, чтобы запугивать меня. Чуть позже они подожгли дом, желая скрыть убийство Анджелы.

Возможно, яйцеголовые в Форт-Уиверне и впрямь занимались разработкой бактериологического оружия, но это не объясняло, почему макаки из их лабораторий значительно превосходили по уму всех своих сородичей, когда-либо скакавших по деревьям.

Да и что означает в данном случае слово «значительно»? Насколько они умнее других? Наверное, не настолько, чтобы выиграть главный приз в телевизионной игре «Поле чудес», и не до такой степени, чтобы преподавать поэзию в университете, успешно руководить музыкальной радиостанцией, отслеживать волны в разных уголках земного шара, и, возможно, их ума не хватило бы даже для того, чтобы написать книгу, ставшую, по признанию «Нью-Йорк таймс», бестселлером. Однако у них могло хватить сообразительности, чтобы превратиться в самую опасную и неконтролируемую чуму, которую когда-либо знало человечество. Представьте, что могли бы наделать крысы и как быстро развелось бы их поголовье, имей они хотя бы половину человеческой смекалки и узнай они, каким способом можно избегать ловушек и крысоловок.

Действительно ли эти животные сбежали из лаборатории, а теперь скрываются и умело избегают пленения? Если так, то первый вопрос — каким образом они сумели стать такими умными? Второй — что им нужно? Что они собираются делать дальше? Почему никто не предпринял попытки выследить их, окружить и вернуть в надежные клетки, откуда они уже никогда не смогли бы убежать?

Или они являются орудием в руках кого-то, затаившегося в Уиверне? Того, кто выдрессировал их так же, как полицейские дрессируют собак, как в военно-морских силах натаскивают дельфинов, чтобы те в случае войны искали вражеские подлодки и даже, как говорят, устанавливали магнитные мины на днища военных кораблей.

В моем мозгу вертелись десятки вопросов, и все они казались одинаково безумными.

В зависимости от ответов на них эффект от появления подобной породы обезьян мог потрясти всю землю. Для человеческой цивилизации это могло бы иметь самые трагические последствия, особенно учитывая злобность и агрессивность этих существ.

Вполне возможно, когда я разузнаю все факты — если, конечно, это случится, — мрачные предсказания Анджелы покажутся мне радостным лепетом оптимиста. Впрочем, для нее самой они уже сбылись.

Кроме того, я подозревал, что обезьянами вся эта история далеко не исчерпывается. Они играли всего лишь в одном из актов этой эпической трагедии. Впереди меня ожидало еще много новых открытий.

По сравнению с проектом Форт-Уиверна пресловутый ящик Пандоры, откуда на человечество сыпались глад, мор, войны, неурожаи и наводнения, мог показаться всего лишь шкатулкой для милых безделушек.

В своем желании поскорее добраться до причала я, сам того не замечая, крутил педали так быстро, что Орсон уже не рысил, а скакал галопом, пытаясь не отстать от меня. Он прилагал героические усилия: уши его взлетали и падали, лапы мелькали, словно у скакуна, но угнаться за мной ему все равно не удавалось.

На самом деле я гнал велосипед не из-за того, что так уж спешил добраться до причала, а потому, что пытался спастись от гигантской волны ужаса, несущейся по пятам за нами.

Вспомнив последние слова папы, я перестал крутить педали и катился по инерции до тех пор, пока Орсон не поравнялся со мной.

Никогда не бросай друга. Друзья — это все, что мы имеем, идя по этой жизни, и единственное, что мы можем надеяться увидеть в следующей.

Кроме того, когда на тебя накатывает волна страха, самое лучшее, что ты можешь сделать, это выбрать момент, оседлать ее и скользить по гребню, громко крича и делая вид, что тебе не страшно. Это не просто классно, это — классика.

22

С ласковым, нежным звуком, с каким ударяются друг о друга тела молодоженов в постели, низкие волны прокатывались между бетонными сваями и с негромким хлюпаньем разбивались о стену причала. Во влажном воздухе витал слабый, но приятный запах, в котором смешались океанская соль, аромат свежих водорослей, креозота, ржавеющего железа и еще чего-то неведомого.

Стоянка судов расположилась в защищенном от ветра и волн северо-восточном уголке залива. Здесь стояли на якоре около трех сотен яхт, причем на шести из них хозяева обитали постоянно. Нельзя сказать, что жители Мунлайт-Бей были помешаны на яхтенном спорте, но тем не менее, если на причале должно было освободиться стояночное место, длинная очередь желающих заполучить его выстраивалась задолго до этого.

Ведя велосипед за руль, я шел к дальнему концу главного пирса, тянувшегося параллельно берегу. Автомобильные покрышки елозили и постукивали по мокрым неровным причальным доскам. В этот поздний час светились иллюминаторы только одной из всех пришвартованных здесь яхт. Путь мне освещали редкие фонари, горевшие в тумане мутным светом.

Поскольку рыболовные суда швартуются гораздо дальше — вдоль северного мыса залива, эта укрытая от непогоды гавань использовалась в основном для стоянки прогулочных судов. Здесь можно найти и шлюпы, и ялики, и кечи — от самых скромных до весьма внушительных, хотя первых гораздо больше. Тут стоят и моторные яхты — солидные и по размеру, и по цене, несколько бостонских вельботов и даже два плавучих дома. Из пришвартованных здесь парусных судов самым большим можно по праву назвать двадцатиметровый катер под названием «Вечерний танцор», а из моторных яхт — «Ностромо», к которой я сейчас и направлялся.

Достигнув конца основного пирса, я свернул на отходивший от него под прямым углом дополнительный причал, по обеим сторонам которого покачивались суда. «Ностромо» занимала последнее справа причальное место.

«И я один — знакомец ночи».

Именно этой фразой Саша попыталась сообщить мне, кто был тот человек, что пришел в радиостудию, разыскивая меня, который не хотел, чтобы его имя называли по телефону, и отказался ехать или звонить к Бобби. Произнесенная Сашей фраза являлась строкой из стихотворения Роберта Фроста, и те, кто подслушивал все наши телефонные разговоры, ни за что не смогли бы расшифровать ее. Для меня же было очевидно, что Саша подразумевала Рузвельта Фроста, которому принадлежала «Ностромо».

Я прислонил велосипед к поручням причала рядом со сходнями, поднимавшимися на палубу яхты Рузвельта. В этот момент на причал накатилась волна. Пришвартованные суда задвигались и заскрипели, как ревматический старик, что ворочается и тихонько кряхтит во сне.

Я и раньше, оставляя свой велосипед без присмотра, никогда не приковывал его цепью, поскольку в отличие от остального современного мира Мунлайт-Бей не был заражен бациллами преступности. Возможно, к тому времени, как закончатся нынешние выходные, наш красочный городок ввергнет всю страну в череду убийств, увечий, избиений священников и так далее, но по поводу резкого увеличения числа велосипедных краж нам беспокоиться не приходилось.

Сходни были влажными и предательски скользкими, поэтому мы с Орсоном поднимались с предельной осторожностью. Мы преодолели уже две трети пути, как вдруг низкий голос — почти шепот — словно из тумана прямо над моей головой тихо спросил:

— Кто идет?

От неожиданности я едва не упал, но вовремя вцепился в поручень лестницы и сохранил равновесие.

Яхта модели «Блюуотер-563», к которым относилась «Ностромо», представляет собой низкое стройное двухпалубное судно. Рулевая рубка расположена наверху. Сейчас светились только зашторенные иллюминаторы двух кают — на юте и в средней части судна. Открытая верхняя палуба и рубка были погружены во тьму и укутаны туманом, поэтому я не видел говорившего.

— Кто идет? — повторил свой вопрос мужчина — все так же тихо, но уже с явно различимой угрозой в голосе. Голос этот принадлежал Рузвельту Фросту.

— Это я, Крис Сноу, — подал я ответную реплику.

— Загороди глаза, сынок.

Я надвинул на глаза козырек кепки, крепко зажмурился и в следующую секунду почувствовал на лице яркий свет фонаря. Он тут же погас, и Рузвельт спросил:

— А с тобой — твой пес?

— Да, сэр.

— И больше никого?

— Что, простите?

— Ты один? С тобой больше никого нет?

— Нет, сэр.

— Ну, тогда добро пожаловать на борт.

Фигура стоявшего на верхней палубе Рузвельта была теперь видна, поскольку он переместился ближе к поручням и находился сейчас позади рулевой рубки. Впрочем, если бы я не знал, что передо мной именно он, то вряд ли смог бы узнать его даже с этого сравнительно небольшого расстояния. Рузвельта надежно маскировали ночь, мутный кисель тумана и его собственная черная кожа.

Пропустив Орсона вперед, я перепрыгнул через неширокий зазор между ступенями сходней и бортом, и мы с псом быстро взобрались по ступенькам, ведущим на верхнюю палубу.

Вскарабкавшись наверх, я увидел перед собой Рузвельта Фроста с ружьем в руках. Похоже, в самом скором времени Национальная стрелковая ассоциация переместит свою штаб-квартиру в Мунлайт-Бей. Сейчас ствол оружия был направлен в сторону, но я был уверен: до тех пор, пока Рузвельт с помощью фонарика не убедился в том, что я — это я, он постоянно держал меня на мушке.

Даже без ружья в руках он являл собой весьма величественное зрелище: метр девяносто с гаком, шея — как бетонная свая, плечи — как стаксель, обхват рук — шире, чем любое штурвальное колесо. Этот гигант вполне мог бы заменить Моби-Дика в борьбе с капитаном Ахабом. В шестидесятых и начале семидесятых годов он был звездой американского футбола, и спортивные обозреватели дали ему кличку Кувалда. Сейчас Фросту было шестьдесят три года, он являлся удачливым бизнесменом, владел магазином мужской одежды, мини-маркетом, а также половиной акций «Кантри-клуба» и гостиницы «Мунлайт-Бей». Но и теперь он без труда размазал бы по стенке любого из тех генетических мутантов и накачанных стероидами бегемотов, которые играют в нынешних командах.

— Здорово, песик, — промурлыкал он.

Орсон фыркнул.

— Ну-ка подержи, сынок, — прошептал Рузвельт, протягивая мне ружье.

На кожаном ремешке вокруг его шеи висел какой-то чудной и очень сложный бинокль. Рузвельт поднес его к глазам и стал озирать пирс, по которому я только что пришел к «Ностромо». С высоты верхней палубы открывался прекрасный обзор, но это было в хорошую погоду, а сейчас, ночью, да еще в этом непроглядном тумане...

— Неужели вы что-нибудь видите? — удивился я.

— Бинокль ночного видения. Он усиливает освещенность в восемнадцать тысяч раз.

— Но туман...

Рузвельт надавил кнопку на бинокле, и внутри раздалось жужжание какого-то механизма.

— Он работает еще и в режиме инфракрасного видения и тогда показывает лишь источники тепла.

— Тут, на причалах, их должно быть очень много.

— Только не тогда, когда у яхт выключены двигатели. Кроме того, меня интересуют только те источники тепла, которые двигаются.

— Люди?

— Может быть.

— А кто же тогда?

— Любой, кто мог за тобой следовать. А теперь заткнись, сынок.

Я заткнулся, и пока Рузвельт при помощи своего бинокля обследовал причал, думал о том, что эта бывшая футбольная звезда и нынешний преуспевающий бизнесмен не так прост, каким кажется на первый взгляд. Эта мысль не очень удивила меня. После захода солнца уже много людей открылись передо мной с самых неожиданных сторон, обнаружив в себе такие качества, о которых я раньше и не подозревал. Оказывается, даже Бобби хранил от меня секреты: ружье в шкафчике для швабр, обезьяний отряд... Теперь, узнав об убеждении Пиа Клик в том, что она является возродившейся богиней серфинга Каха Хуной, я понял, почему Бобби так горько и неприязненно реагировал на любые проявления того, что он называл «потусторонней ахинеей», в том числе и мои редкие и вполне невинные замечания по поводу необычных способностей моего пса. Кстати, на протяжении нынешней ночи один только Орсон оставался самим собой, хотя я бы, наверное, не удивился, даже если бы он вдруг поднялся на задние лапы и лихо отчебучил огненную чечетку.

— «Хвоста» за тобой нет, — сообщил наконец Рузвельт, опустив бинокль на грудь и забрав из моих рук ружье. — Сюда, сынок.

Я последовал за ним по направлению к корме, где у правого борта виднелся открытый люк.

Рузвельт остановился и посмотрел в сторону палубной ограды, где до сих пор околачивался Орсон.

— Ко мне! Иди сюда, псина.

Барбос держался в отдалении вовсе не потому, что учуял на палубе что-то интересное. Просто сейчас, как всегда в присутствии Рузвельта, он испытывал необъяснимую застенчивость.

Хобби нашего теперешнего хозяина являлось «общение с животными» — штука, горячо любимая ведущими дневных телевизионных ток-шоу и, несомненно, подпадающая под определение Бобби «потусторонняя ахинея». Рузвельт, однако, не кичился этим своим талантом и демонстрировал его лишь после долгих уговоров со стороны друзей и соседей. Само упоминание о возможности «общаться с животными» вызывало у Бобби пену изо рта — даже задолго до того, как Пиа Клик уверилась в том, что она — возродившаяся богиня серфинга, и сосредоточилась на поисках своего Кахуны. Рузвельт утверждал, что способен определять и устранять причины беспокойства у различных животных, которых к нему приносили, а также разговаривать с ними. Он не брал денег за свои услуги, но даже это его бескорыстие не могло переубедить Бобби. «Слушай, Сноу, — говорил мой друг, — я никогда не утверждал, что Рузвельт — шарлатан, желающий подзаработать. Нет, дед старается от чистого сердца, но просто в свое время он, видимо, слишком часто ударялся башкой об штангу».

По словам Рузвельта, единственным животным, с которым ему ни разу не удалось пообщаться, был мой Орсон. Фрост воспринимал это как вызов своим способностям и не упускал ни одного случая, чтобы разговорить его.

— Ну, иди сюда, старый бродяга.

С видимой неохотой Орсон все-таки принял приглашение. Послышалось клацанье его когтей по палубе.

Не выпуская ружья из рук, Рузвельт полез в открытый люк, спускаясь по фибергласовым ступенькам, слабо освещенным идущим снизу светом. Он пригнул голову, сдвинул свои могучие плечи и прижал руки к бокам, пытаясь сделаться меньше размером. И все равно казалось, что этот огромный человек вот-вот застрянет в узком проеме.

Орсон колебался, боязливо опустив хвост, но наконец все же набрался смелости и последовал вслед за нашим хозяином. Я замыкал процессию. Ступени вели на нижнюю палубу.

Орсон не проявлял желания войти в уютную каюту, освещенную светом одной лишь настольной лампы, но после того, как мы с Рузвельтом переступили порог, он стряхнул со своей шкуры осевшие на ней капли влаги, забрызгав пол вокруг себя, и все же последовал за нами. Мне даже показалось, что он задержался за порогом специально для того, чтобы не забрызгать нас.

После того как Орсон оказался внутри, Рузвельт

запер дверь и на всякий случай даже подергал ее. Затем — еще раз.

Пройдя через кормовую каюту, мы оказались в кают-компании, обставленной шкафами из красного дерева и с полом, выложенным паркетом — также красного дерева, но фальшивого. В связи с моим присутствием салон был освещен лишь подсветкой в стеклянном шкафу, где красовались футбольные трофеи хозяина, и двумя толстыми зелеными свечами, стоявшими в блюдечках на столе.

Здесь витал аромат свежесваренного кофе. Рузвельт предложил мне чашечку, и я не стал отказываться.

— Я знаю про твоего папу. Прими мои соболезнования.

— Все уже позади.

Рузвельт удивленно вздернул бровь:

— Ты так полагаешь?

— По крайней мере для него.

— Но не для тебя. После того, что тебе довелось увидеть.

— А откуда вам знать, что я увидел? — нахмурился я.

— Слухами земля полнится, — уклончиво ответил он.

— Что вы...

— Поговорим об этом чуть позже, — сказал Рузвельт, подняв ладонь размером с весло. — Я ждал тебя здесь именно для этого. Но я до сих пор обдумываю, что именно и как должен тебе сказать. Не торопи меня, сынок, дай мне сообразить.

Налив в чашки кофе, громадный мужчина снял свой нейлоновый дождевик, повесил его на спинку стула и сел за стол. Знаком велев мне сесть по диагонали от него, он ногой пододвинул к себе третий стул и предложил его Орсону:

— Устраивайся, псина.

Так случалось каждый раз, когда мы бывали у Рузвельта. Орсон, как всегда, сделал вид, что ничего не понимает, и улегся на пол поближе к холодильнику.

— Так себя вести нельзя, — обратился к нему Рузвельт.

Орсон зевнул.

Носком ботинка Рузвельт постучал по стулу, предназначавшемуся для собаки.

— Будь умным песиком.

Орсон зевнул еще более фальшиво, нежели в первый раз. Он явно переигрывал.

— Я ведь могу встать, взять тебя на руки и насильно посадить на стул, но это будет оскорблением для твоего хозяина, которому хотелось бы, чтобы ты, находясь в гостях, вел себя вежливо, — проговорил Рузвельт.

Он говорил доброжелательно, и в голосе его не было угрозы. Его широкое лицо напоминало маску Будды, а в глазах светилась доброта и ласка.

— Будь же умным песиком, — повторил Рузвельт.

Орсон шаркнул по полу хвостом, сделал вид, что ловит блоху, а затем перевел взгляд с Рузвельта на меня и склонил голову набок. Я пожал плечами. Рузвельт снова легонько постучал ботинком по стулу.

Орсон поднялся с пола, но не торопился приближаться к столу.

Из кармана дождевика, висевшего на спинке стула, Рузвельт вынул собачье печенье в виде косточки и поднес его к пламени свечи, чтобы пес мог его видеть. Зажатое между большим и указательным пальцами хозяина яхты печенье казалось маленьким, словно брелок, подвешенный к браслету, хотя на самом деле было изрядных размеров. Неторопливо и торжественно Рузвельт положил его на стол напротив того места, которое отвел для собаки.

Орсон следил за движением его руки глазами, полными вожделения, сделал несколько шагов по направлению к стулу, но остановился, не доходя до него. Пока что его обычная сдержанность побеждала.

Рузвельт выудил из кармана дождевика второе печенье, поднес его к пламени свечи и повертел, словно это был редкостный драгоценный камень, а затем положил рядом с первым.

Было видно, что Орсон снедаем желанием получить лакомство, и тем не менее даже теперь пес не подошел к стулу. Он застенчиво опустил голову, а затем исподлобья посмотрел на хозяина яхты. Это был единственный человек, с которым Орсон никогда не решался встречаться взглядом.

Рузвельт достал из кармана водонепроницаемого плаща третье печенье, поднес его к своему плоскому сломанному носу и сделал сладострастный вдох, словно смакуя неземной аромат угощения в форме косточки.

Орсон поднял голову и тоже втянул носом воздух.

Рузвельт хитро улыбнулся, подмигнул псу, а затем сунул собачье печенье в рот, с видимым удовольствием разжевал его и запил глотком кофе, издав вздох наслаждения.

Не могу не признать, что эта сцена произвела на меня сильное впечатление. Я никогда раньше не видел, чтобы Рузвельт выкидывал такие номера.

— Ну и как, вкусно?

— Неплохо. Похоже на пшеничную соломку. Хочешь попробовать?

— Нет, сэр, спасибо, — вежливо отказался я. Мне вполне хватало кофе.

Уши Орсона стояли торчком. На сей раз Рузвельту удалось безраздельно завладеть его вниманием. Если этот гигантский чернокожий человек с мягким голосом действительно любит собачье печенье, то несчастному псу, и дальше разыгрывающему неподкупность, может ничего не достаться.

Рузвельт вытащил из кармана еще одно печенье. Он снова поднес его к носу и сделал такой глубокий вдох, что я было испугался, как бы он не засосал в свою ноздрю и меня вместе со стулом. Глаза Рузвельта закатились, а по его телу пробежала дрожь наслаждения. Казалось, что он находится в восторженном экстазе и вот-вот забьется в конвульсиях от божественного запаха собачьего лакомства.

Примерно в таком же состоянии находился к этому моменту и Орсон. Он оттолкнулся лапами от пола и вскочил на стул, стоявший на противоположной от меня стороне стола, — тот самый, на который зазывал его Рузвельт. Усевшись на стуле, пес стал тянуть шею — до тех пор, пока его нос не оказался в сантиметре от носа Рузвельта. Так — вдвоем — они и нюхали печенье. Однако на сей раз гигант не сунул печенье в рот, а аккуратно положил его на стол перед Орсоном — рядышком с теми двумя, которые уже лежали там.

— Молодец, старый бродяга.

Я не очень-то верил в то, что Рузвельт Фрост на самом деле умеет общаться с животными, но вот собачий психолог из него отменный, в этом сомневаться не приходится.

— Эй-эй-эй! — предостерег он пса.

Орсон поднял на него страдальческий взгляд.

— Ты не должен их есть, пока я тебе не разрешу.

Пес облизнулся.

— И учти, разбойник, если ты сожрешь их без моего разрешения, то больше никогда — никогда в жизни! — не получишь ни одного печенья.

Орсон тоненько, умоляюще заскулил.

— Я серьезно говорю, барбос, — предупредил Рузвельт ровным, но твердым голосом. — Я не могу тебя заставить разговаривать со мной, если тебе этого не хочется, но, находясь на борту моего судна, ты обязан демонстрировать хотя бы минимум хороших манер. Ты не имеешь права прийти ко мне в гости и сразу же, как какой-нибудь дикий волк, сожрать все угощение.

Орсон смотрел в глаза Рузвельту, словно раздумывая, удастся ли ему удержаться в рамках приличий и не превратиться в волка перед лицом такого соблазна.

Рузвельт выдержал его взгляд не моргнув.

Видимо, решив, что это не пустые угрозы, пес перенес все свое внимание на три лежавших перед ним печенья. Он смотрел на них с такой безысходной любовью, что я уже начал подумывать, не попробовать ли и мне эту вкуснотищу.

— Хороший песик, — похвалил Рузвельт.

Он взял со стола пульт дистанционного управления и нажал на нем кнопку. Странно, как ему это удалось. Пальцы у него были такими толстыми, что, казалось, они не могут нажимать меньше трех кнопок сразу. Позади Орсона поползла вверх автоматическая шторка, за которой обнаружилась ниша, уставленная загадочными электронными приборами со светящимися шкалами. Щелкнув, включился большой монитор. Экран оказался разделенным на четыре части, на каждой из которых были видны различные участки затянутого туманом причала и залива со всех четырех сторон от «Ностромо».

— Что это? — поинтересовался я.

— Система безопасности. — Рузвельт положил пульт дистанционного управления. — Если кто-нибудь приблизится к яхте, датчики движения и инфракрасные сенсоры немедленно засекут его и оповестят нас. Затем телескопические линзы автоматически фокусируются на незваном госте — раньше, чем он успеет приблизиться, и мы тут же узнаем, с кем имеем дело.

— А с кем мы имеем дело?

Человек-гора неторопливо сделал два больших глотка из чашки и только потом сказал:

— Ты, по-моему, и без того знаешь чересчур много.

— Что вы имеете в виду? Кто вы?

— Я — это я, и никто больше, — откликнулся он. — Всего лишь старый Рузи Фрост. Если ты полагаешь, что я, возможно, один из тех, кто за всем этим стоит, то ошибаешься.

— А кто за этим стоит? И за чем именно?

Глядя на монитор, разделенный на четыре части, в каждую из которых передавался сигнал одной из четырех камер наблюдения, он сказал:

— Если удача еще не отвернулась от меня, они пока не знают, что мне о них известно.

— О ком? О людях из Уиверна?

Рузвельт вновь повернулся ко мне.

— Они уже не только в Уиверне. Теперь они — и в городе. Я не знаю, сколько их. Может быть, пара сотен, может, полтысячи, но не больше. По крайней мере пока. Впрочем, нет сомнений, что это быстро распространяется и уже вышло за пределы Мунлайт-Бей.

— Что-то вы темните, — непонимающе сказал я.

— Да, насколько могу.

Не говоря больше ни слова, Рузвельт встал, взял кофейник и вновь наполнил наши чашки. Судя по всему, он намеревался раздразнить мое любопытство, хотел, чтобы я ждал дальнейших кусочков информации с таким же нетерпением, как бедный Орсон — разрешения съесть свое печенье.

Пес облизал крышку стола вокруг трех лежащих на нем печений, но его язык ни разу не прикоснулся к лакомству.

Когда Рузвельт снова занял свое место за столом, я спросил:

— Если вы не имеете ничего общего с теми людьми, откуда же вы знаете о них так много?

— Не так уж много я и знаю.

— По крайней мере, вам известно гораздо больше, чем мне.

— Я знаю только то, что мне рассказывают животные.

— Какие именно?

— Уж не твоя собака, это точно.

Орсон оторвался от созерцания лакомств и поглядел на меня.

— Он у тебя самый настоящий сфинкс, — сказал Рузвельт.

Видимо, сам того не заметив, вскоре после заката я шагнул в зачарованное зеркало и оказался в стране, где не было ничего невозможного.

— Тебе и не надо знать всего — лишь то, после чего ты поймешь, что должен забыть все виденное в гараже больницы и позже — в крематории.

Я выпрямился на стуле, будто кто-то дернул меня за волосы.

— Вы — один из них!

— Нет. Расслабься, сынок. Со мной ты в безопасности. Сколько мы с тобой уже дружим? Больше двух лет, если считать с того дня, когда ты впервые пришел сюда со своей собакой. Ты и сам знаешь, что можешь мне доверять.

Однако я не мог доверять Рузвельту Фросту и вполовину прежнего. Я вообще не знал, насколько могу доверять тем представлениям, в которые безоговорочно верил прежде.

— Однако если ты не забудешь о том, что увидел, если попытаешься вступить в контакт с представителями властей вне города, ты поставишь под угрозу многие жизни.

Мне показалось, что сердце мое сдавили невидимые клещи, и я спросил:

— Вы только что сказали, что являетесь мне другом, и тут же начинаете угрожать.

Рузвельт принял обиженный вид.

— Я и есть твой друг, сынок, и я вовсе не собираюсь тебе угрожать. Я просто передаю тебе...

— Знаю. То, что говорят вам животные.

— Все это хотят сохранить в секрете люди из Уиверна, а не я. Тебе — лично тебе — опасность не грозит, даже если ты попытаешься связаться с властями вне нашего города. Не грозит, по крайней мере, поначалу. Тебя они не тронут. Кого угодно, только не тебя. Тебя они почитают.

Это было самое ошеломляющее заявление Рузвельта за время нашего разговора. Я изумленно моргнул.

— Почитают?!

— Да. Ты внушаешь им благоговение.

Орсон смотрел на меня внимательно и неотрывно, на время забыв о трех обещанных ему печеньях.

Нет, я был не просто ошеломлен словами Рузвельта. Меня как будто ударили кувалдой по черепу.

— С какой стати кто-то станет передо мной благоговеть?

— Это объясняется тем, кто ты есть.

Мои мысли беспорядочно метались, выделывая дурацкие антраша.

— А какой я есть?

Рузвельт задумчиво наморщил лоб, потер подбородок и только затем ответил:

— Черт бы меня побрал, если я знаю. Я всего лишь передаю тебе то, что мне сказали.

Что же за животное рассказало тебе все это, черный доктор Айболит?

Я почувствовал острый прилив скептицизма, столь характерного для Бобби.

— Дело в том, что люди из Уиверна не станут убивать тебя до последнего момента и пойдут на это лишь в том случае, если ты не оставишь им иного шанса и убийство будет последней возможностью заткнуть тебе рот.

— Когда вы разговаривали с Сашей этим вечером, вы сказали, что речь идет о жизни и смерти.

— Так оно и есть, — торжественно кивнул Рузвельт. — О жизни ее самой и других людей. Если верить тому, что я слышал, эти негодяи постараются подчинить тебя своей воле, убивая людей, которые тебе дороги. Они будут делать это до тех пор, покуда ты не прекратишь своих попыток что-либо разузнать и не станешь жить прежней жизнью.

— Людей, которые мне дороги?

— Сашу. Бобби. Даже Орсона.

— Они станут убивать моих друзей лишь для того, чтобы заткнуть мне рот?

— Вот именно. До тех пор, пока ты не заткнешь его. Они будут убивать их одного за другим — пока ты не замолчишь, чтобы спасти оставшихся.

Я был готов рисковать собственной жизнью, выясняя, что и почему случилось с моими мамой и папой, но ставить под удар своих друзей я не мог.

— Это чудовищно! Убивать невинных...

— Таковы те, с кем ты имеешь дело.

От напряжения у меня трещала голова, и казалось, что она в любой момент расколется, словно орех после удара молотком.

— Так с кем же именно я имею дело?

Рузвельт отхлебнул кофе и не ответил.

Может, он и вправду мой друг, может, его предостережения и впрямь могли спасти жизни Саши или Бобби, но сейчас мне хотелось сделать ему больно. Мне хотелось обрушить на него серию безжалостных ударов, пусть даже при этом я сломал бы себе обе руки.

Орсон положил лапу на стол, но вовсе не для того, чтобы сбросить на пол печенья и таким образом добраться до них. Он всего лишь хотел удержать равновесие, поскольку далеко вытянул шею и напряженно смотрел куда-то поверх моей головы. Его внимание привлекло нечто находившееся позади камбуза и стола, за которым мы сидели.

Я повернулся на стуле, чтобы проследить за взглядом собаки. В углу стоял стеклянный шкаф с подсветкой, в котором были выставлены многочисленные футбольные трофеи Фроста. Свет из него падал на ручку дивана, а на ней сидела кошка. Она казалась светло-серой. Мордочка животного находилась в тени, и оттуда на меня смотрели зеленые глаза с золотыми искорками.

Это могла быть та самая кошка, которую я повстречал в холмах позади похоронного бюро Сэнди Кирка несколькими часами раньше.

23

Животное сидело на ручке дивана совершенно неподвижно, как древнеегипетское изваяние в гробнице фараона, и казалось, оно может провести в таком положении остаток вечности.

Хотя это была всего лишь кошка, я почему-то чувствовал себя неуютно, находясь к ней спиной, и поэтому пересел на стул, стоявший напротив Рузвельта. Отсюда я мог видеть всю кают-компанию, а также диван в дальнем ее конце, оказавшийся теперь справа от меня.

— Когда вы успели завести кошку? — спросил я.

— Она не моя, — ответил Рузвельт. — Просто зашла в гости.

— По-моему, я ее уже видел сегодня вечером.

— Да, видел.

— Это вы от нее узнали? — осведомился я с налетом коронного сарказма Бобби.

— Да, мы с Мангоджерри поговорили, — признал он.

— С кем?

Рузвельт сделал рукой жест в сторону дивана, словно представляя мне свою гостью.

— Мангоджерри. Она говорит, что так ее зовут.

Имя звучало странно, и тем не менее показалось мне знакомым. Но я был сыном своего отца не только по крови и фамилии, поэтому мне понадобилось всего несколько секунд, чтобы вспомнить:

— Так звали одну из кошек в «Практическом

пособии Старого Опоссума по кошкам» Томаса Элиота, правильно?

— Да, большинству этих кошек нравятся имена из книги Элиота.

— Этих кошек? Каких «этих»?

— Новых кошек. Таких, как сидящая здесь Мангоджерри.

— Новых кошек... — ничего не понимая, пробормотал я.

Не вдаваясь в объяснения, Рузвельт продолжал:

— Им нравятся эти имена. Не знаю, почему и каким образом они про них узнали. Но я даже знаком с одним котом, которого зовут Рам-Там-Таггер. Есть еще и Рампелтизер и Тигрорык.

— Нравятся? Вы говорите так, будто они сами выбирают для себя имена.

— Почти так и обстоит дело, — сказал Рузвельт.

— Это чистейшее безумие. — Я потряс головой.

— Хотя я общаюсь с животными уже много лет, мне иногда и самому это кажется безумием.

— Бобби Хэллоуэй считает, что вы слишком часто стукались головой.

Рузвельт улыбнулся.

— Не он один так думает. Но если ты помнишь, я был футболистом, а не боксером. Или ты тоже полагаешь, что мои мозги окостенели?

— Нет, сэр, — был вынужден признать я, — вы умнее многих, кого я знаю.

— А с другой стороны, ум и старческий маразм — они ведь не исключают друг друга, верно, сынок?

— Верно. Я встречал достаточно академиков — знакомых моего отца, которые находились в полном маразме.

Мангоджерри продолжала смотреть на нас, а

Орсон, в свою очередь, созерцал ее, но не с ненавистью, какую можно было ожидать от собаки, увидевшей кошку, а с неподдельным интересом.

— Я тебе когда-нибудь рассказывал о том, как началось мое общение с животными? — поинтересовался Рузвельт.

— Нет, сэр. Да я и не спрашивал. — Мне действительно всегда казалось, что заострять внимание на подобной эксцентричности человека так же невежливо, как упоминать о чьем-то физическом недостатке.

— Ну так вот, — заговорил Рузвельт, — девять лет назад был у меня совершенно потрясающий пес по имени Слуппи — черный с подпалинами, примерно вполовину меньше, чем твой Орсон. Простая дворняга, но... совершенно необыкновенная.

Орсон переключил внимание с кошки на Рузвельта.

— Слуппи отличался чудесным нравом — игривым, покладистым. Я не помню ни одного случая, чтобы у него было плохое настроение. А потом он вдруг внезапно изменился — стал замкнутым, нервным, подавленным. Он давно перестал быть щенком — ему уже исполнилось десять лет, — и, показывая его ветеринару, я был готов услышать самый суровый приговор. Однако, осмотрев пса, ветеринар сказал, что тот совершенно здоров, если не считать легкого артрита, какой бывает у стареющих футбольных нападающих. Но это незначительное заболевание не могло подействовать на собаку так угнетающе. И тем не менее день ото дня пес выглядел все более подавленным.

Мангоджерри вышла из состоянии неподвижности. Она перескочила с ручки дивана на его спинку и теперь крадучись двигалась в нашу сторону.

— И вот как-то раз, — продолжал рассказывать Рузвельт, — я прочитал в газете статью о женщине из Лос-Анджелеса, которая утверждала, что способна общаться с животными. Звали ее Глория Чан. Она часто принимала участие в телевизионных ток-шоу, консультировала многих известных киношников по поводу проблем, связанных с их животными, написала даже книгу об этом. Журналист расписывал ее как очередное голливудское чудо. Как мне потом стало известно, он ее и открыл.

Если ты помнишь, после того как закончилась моя футбольная карьера, я сделал несколько фильмов. Мне приходилось встречать многих знаменитостей: актеров, звезд рока, комиков, а также продюсеров и режиссеров. Некоторые из них были вполне симпатичными ребятами, а кое-кто — даже умными. Но большинство людей, которые околачиваются в этом мире, настолько сумасшедшие, что к ним лучше не приближаться, если у тебя под плащом нет заряженного обреза...

Пройдя по спинке дивана, кошка спрыгнула на ближайшую к нам ручку и сжалась подобно пружине: мышцы напряжены, голова опущена вниз, уши прижаты к черепу. Она будто изготовилась к стремительному прыжку, намереваясь одним махом перелететь двухметровое пространство между диваном и столом.

Орсон снова был настороже и не спускал глаз с Мангоджерри, начисто позабыв о Рузвельте и его печенье.

— У меня появились кое-какие дела в Лос-Анджелесе, и я отправился туда, прихватив Слуппи с собой. Мы поплыли вдоль побережья на яхте. Тогда у меня еще не было «Ностромо», и я плавал на замечательном двадцатиметровом «Крис-краф ромере». Я пришвартовал его в Марина-дель-Рей, взял напрокат машину и в течение двух дней занимался своими делами. Друзья по кинобизнесу помогли мне раздобыть телефон Глории, и она согласилась встретиться со мной. Ее дом располагался в Пэлисейдс, и как-то утром мы со Слуппи отправились к ней.

Кошка на ручке дивана по-прежнему напоминала сжатую пружину. Ее мускулы напряглись даже сильнее, чем прежде.

Орсон был так же напряжен и неподвижен, как кошка. Он издал горлом тонкий высокий звук и снова умолк.

Рузвельт тем временем продолжал свой рассказ:

— Глория была американкой китайского происхождения в четвертом поколении. Маленькая, похожая на куколку. Настоящая красавица: точеные черты лица, огромные глаза. Она напоминала статуэтку, которую мог бы вырезать из янтарного нефрита какой-нибудь китайский Микеланджело. При взгляде на нее казалось, что она наверняка пискунья, но эта миниатюрная женщина говорила глубоким и сочным голосом. Слуппи сразу же влюбился в нее. Я не успел и слова сказать, а она уже держит его на руках, гладит, что-то говорит и начинает рассказывать мне, что его беспокоит.

Мангоджерри спрыгнула с ручки дивана на пол и после второго прыжка оказалась на том самом стуле, на котором я сидел минутой раньше и с которого пересел, чтобы наблюдать за ней.

Как только тело кошки приземлилось на сиденье стула, мы с Орсоном одновременно вздрогнули.

Мангоджерри поднялась на задние лапы, поставила передние на стол и стала пристально смотреть на моего пса.

Орсон снова издал тонкий повизгивающий звук, но не отвел взгляда от кошачьих глаз.

Не обращая внимания на Мангоджерри, Рузвельт рассказывал:

— Глория сообщила мне, что Слуппи угнетен тем, что я не уделяю ему достаточно внимания. «Почти все свое время вы проводите с Элен, — сказала она, — а Слуппи знает, что Элен его не любит. Он полагает, что вам придется выбирать между ним и Элен, и знает, что выбор будет не в его пользу». Поверь мне, сынок, услышав это, я был ошарашен. Я тогда действительно встречался с женщиной по имени Элен, которая жила в Мунлайт-Бей, но Глория Чан никак не могла об этом знать. Я был просто без ума от Элен, проводил с ней почти все свое свободное время, а она на самом деле не любила собак, из-за чего Слуппи все время сидел один. Я тогда надеялся, что со временем она полюбит моего пса, потому что даже в душе у Гитлера нашлось бы светлое местечко для этого очаровательного существа. Впоследствии выяснилось, что Элен уже начинала относиться ко мне так же, как относилась к собакам, но в тот момент я еще этого не знал.

Пристально глядя на Орсона, Мангоджерри оскалила зубы.

Орсон отшатнулся на стуле, словно испугавшись, что кошка сейчас бросится на него.

— Затем Глория рассказала мне еще о некоторых вещах, которые беспокоили Слуппи. Одной из них был недавно приобретенный мной пикап «Форд». Артрит у Слуппи был не очень сильный, но все равно бедному псу было больно выпрыгивать из высокого фургона и забираться в него. Он боялся сломать себе ногу.

Продолжая скалить зубы, кошка зашипела.

Орсон вздрогнул, и из его глотки послышался короткий свистящий звук, напоминающий свисток вскипевшего чайника.

Продолжая игнорировать драму, разыгрывающуюся между кошкой и собакой, Рузвельт продолжал:

— Мы с Глорией пообедали и целый вечер разговаривали о том, как ей удается общаться с животными. Она сказала, что не обладает никаким особым даром и что в этом нет ничего паранормального. Просто речь идет о способности чувствовать другие существа. Она присуща любому человеку, но большинство подавляет ее в себе. Глория утверждала, что я и сам смог бы это делать, если бы обучился кое-каким приемам и как следует потренировался. Тогда ее слова показались мне нелепицей.

Мангоджерри снова зашипела — на сей раз более угрожающе, — а Орсон снова вздрогнул. После этого — я могу поклясться! — кошка улыбнулась. По крайней мере, ни одной другой кошке не удалось бы скроить мину, более похожую на улыбку, чем эта.

Как ни странно, морда Орсона тоже расплылась в широкой улыбке. Чтобы представить это, не нужно особого воображения, поскольку всем известно, что собаки умеют улыбаться. Он радостно перебирал лапами на сиденье стула и сиял лучезарной улыбкой, глядя на кошку, словно их молчаливая перепалка, которую я только что наблюдал, оказалась всего лишь веселой шуткой.

— Но, с другой стороны, кто бы отказался научиться такому замечательному искусству, сынок?

— Действительно, кто? — рассеянно пробормотал я.

— И вот Глория стала учить меня. Это длилось много месяцев, но в итоге у меня стало получаться не хуже, чем у нее самой. Первая трудность заключается в том, что ты должен поверить в свою способность делать это. Отринуть сомнения, скепсис, традиционные представления о том, что возможно, а что — нет. Но самое сложное — перестать думать, что со стороны ты выглядишь глупо. Боязнь показаться дураком вяжет человека по рукам и ногам, и многим не дано перебороть ее. Я даже удивляюсь, как это получилось у меня самого.

Подавшись вперед на стуле, Орсон оскалил зубы в сторону Мангоджерри. Глаза кошки испуганно расширились.

Орсон негромко, но угрожающе щелкнул зубами.

В глубоком голосе Рузвельта зазвучало сожаление:

— Через три года Слуппи умер. Боже, как я по нему горевал! Но что это были за чудесные три года — мы жили с ним душа в душу!

Не переставая скалить зубы, Орсон угрожающе зарычал на Мангоджерри, и кошка боязливо мяукнула. Орсон зарычал снова, и кошка опять издала жалобное мяуканье, демонстрируя неподдельный страх.

— Что здесь, черт побери, происходит? — осведомился я.

Орсон и Мангоджерри, казалось, удивились нервной дрожи, прозвучавшей в моем голосе.

— Они просто дурачатся, — сказал Рузвельт.

Я мигнул и непонимающе воззрился на него.

В пламени свечей его лицо поблескивало, как маска из темного полированного дерева.

— Дурачатся, издеваясь над стереотипом поведения собаки и кошки, — пояснил он.

Я не мог поверить, что правильно расслышал слова своего собеседника. Наверное, мне нужно было прочистить уши — струей воды под высоким давлением и гофрированным металлическим шлангом, который используют водопроводчики.

— Издеваются над стереотипом?

— Да, верно, — важно кивнул головой Рузвельт в подтверждение своих слов. — Разумеется, сами они не стали бы использовать такой термин, но именно этим они сейчас заняты. Ведь считается, что собаки и кошки испытывают друг к другу беспричинную враждебность. Вот наши ребята и насмехаются над этим стереотипным представлением.

Теперь Рузвельт смотрел на меня с такой же глупой улыбкой, что и Орсон с кошкой. Губы его были такого темно-красного цвета, что казались почти черными, а большие зубы между ними напоминали куски рафинада.

— Сэр, — обратился я к нему, — беру свои слова обратно. После тщательных размышлений я пришел к выводу, что вы совершенно, окончательно и бесповоротно выжили из ума. Большего психа, чем вы, я еще не встречал.

Он снова кивнул, продолжая лыбиться, глядя на меня. Внезапно его лицо, словно темный луч черной луны, застила тень безумия.

— Ты, черт тебя раздери, сразу поверил бы мне, будь я белым, — прорычал он и с такой силой грохнул по столу гигантским кулачищем, что чашки подпрыгнули на блюдцах и едва не опрокинулись.

Если бы я мог упасть навзничь, сидя на стуле с

жесткой спинкой, я бы именно так и поступил, настолько ошеломило меня это неожиданное обвинение. Я никогда не слышал от своих родителей ни одного расистского высказывания, ни одной оскорбительной реплики в адрес этнических меньшинств, я рос, не сталкиваясь с подобными предрассудками. На самом деле если и существовало в мире обделенное меньшинство, так им был я сам. Меньшинство, состоящее из одного-единственного человека — меня самого, «ночной твари», как обзывали меня обидчики в те времена, когда я был еще совсем маленьким, не повстречался с Бобби и меня некому было защитить. Хотя я не был альбиносом и моя кожа имела нормальный цвет, для множества людей я все равно оставался чужаком, кем-то вроде Бобо — мальчика с лицом собаки. Некоторые сторонились меня, будто боясь, что присущая мне генетическая уязвимость для ультрафиолетовых лучей может передаваться через чихание подобно гриппу. Другие просто страшились меня, одновременно испытывая отвращение, как к трехглазому человеку-жабе из шоу ужасов.

Наполовину привстав со стула и потрясая в воздухе кулаком величиной с дыню, Рузвельт Фрост с ненавистью закричал:

— Расист! Грязный расистский ублюдок!

Я испугался до тошноты и едва нашел в себе силы спросить:

— С каких это пор я стал расистом? Как вы можете так говорить!

Казалось, он вот-вот перегнется через стол, сдернет меня со стула и будет душить до тех пор, пока мой язык не вывалится мне на ботинки. Он скалил зубы и рычал на меня — рычал, почти как собака, совсем как собака, подозрительно похоже на собаку.

— Что здесь, черт побери, происходит? — повторил я свой вопрос, но на сей раз обращался к кошке и псу.

Орсон и Мангоджерри выжидающе смотрели на меня.

Рузвельт снова зарычал, на сей раз придав своему рычанию вопросительную интонацию, и тут, неожиданно для самого себя, я сам зарычал на него. Его рычание стало громче, чем прежде, и я тоже зарычал громче.

Внезапно он широко улыбнулся и сказал:

— Враждебность. Собака и кошка. Черный и белый. Всего лишь немного поиздевались над стереотипами.

Рузвельт уселся обратно на свой стул, а внутри меня изумление уступило место омерзительному липкому ощущению того, что я нахожусь в Зазеркалье. Я чувствовал приближение некоего озарения, которому суждено навсегда перевернуть мою жизнь и показать мне такие измерения окружающего мира, о которых сейчас я даже не подозреваю. И хотя я пытался удержать возле себя это новое понимание, оно было призрачным, ускользало, оставаясь вне пределов моего разума.

Я посмотрел во влажные чернильные глаза Орсона.

Я посмотрел на Мангоджерри. Кошка оскалила на меня зубы.

Орсон тоже оскалился.

По моим жилам струился жидкий страх, как назвал бы это великий Бард с Эйвона, но испугала меня не показная агрессивность собаки и кошки, а то, что стояло за этими оскаленными зубами. Но не только страх обуял меня, а еще и какое-то сладостное ощущение нового вперемежку с пьянящим возбуждением.

Это было бы не похоже на Рузвельта, но в определенный момент я подумал: а не подмешал ли он мне чего-нибудь в кофе? Не просто бренди, а каких-нибудь галлюциногенов. Мне казалось, что я сплю, и в то же время я находился в более здравом уме, чем когда-либо.

Кошка зашипела на меня, а я зашипел на кошку.

Орсон зарычал на меня, а я зарычал на Орсона.

Это был самый необычный момент в моей жизни: мы сидели за одним обеденным столом — животные и люди — и скалили друг на друга зубы. Я вспомнил популярные несколько лет назад забавные, хотя и глупые картинки: за столом сидят собаки и играют в покер. Однако сейчас лишь одно существо из присутствующих здесь было собакой, и никто из нас не держал в руках — или лапах — карт, так что данная ситуация не очень соответствовала тем картинкам. И все же чем дольше я представлял их себе, тем ближе становилось прозрение, понимание того, что произошло за этим столом за последние несколько минут...

И в эту секунду эшелон моих сумбурных мыслей был пущен под откос писком, раздавшимся из ниши с электронными приборами слежения.

Мы с Рузвельтом одновременно повернулись и посмотрели на видеомонитор. Если раньше на нем было четыре картинки, то сейчас осталась только одна. Автоматическая система сфокусировалась на пришельце и сейчас с помощью своих объективов ночного видения показывала его в усиленном освещении.

Незваный гость стоял в клубящемся тумане на

самом конце пирса, к которому был пришвартован «Ностромо». Он выглядел так, словно выбрался прямиком из парка юрского периода и очутился в нашем времени: чуть меньше полутора метров ростом, похожий на птеродактиля, с длинным жутким клювом.

Мой мозг был до такой степени воспален тем, что вытворяли кошка с собакой, я был настолько издерган событиями этой ночи, что был готов видеть сверхъестественное даже в самом обычном — в том, что не таило в себе никакой загадки. Мое сердце вновь пустилось вскачь, во рту пересохло и появилась горечь. Если бы ужас не приковал меня к стулу, я бы наверняка вскочил на ноги и опрокинул его на пол. Еще пять секунд, и я наверняка сделал бы из себя посмешище, но от позора меня спас Рузвельт. Либо он обладал более крепкой, чем у меня, нервной системой, либо больше моего сталкивался с необычным и умел отличать подлинно сверхъестественное от мнимого.

— Голубая цапля, — сказал он. — Прилетела на ночную рыбалку.

Голубая цапля была знакома мне не меньше, чем любая другая птица из обитавших в окрестностях Мунлайт-Бей, и теперь, после слов Рузвельта, я сразу же признал ее в нашем ночном госте.

Мистер Спилберг ни при чем. И «Парк юрского периода» — тоже.

В свое оправдание могу только сказать, что при всей грациозности и элегантности этого существа ему была присуща некая доисторическая аура и холодный взгляд рептилии, выдававшие в нем выходца из далеких времен, когда на планете царили динозавры.

Птица неподвижно застыла на краю пирса, пристально вглядываясь в воду. Внезапно она резко наклонилась, ударила клювом, словно копьем, черную поверхность воды, выхватила оттуда маленькую рыбешку и, откинув голову назад, отправила добычу в глотку. Кому-то приходится умирать для того, чтобы жили другие.

Учитывая то, какой отталкивающий образ заурядной цапли нарисовало мое воображение, мне подумалось, не придаю ли я излишнего значения недавнему эпизоду с собакой и кошкой. Определенность породила сомнения. Приближавшееся ко мне прозрение растаяло, так и не превратившись в волну, а вместо нее в лицо мне ударил чарли-чарли растерянности.

Отвернувшись от монитора, Рузвельт сказал:

— За многие годы, прошедшие после того, как Глория Чан научила меня общаться с животными — а для этого нужно всего лишь очень хорошо уметь слушать, — моя жизнь неизмеримо обогатилась.

— Уметь слушать, — эхом повторил я, подумав, сумел бы Бобби после такой фразы продемонстрировать свою способность поднимать на смех всех и вся. Или, пообщавшись с обезьянами, он все же растерял изрядную часть скепсиса? Хотя постоянные перемены являются фундаментальным принципом, на котором базируется мироздание, некоторые вещи — вечны, и одна из них — непоколебимое убеждение Бобби в том, что жизнь состоит лишь из морского песка, серфинга и солнца.

— Мне было безумно интересно разговаривать с животными, с которыми я встречался, — сообщил Рузвельт таким тоном, будто делал доклад на симпозиуме ветеринаров. Протянув руку, он погладил Мангоджерри по голове и стал нежно почесывать у нее за ушами. Кошка прижалась к его руке и довольно заурчала. — Но эти новые кошки, с которыми я общаюсь в течение последних двух лет или около того... Они открыли для меня совершенно иные горизонты и возможности общения с животными. — Рузвельт повернулся к Орсону. — И я уверен, что ты, барбос, не менее интересен, чем кошки.

Переступив с лапы на лапу и облизнувшись, Орсон изобразил типичное для обычной собаки отсутствие каких-либо мыслей.

— Послушай, псина, тебе никогда не удавалось обдурить меня, — сказал ему Рузвельт. — А после того как ты только что играл с кошкой, и подавно можешь не прикидываться.

Полностью игнорируя Мангоджерри, Орсон таращился на три кусочка печенья, лежавших перед ним.

— Ты можешь делать вид, что тебя занимает только лакомство на столе, но я-то знаю, что это не так.

Не отрывая глаз от печенья, Орсон тоскливо заскулил.

— Ведь это ты, старый разбойник, привел сюда Криса в первый раз. А для чего ты мог сюда прийти, как не для того, чтобы поговорить.

В канун Рождества два года назад, когда до смерти моей мамы оставалось меньше месяца, мы с Орсоном привычно болтались по ночным улицам города. Ему тогда только исполнился год. Как любая молодая собака, он был резвым и игривым, но в отличие от других щенков никогда не переходил границ дозволенного. И все же в юном возрасте Орсону иногда не удавалось ограничить свое любопытство, и он далеко не всегда вел себя так же достойно, как сейчас.

Мы с ним находились на открытой баскетбольной площадке позади школы, и я тренировался в бросках по корзине. Я как раз говорил Орсону, что Майкл Джордан наверняка до смерти рад тому, что у меня — ХР и я не могу сразиться с ним при свете дня, но в этот момент пес внезапно побежал прочь. Напрасно я несколько раз окликал его. Орсон останавливался лишь для того, чтобы бросить на меня короткий взгляд, и тут же бежал дальше. К тому моменту, когда я понял, что пес и не думает возвращаться, у меня не осталось времени даже для того, чтобы положить баскетбольный мяч в сетку, привязанную к рулю велосипеда. Я торопливо прыгнул в седло и поехал вслед за убегающим от меня мохнатым дезертиром. Это была сумасшедшая гонка: с улицы — на бульвар, с бульвара — на другую улицу, потом — через Квестер-парк к заливу и, наконец, вдоль по причалу и — прямиком к «Ностромо». Хотя Орсон лает редко, в ту ночь он словно обезумел и, перепрыгнув с пирса прямо на палубу судна, зашелся в ожесточенном лае. Я резко затормозил, и велосипед юзом понесло по мокрой поверхности причала. В этот момент из каюты появился Рузвельт, и собака моментально успокоилась.

— Ты ведь хочешь поговорить, — продолжал теперь Рузвельт, по-прежнему обращаясь к Орсону. — Ты и тогда пришел сюда для того, чтобы поговорить, вот только до сих пор не решил, можно ли мне доверять до конца.

Орсон держал голову опущенной к столу, не отрывая глаз от печенья.

— Прошло два года, а ты все равно подозреваешь, что я могу быть связан с теми людьми из Уиверна, и будешь прикидываться самой заурядной собакой из всех собак до тех пор, пока не поверишь мне окончательно.

Орсон обнюхал кусочки печенья и еще раз вылизал стол вокруг них. Он будто и не слышал, что к нему обращаются.

Повернувшись ко мне, Рузвельт сказал:

— Эти новые кошки — родом из Уиверна. Сначала были только те, кто сбежал оттуда, потом появилось второе поколение — эти родились уже на свободе.

— Подопытные животные? — уточнил я.

— Да, их первое поколение. Они и их потомство отличаются от других котов. Отличаются очень во многом.

— Они гораздо умнее, — подсказал я, вспомнив поведение обезьян.

— Тебе известно больше, чем я предполагал.

— Просто ночь выдалась горячей. Насколько они умны?

— Не знаю, каким мерилом это можно измерить, — проговорил Рузвельт, но я заметил, что он увиливает от прямого ответа. — Однако они действительно гораздо умнее обычных особей и отличаются от них по многим другим параметрам.

— Почему? Что там с ними делали?

— Не знаю.

— Как им удалось сбежать?

— Понятия не имею.

— Почему их снова не отловили?

— Хотел бы я знать.

— Не обижайтесь, сэр, но вы — отъявленный врун.

— И всегда им был, — улыбнулся Рузвельт. — Послушай, сынок, я тоже не знаю всего — лишь то, что мне рассказывают животные. Но тебе и этого знать не надо. Чем больше ты будешь узнавать, тем больше тебе захочется выяснить и тем большая опасность будет грозить твоим друзьям и твоему псу.

— Это похоже на угрозу, — безрадостно откликнулся я.

Рузвельт пожал огромными плечами, и мне показалось, что яхта заходила ходуном.

— Если ты полагаешь, что меня завербовали ребята из Уиверна, можешь считать это угрозой. Но ежели ты считаешь меня своим другом, отнесись к этому как к предупреждению и совету.

Хотя мне и хотелось поверить Рузвельту, я все же разделял сомнения Орсона. Мне казалось маловероятным, что добродушный гигант способен на предательство, но, находясь по ту сторону магического зеркала, я боялся, что за любым лицом, которое оно отражает, может скрываться уродливая гримаса.

От выпитого кофе у меня уже стучало в висках, но я все же подошел к кофеварке и налил себе еще.

— Но вот что я могу тебе сказать, — заговорил Рузвельт, — так это то, что в Форт-Уиверне находились не только кошки, но и собаки.

— Орсон не из Уиверна.

— А откуда?

Я стоял, облокотившись спиной на холодильник, и потягивал кофе.

— Его подарила нам одна из женщин, с которой работала мама. Их собака принесла потомство, и им нужно было срочно пристроить щенят.

— Одна из женщин, работавших с твоей мамой в университете?

— Да, она преподавала в Эщдоне.

Рузвельт Фрост молча смотрел на меня. На его

лицо набежало облачко сожаления, глаза потемнели. Он будто услышал недоступный моему слуху грохот жестокой бури, все молнии которой были направлены в меня.

— В чем дело? — спросил я, причем голос мой дрогнул, и мне это не понравилось.

Рузвельт открыл рот, намереваясь что-то сказать, подумал и промолчал. Он почему-то вдруг стал избегать моего взгляда. Теперь они с Орсоном вместе как зачарованные разглядывали дурацкое печенье на столе.

Кошку собачье печенье не интересовало. В отличие от этих двоих она рассматривала меня.

Если бы сейчас передо мной ожила другая кошка — из чистого золота и с глазами из драгоценных камней, простоявшая много тысячелетий стражем в самом сокровенном помещении пирамиды на дне песчаного моря, — это выглядело бы менее сверхъестественным, нежели взгляд Мангоджерри — неподвижный, словно направленный из глубины веков.

Обращаясь к Рузвельту, я неуверенно спросил:

— Вы же не думаете, что Орсон тоже оттуда? Из... Уиверна? С какой стати коллега моей мамы стала бы ей врать?

Огромный негр покачал головой, как будто не знал ответа, но было ясно: он его знает. Я находился в растерянности от манеры его поведения: то он пускается откровенничать, то замыкается и становится неподкупным хранителем тайн. Я не понимал, что он ведет за игру, не мог разгадать, почему он то говорит, то отмалчивается.

Мистический взгляд серой кошки, дрожащее пламя свечей, влажный воздух — все это еще больше усиливало ощущение тайны — огромной и сводящей с ума. Я не удержался и сказал:

— Для наиболее эффектного завершения шоу вам не хватает только хрустального шара, серебряных колец в ушах, цыганского бубна и румынского акцента.

Разозлить его мне не удалось. Я вернулся к столу и сел. Значит, нужно использовать то немногое, что мне известно, и убедить его в том, что я знаю гораздо больше. Если Рузвельт подумает, что некоторые из его секретов выплыли наружу, он, возможно, еще немного приоткроется.

— В лабораториях Уиверна были не только собаки и кошки. Там были и обезьяны, — сказал я.

Рузвельт ничего не ответил и продолжал прятать глаза.

— Вам известно про обезьян?

— Нет, — сказал он и посмотрел на монитор камер системы безопасности.

— Я подозреваю, что именно из-за обезьян вы три месяца назад приобрели еще одно швартовочное место — подальше отсюда.

Сообразив, что он выдал себя, забеспокоившись после моего вопроса про обезьян, Рузвельт снова уставился на собачье печенье.

Помимо этой стоянки для судов, в водах залива имелась еще примерно сотня швартовочных мест, и каждое из них ценилось не меньше, чем места у здешнего причала, хотя путешествовать на арендованном катере до своего пришвартованного невесть где судна, а затем обратно было, конечно, не Бог весть каким удобством. Рузвельт арендовал такое причальное место у рыбака Дитера Гесселя. Траулер Гесселя швартовался вместе с остальными рыболовецкими судами вдоль северного мыса, но до последнего дня, пока он не вышел на покой и не приобрел прогулочную яхту, Дитер держал на принадлежавшем ему швартовочном месте старую развалину. По слухам, Рузвельт заплатил за место в пять раз больше, чем оно стоило на самом деле.

Раньше я никогда не спрашивал его об этом, считая себя не вправе, но теперь он сам вынудил меня к этому.

— Каждый вечер, — продолжал я, — вы перегоняете «Ностромо» к другому швартовочному месту — на ночевку. Вы делаете это каждую — каждую! — ночь, за исключением разве что сегодняшней, и то лишь потому, что ждали меня. Все даже полагали, что вы вскорости купите еще одно суденышко — поменьше и более юркое, чтобы с ним забавляться. Вы не оправдали этих надежд, и народ подумал: «Ну что с него возьмешь?! Взбалмошный старый Рузвельт! Болтает с чужими животными, со всякими неодушевленными вещами...»

Рузвельт продолжал хранить молчание.

Они с Орсоном казались одинаково завороженными лежавшими на столе собачьими лакомствами, причем до такой степени, что я бы не удивился, если бы они одновременно, нарушив запрет, склонили головы и схватили зубами это печенье.

— Теперь-то я понимаю, почему вы уплываете отсюда на ночлег. Вы считаете, что так безопаснее. Потому что обезьяны не плавают или, по крайней мере, не очень увлекаются этим видом спорта.

Делая вид, что не слышит меня, Рузвельт проговорил, обращаясь к Орсону:

— Ну ладно, барбос, хоть ты и не желаешь говорить со мной, так уж и быть, можешь съесть свои «косточки».

Орсон рискнул взглянуть в глаза своему мучителю, чтобы убедиться, говорит ли тот серьезно или издевается.

— Валяй, — приободрил его Рузвельт.

Орсон недоверчиво взглянул на меня, будто ждал подтверждения того, что слова Рузвельта — не шутка.

— Тебе же разрешили, — сказал я.

Пес слизнул со стола одно печенье и со счастливым видом захрустел им.

Рузвельт наконец обратил на меня взгляд, в котором по-прежнему читалась раздражающая жалость, и проговорил:

— Люди, стоящие за проектом в Форт-Уиверне... Они хотели как лучше. По крайней мере некоторые из них. И я думаю, из их работы могло бы получиться кое-что хорошее. — Он протянул руку и погладил кошку. Она расслабилась под его ладонью, но не отводила от меня своих горящих глаз. — Но во всем этом деле была и темная сторона. Очень темная. Из того, что мне рассказывали, я знаю, что обезьяны — лишь одно из ее проявлений.

— Лишь одно?

Рузвельт выдерживал мой взгляд в течение достаточно долгого времени, чтобы Орсон успел разгрызть второе печенье, и когда он наконец заговорил, голос его был мягче, чем обычно.

— В лабораториях Уиверна были не только кошки, собаки и обезьяны.

Я не знал, о чем говорит Рузвельт, но спросил:

— Вы, я полагаю, имеете в виду не морских свинок или белых мышей?

Мой собеседник отвел взгляд в сторону и смотрел теперь куда-то очень далеко за пределы кают-компании.

— Грядут большие перемены, — задумчиво проговорил он.

— Говорят, перемены — к лучшему, — заметил я.

— Не все.

Орсон прикончил третье печенье, и Рузвельт поднялся со стула. Взяв на руки кошку, прижав ее к груди и поглаживая, он, казалось, раздумывал, стоит ли посвящать меня в дальнейшие детали или нет. Наконец хозяин яхты предпочел скрытность откровенности.

— Я устал, сынок. Мне уже давным-давно пора быть в постельке. Меня просили предупредить тебя, что если ты не отойдешь в сторону и не прекратишь свои изыскания, то поставишь под угрозу жизнь своих друзей. Я это сделал.

— Вас попросила об этом кошка?

— Она самая.

Поднявшись на ноги, я ощутил покачивание яхты, от которого у меня закружилась голова, да так сильно, что мне даже пришлось ухватиться за спинку стула. Эта физическая слабость сопровождалась душевной: мне показалось, что реальность уплывает, растворяется в тумане, и мне захотелось вцепиться в нее с такой же силой, как в стул. Мне почудилось, что меня вращает огромный водоворот — все быстрее и быстрее затягивает в свою воронку, тащит вниз, и наконец я выныриваю, но не в волшебной стране Оз, а в Уэймеа-Бей, с серьезным видом обсуждая с Пиа Клик различные аспекты реинкарнации.

Понимая щекотливость подобного вопроса, я все же спросил:

— А эта кошка — Мангоджерри, — она тоже с теми людьми из Уиверна?

— Она сбежала от них.

Облизнувшись, чтобы не пропала ни единая крошка лакомства, Орсон спрыгнул со стула и подошел ко мне.

— Сегодня вечером мне описывали проект из Уиверна в совершенно апокалиптических тонах, говоря, что он означает конец мира.

— Такого мира, каким мы его знаем.

— И вы на самом деле верите в это?

— Всякое бывает. Но, может быть, когда все вокруг задрожит и станет рушиться, благоприятных возможностей окажется больше, чем негативных. Конец привычного нам мира вовсе не означает конца света.

— Скажете это динозаврам, которые придут нам на смену.

— Врать не стану: у меня у самого сердце не на месте, — признался Рузвельт.

— Если вы настолько напуганы, что каждую ночь уплываете на дальнюю стоянку, и если знаете, что происходящее в Уиверне до такой степени опасно, почему же вы давным-давно не сбежали из Мунлайт-Бей?

— Я думал об этом. Но здесь — мой бизнес, здесь — вся моя жизнь. Кроме того, спастись мне все равно не удастся, разве что выиграть немного времени. В конечном счете спасения нет нигде.

— Звучит не очень-то оптимистично.

— Да уж...

По-прежнему держа кошку на руках, Рузвельт проводил нас через кают-компанию и кормовую каюту к лестнице, ведущей наверх.

— Знаешь, сынок, я всегда хорошо держал удары судьбы и был способен разобраться со всем, что она в меня кидала, — и с плохим, и с хорошим, до тех пор, пока это было мне хотя бы интересно. Господь благословил меня насыщенной и разнообразной жизнью, и я боюсь только одного — скуки. — Мы поднялись на палубу и сразу же оказались в объятиях тумана. — От всего, что происходит сейчас в «жемчужине центрального побережья», волосы встают дыбом, но, как бы ни повернулись события, скучными они, по крайней мере, не покажутся.

Оказывается, Рузвельт имел больше общего с Бобби Хэллоуэем, чем могло показаться на первый взгляд.

— Что ж, сэр, благодарю вас за совет. Я подумаю.

Я сел на поручень сходней и соскользнул на причал, находившийся в полутора метрах ниже палубы. Орсон протопал следом за мной.

Большая голубая цапля уже улетела. Вокруг меня клубился туман, черная вода хлюпала о днище яхты, все остальное вокруг было неподвижно, как смертный сон.

Не успел я сделать несколько шагов, как с палубы меня окликнул Рузвельт:

— Эй, сынок.

Я остановился и обернулся.

— Жизни твоих друзей действительно поставлены на кон. Но на карте и твое собственное счастье. Поверь, ты не захотел бы знать больше, чем знаешь сейчас. У тебя и так хватает проблем. Одно то, как ты живешь...

— Нет у меня никаких проблем, — оборвал я его. — Просто у каждого человека имеются свои сильные и слабые стороны.

Кожа Рузвельта была такой черной, что в тумане его фигура могла показаться всего лишь миражом, игрой теней. Кошка на его руках была невидима, и в темноте горели лишь ее глаза, словно загадочные зеленые огоньки, плавающие в пустом пространстве.

— Сильные и слабые стороны... Ты действительно в это веришь?

— Да, сэр.

Однако сейчас я не был до конца уверен в том, почему считал эту мысль правильной: то ли потому, что она на самом деле была верна, то ли из-за того, что на протяжении всей жизни я сам убеждал себя в ее правильности. В большинстве случаев реальность такова, какой ты сам ее делаешь.

— Я скажу тебе еще одну вещь, — проговорил он. — Одну вещь, которая, возможно, убедит тебя в необходимости бросить все это и жить как живешь.

Я молча ждал.

Наконец с явно различимым сочувствием в голосе Рузвельт сказал:

— Знаешь, в чем заключается причина того, почему они не причинят вреда тебе лично и будут стараться подчинить тебя, убивая твоих друзей? Знаешь, в чем причина того, что большинство из них почитает тебя? Она в том, кем была твоя мать.

Страх, похожий на бледного и холодного могильного червя, пополз по моей спине, легкие сдавило, и я не мог дышать, хотя не понимал, почему туманная фраза Рузвельта подействовала на меня так угнетающе. Возможно, душой я неосознанно понимал больше, нежели головой. Возможно, разгадка уже таилась в лабиринтах моего подсознания и дожидалась только того момента, когда я наткнусь на нее. А может, она скрывалась в бездне сердца.

— Что вы имеете в виду? — спросил я, обретя способность дышать.

— Если ты задумаешься — как следует задумаешься, — сынок, то, возможно, поймешь, что, продолжая копаться в этом деле, ты ничего не выиграешь, а только потеряешь. Знание не всегда приносит мир в наши души. Сто лет назад люди ничего не знали о структуре атома, ДНК и «черных дырах», но разве мы сейчас счастливее их?

Как только Рузвельт произнес последнее слово, туман на том месте, где он стоял, сгустился. Дверь каюты мягко закрылась, и негромко щелкнул замок.

24

Вокруг поскрипывающей «Ностромо» медленно вился туман. В его клубах проступали очертания невиданных кошмарных чудовищ и тут же таяли, сменяясь другими.

Под впечатлением последних слов Рузвельта Фроста в моем мозгу возникали еще более жуткие существа, нежели те, что сотворял туман, но я старался не обращать на них внимания, чтобы они благодаря этому не застряли в моем дурном воображении. Возможно, он был прав: если я узнаю все до последнего, я вполне могу пожалеть о том, что начал в этом копаться.

Бобби говорит, что истина сладка, но опасна. Он считает, что люди не смогли бы жить, знай они всю леденящую правду про самих себя. На это я обычно отвечаю своему другу, что в таком случае ему самоубийство явно не грозит.

Орсон шлепал лапами чуть впереди меня, а я тем временем раздумывал, куда мне теперь идти и что делать. В моем мозгу раздавалось пение некой сирены, хотя, кроме меня, ее никто не слышал.

Я боялся разбиться о рифы правды, но не мог противиться этому призывному пению.

Наконец я сказал, обращаясь к Орсону:

— Если ты готов объяснить мне, что происходит, я весь внимание.

Но даже если Орсон и мог мне ответить, сейчас он, видимо, был не в настроении беседовать.

Мой велосипед находился там же, где я его оставил, возле перил пирса. Резиновые наконечники руля были холодными, мокрыми и скользкими от осевшей на них влаги.

Позади нас заработали двигатели «Ностромо». Я повернулся и увидел, что ее бортовые огни отдаляются, все больше расплываясь в ореоле тумана.

Я не мог различить Рузвельта в рулевой рубке, но знал, что он находится там. Хотя до рассвета оставалось всего несколько часов и несмотря на ужасную видимость, он гнал свое судно на другую стоянку — подальше отсюда.

Ведя велосипед за руль в сторону берега и проходя мимо покачивающихся судов, я несколько раз оглядывался назад. Мне казалось, что в размытом тусклом свете фонарей я вот-вот увижу Манго-джерри, крадущуюся за мной по пятам. Если это было так, она хорошо пряталась, но скорее всего кошка все же находилась на борту «Ностромо».

«...Причина того, почему большинство из них почитает тебя, в том, кем была твоя мать».

Свернув направо и оказавшись на главном причале, мы направились к выходу со стоянки для судов. Снизу поднимался противный запах. Видимо, волны прибили к сваям мертвую рыбу, кальмара или другую морскую тварь, и разлагающееся тело зацепилось за ракушки, наросшие на бетонные столбы. Зловоние было настолько омерзительным, что влажный воздух казался пропитанным им, будто после обильной трапезы рыгнул сам сатана. Я задержал дыхание и плотно сжал губы, борясь с накатившим приступом тошноты.

Ворчание моторов «Ностромо» отдалялось и звучало все более глухо. Судно ушло на дальнюю швартовку. Теперь ритмичный звук, разносившийся по воде, напоминал скорее не стук двигателя, а гулкое сердцебиение левиафана, словно морское чудовище вот-вот должно было вынырнуть на поверхность, потопить все суда, разрушить причал и похоронить нас с Орсоном в холодной водяной могиле.

Дойдя до середины пирса, я снова обернулся, но позади нас никого не было — ни кошки, ни призраков. Тем не менее я сказал Орсону:

— Черт бы меня побрал, но все это действительно начинает напоминать конец света.

Пес чихнул, соглашаясь со мной, и мы наконец вышли из зловонного облака, направляясь к корабельным лампам, установленным на высоких мачтах по обе стороны от входа на стоянку для яхт.

И тут в круг жидкого света около конторы причала шагнул шеф полиции Стивенсон. Он был в мундире, как раньше этим же вечером, когда я застал его за беседой с лысым.

— Я нынче в настроении, — промолвил он.

В тот момент, когда он выступил из тени, в его облике было что-то настолько необычное, что я почувствовал на шее холодок, будто в спину мне вкрутили штопор. Что бы это ни было (если вообще что-то было), оно промелькнуло и тут же исчезло, а я все еще неуютно ежился от ощущения чего-то нечеловеческого и злого, природу чего я не смог бы ни определить, ни описать.

В правой руке шеф Стивенсон держал внушительного вида пистолет. Оружие не было направлено на меня, но ладонь полицейского крепко сжимала его рукоятку. Ствол пистолета смотрел на Орсона, который стоял в двух шагах впереди меня, освещенный светом ламп, в то время как я оставался в тени.

— Хочешь узнать, в каком я настроении? — осведомился Стивенсон, остановившись не дальше чем в трех метрах от нас.

— Наверное, не в очень хорошем, — осмелился предположить я.

— Я в таком настроении, что никому не посоветую водить меня за нос.

Голос шерифа звучал не так, как обычно. Тембр и акцент остались прежними, но если раньше в нем доминировала властность, то теперь ее сменила незнакомая жестокая нотка. Обычно его речь текла неторопливым потоком, в котором собеседник словно купался, ей был присущ спокойный, теплый и успокаивающий тон, а сейчас она была быстрой и сумбурной, холодной и колкой.

— Не очень-то хорошо я себя чувствую, — сказал он. — Точнее, совсем нехорошо. Как кусок дерьма. И поэтому не потерплю, если кто-то заставит меня чувствовать себя еще хуже. Ты понял?

Хотя из сказанного им я не понял почти ничего, я утвердительно кивнул и проговорил:

— Да, сэр, я вас понял.

Орсон стоял неподвижно, словно каменное изваяние, не отрывая глаз от ствола направленного на него пистолета.

Мне лучше, чем кому-либо другому, известно, что стоянка прогулочных судов в этот час — место совершенно безлюдное. Контора и заправочная станция пустеют уже в шесть вечера, и только на пяти судах, если не считать яхты Рузвельта Фроста, постоянно обитают их хозяева. Сейчас они наверняка спят и видят седьмой сон. Причалы так же молчаливы и пусты, как ряды гранитных надгробий на кладбище святой Бернадетты.

Туман заглушал наши голоса. Никто не услышит нашего разговора и не поинтересуется, кто тут бродит в неурочный час.

Не сводя взгляда с Орсона, но обращаясь ко мне, Стивенсон проговорил:

— Не могу получить того, что мне нужно, потому что даже не знаю, что именно мне нужно. Ну не скотство ли?

Я почувствовал, что передо мной человек, который распадается на части и лишь огромными усилиями удерживает себя в руках. Его облик утратил все свое прежнее благородство, исчезла даже мужественность черт. Они заострились и выражали злобу и нездоровое возбуждение.

— Тебе случается испытывать внутреннюю пустоту, Сноу? Чувствуешь ли ты хоть когда-нибудь внутри себя такую ужасающую пустоту, что, если не заполнить ее, ты умрешь, но не знаешь, где эта пустота и чем, во имя Господа Бога, ее нужно заполнить?

Теперь я не понимал вообще ничего из того, что говорит Стивенсон, но вряд ли он согласился бы растолковать мне смысл своих слов. Стараясь выглядеть серьезным, я как можно более дружелюбно ответил:

— Да, сэр, мне знакомо такое чувство.

Его брови и щеки были влажными, но не из-за тумана. Они блестели от липкого пота. Лицо полицейского было таким неестественно бледным, что мне казалось, будто хлопья сырости выходят прямо из его тела, клубясь, поднимаются от его холодной кожи, как если бы он сам порождал туман и был его повелителем.

— Хуже всего бывает по ночам, — признался он.

— Да, сэр.

— Это может случиться в любое время суток, но по ночам хуже всего. — Его лицо искривила гримаса, которая могла означать что угодно, в том числе и отвращение. — Что это за проклятая собака? — спросил он.

Его ладонь на рукоятке пистолета напряглась, и мне даже показалось, что палец шерифа лег на спусковой крючок.

Орсон оскалил зубы, но не пошевелился и не издал ни звука.

— Он — просто метис лабрадора, — быстро ответил я. — Хороший пес, даже кошек не обижает.

Без всякой видимой причины Стивенсоном овладел гнев.

— Просто метис лабрадора? — со злобной издевкой переспросил полицейский. — Черта с два! «Просто» теперь ничего не бывает. По крайней мере здесь. И сейчас. И никогда больше не будет.

В голову мне пришла мысль сунуть руку в тот карман, где находился «глок». Велосипед я держал за руль левой рукой, правая была свободна, а пистолет лежал как раз справа.

Однако, несмотря на кажущуюся рассеянность, Стивенсон все еще оставался полицейским и на любое угрожающее движение с моей стороны ответил бы со смертоносной реакцией истинного профессионала. Я не очень-то поверил в утверждение Рузвельта о том, что эти люди меня почитают. Даже если я позволю велосипеду упасть, чтобы отвлечь внимание Стивенсона, он все равно сумеет изрешетить меня раньше, чем я успею вытащить «глок» из кармана.

Кроме того, я не собирался использовать оружие против шерифа, если только тот не оставит мне выбора. Пристрели я шефа полиции, это означало бы конец моей жизни, светопреставление.

Внезапно Стивенсон поднял голову и, оторвав взгляд от Орсона, посмотрел куда-то в сторону. Он сделал глубокий вдох, потом еще несколько — быстро, словно гончая, которая старается уловить в воздухе запах дичи.

— Что это такое? — спросил он.

Видимо, нюх у него был гораздо острее, чем у меня, поскольку я только что почувствовал легкий намек на зловоние, который донес до нас ветерок со стороны главного причала, — тот самый запах от гниющей под пирсом морской твари.

Стивенсон с самого начала вел себя настолько странно, что по моей коже то и дело начинали бегать здоровенные мурашки, но сейчас его поведение стало еще более необъяснимым. Он напрягся, распрямил грудь, вытянул шею и поднял лицо навстречу ветру, будто смакуя отвратительный запах. Глаза на его бледном лице горели, и, когда Стивенсон заговорил, в голосе его прозвучала не обычная пытливость полицейского, а некое вожделение, нервное любопытство, показавшееся мне противоестественным.

— Что это такое? Ты чувствуешь? Что-то мертвое, да?

— Что-то гниет под пирсом, — подтвердил я. — Наверное, какая-нибудь рыба.

— Что-то мертвое. Мертвое, и оно разлагается. Что-то такое... В этом что-то есть, правда? — Казалось, что Стивенсон вот-вот облизнет губы. — Да-да. Что-то в этом есть...

То ли шериф сам услышал прозвучавшие в его голосе необычные скрипучие нотки, то ли заметил мое удивление в связи с его необычным поведением, но он вдруг кинул в мою сторону тревожный взгляд и с заметным усилием взял себя в руки. Это была настоящая внутренняя борьба. Стивенсону стоило большого труда выбраться из водоворота охвативших его эмоций.

Наконец шериф обрел свой прежний голос или, по крайней мере, его подобие и сказал:

— Мне нужно поговорить с тобой, Сноу. Расставить кое-какие точки над і. Сегодня же. Сейчас. Пойдем со мной.

— Куда?

— Моя патрульная машина стоит у ворот.

— Но мой велосипед...

— Я не собираюсь тебя арестовывать. Просто поболтаем немного. Хочу, чтобы мы с тобой поняли друг друга.

Вот уж чего мне не хотелось, так это оказаться в одной машине с шефом полиции Стивенсоном. Однако если бы я отказался последовать за ним, он мог бы сделать приглашение более формальным, попросту нацепив на меня наручники. А если бы я попытался сопротивляться аресту, вскочил на свой велосипед и задал стрекача, растворившись в тумане, далеко бы я сумел уехать? Через несколько часов рассвет, и я не успел бы добраться даже до соседнего города, располагавшегося дальше вдоль пустынной линии океанского побережья. Даже если бы у меня хватало времени, болезнь ограничивала доступный мне мир границами Мунлайт-Бей, где я могу вернуться домой до рассвета или добраться до кого-нибудь из моих друзей, чтобы вовремя укрыться от солнца.

— Ух, какое у меня настроение! — повторил Льюис Стивенсон, цедя слова сквозь плотно сжатые зубы. Голос его снова звучал жестко. — Ах, что за настроение! Ну так как, ты идешь со мной, сынок?

— Да, сэр. Конечно. С удовольствием.

Стивенсон махнул пистолетом, предлагая нам с Орсоном идти первыми.

Я покатил велосипед к концу пирса. Мне было жутко ощущать позади себя присутствие этого человека с пистолетом в руке. И мне не нужно было обладать талантом общения с животными, чтобы понять: Орсон нервничает не меньше моего.

Доски причала закончились и перешли в цементную пешеходную дорожку, по обе стороны которой были разбиты клумбы, засеянные ледяником. Его цветы широко распахиваются днем и закрываются на ночь. В тусклом свете было видно, как через дорожку ползут улитки, поблескивая своими крохотными антеннами и оставляя за собой серебристые полоски слизи. Некоторые появлялись из левой клумбы и пытались пересечь дорожку, чтобы оказаться в точно такой же клумбе с правой стороны, другие сосредоточенно ползли в противоположном направлении. Казалось, что эти крохотные существа переняли от людей их непоседливость и вечную неудовлетворенность жизнью.

Я принялся вилять передним колесом велосипеда, чтобы не наехать на нерасторопных «пешеходов». Орсон, обнюхивая улиток на ходу, тоже аккуратно переступал через них.

А позади нас раздавался хруст раковин и хлюпающие звуки, когда тяжелые ботинки полицейского давили улиток. Стивенсон наступал не только на моллюсков, которые оказывались на его пути, но не ленился сделать несколько шагов в ту или иную сторону, чтобы дотянуться ногой до улиток, ползущих по бокам дорожки. На некоторых он просто наступал, на других обрушивал ногу с такой яростной силой, что его подошва ударялась об асфальт со звуком кувалды.

Я не стал оборачиваться.

Я боялся увидеть на лице нашего конвоира то злобное ликование, которое не раз замечал на лицах юных подонков, глумившихся надо мной в детстве, когда я был еще слишком мал и глуп, чтобы давать сдачи. Я прекрасно помнил это выражение: глаза-бусинки, выглядевшие змеиными даже несмотря на отсутствие вертикальных зрачков, рдеющие от ненависти щеки, бескровные губы с пеной в уголках рта, оскаленные, мокрые от слюны зубы. Это выражение отвратительно на лице подростка, но должно быть еще страшнее у взрослого, особенно когда на груди у него полицейский значок, а в руке пистолет.

Черно-белая полицейская машина стояла у тротуара метрах в десяти слева от входа на причал, вне досягаемости света фонарей, укрытая густой тенью от раскидистых ветвей огромного индийского лавра.

Я прислонил велосипед к стволу дерева, на котором туман повис подобно клочьям мха, и только после этого с беспокойством повернулся к Стивенсону. Тот открыл заднюю дверь машины с той стороны, где положено находиться пассажиру.

Даже в тумане я различил на его лице то самое выражение, которое и боялся увидеть: ненависть, иррациональная, но отчетливо читаемая ярость, которые делают иных людей опаснее любого зверя.

Никогда раньше я не замечал в Стивенсоне ничего подобного, и, если бы внезапно он сообщил, что на самом деле является не шефом полиции, а инопланетянином, принявшим его форму, я бы ему с готовностью поверил.

Махнув стволом пистолета, Стивенсон велел Орсону:

— Забирайся в машину, приятель.

— Да ничего, пусть здесь постоит, — сказал я.

— Влезай, — повторил он, обращаясь к собаке.

Орсон подозрительно покосился на распахнутую дверцу и недоверчиво заскулил.

— Он подождет здесь. Он никогда не убегает, — заверил я полицейского.

— Я хочу, чтобы он залез в машину, — ледяным голосом произнес Стивенсон. — В нашем городе действует закон, в соответствии с которым собак можно выводить на улицу только на поводке. Мы никогда не навязывали это правило тебе, Сноу. Отворачивались в сторону, делая вид, что не замечаем. Из-за того... Потому что собака может ходить без поводка, если принадлежит инвалиду.

Я был не в претензии за слово «инвалид». На самом деле мне было гораздо интереснее, что стоит за тремя другими словами. Потому что я был уверен: после слов «из-за того» он на самом деле собирался сказать «кем была твоя мать».

— Но теперь, — продолжал он, — я не собираюсь равнодушно смотреть на то, как эта проклятая тварь шляется где попало, гадит на тротуары и выпендривается перед другими кобелями тем, что она без поводка.

Я промолчал, хоть и заметил противоречие в словах Стивенсона: с одной стороны, он сказал, что собака, принадлежащая «инвалиду», может выходить без поводка, с другой — обвинил Орсона в том, что тот «выпендривается». Пока полицейский находится в таком враждебном расположении духа, спорить с ним бесполезно.

— Если он меня не слушается, то заставь его залезть в машину ты, — велел мне Стивенсон.

Я поколебался, раздумывая над тем, как бы уклониться от зловещего «гостеприимства». С каждой секундой атмосфера становилась все более напряженной. Честно говоря, в те минуты, когда мы с Орсоном пробирались по туманному мысу, а за нами гнался отряд воинственных обезьян, я чувствовал себя гораздо спокойнее, нежели сейчас.

— Загони свою чертову собаку в машину! Быстро! — приказал Стивенсон. Голос его был до такой степени полон яда, что он, казалось, мог убивать улиток на расстоянии, даже не наступая на них.

Я был совершенно беспомощен перед этим человеком с пистолетом в руке. Единственным, хотя и слабым утешением для меня являлось сознание того, что я тоже вооружен, а Стивенсон об этом не знает. Пока же мне не оставалось ничего другого, как повиноваться.

— Полезай в машину, мальчик, — сказал я Орсону, стараясь, чтобы в моем голосе не прозвучал страх и чтобы мое отчаянно колотящееся сердце не заставило его задрожать.

Собака неохотно повиновалась.

Льюис Стивенсон захлопнул заднюю дверь и открыл переднюю.

— Теперь ты, Сноу.

Я забрался на пассажирское сиденье, а Стивенсон обошел черно-белую машину, распахнул водительскую дверь и сел за руль. Захлопнув дверцу, он велел мне сделать то же самое, чего я до последнего момента надеялся избежать.

Обычно, оказываясь в замкнутом пространстве, я не страдаю клаустрофобией, но эта машина казалась мне теснее, чем любой гроб. Туман, липший к стеклам, душил меня, как сон, в котором видишь, что тебя похоронили заживо.

Здесь, внутри машины, было еще более сыро и холодно, чем снаружи, и Стивенсон запустил двигатель машины, чтобы можно было включить обогреватель.

Зашипела полицейская рация, и диспетчер трескучим от электрических разрядов голосом проквакал что-то, как жаба в ночи. Стивенсон щелкнул тумблером, и рация умолкла.

Орсон стоял посередине заднего сиденья, опершись передними лапами о стальную решетку, разделявшую машину на две части. За этой решеткой обычно перевозили арестованных. Пес с тревогой смотрел на нас. Шериф ткнул стволом пистолета в какой-то переключатель на приборной доске, и кнопки, запирающие задние двери, опустились с громким щелканьем, напомнившим мне звук сработавшей гильотины.

Я надеялся, что, оказавшись в машине, Стивенсон спрячет пистолет в кобуру, но он продолжал сжимать его в руке, положив оружие на колено и направив ствол в сторону руля. Правда, в смутном зеленоватом свете приборов мне показалось, что теперь его указательный палец лежит уже не на самом спусковом крючке, а на предохранительной скобе, но легче мне от этого не стало.

В течение нескольких секунд он сидел, опустив голову и закрыв глаза, то ли молясь, то ли собираясь с мыслями.

Туман оседал на ветвях индийского лавра, и с

его заостренных листьев на крышу и капот машины с неравномерными интервалами то и дело падали увесистые капли.

Не торопясь, с показным равнодушием я сунул обе руки в карманы куртки. Моя правая ладонь сомкнулась вокруг рукоятки «глока».

Я пытался убедить себя в том, что мое неуемное воображение, как всегда, преувеличивает грозящую мне опасность. Да, Стивенсон находится в отвратительном настроении, и, судя по тому, что я видел возле полицейского управления, он уже ни в коем случае не представляет собой праведную длань правосудия, какой всегда являлся. Но из этого вовсе не следует, что шериф вынашивает какие-то злые намерения. Возможно, он действительно хочет всего лишь поговорить, а после отпустит нас невредимыми на все четыре стороны.

Но когда Стивенсон наконец поднял голову, взгляд его глаз можно было сравнить разве что с отравой, пенящейся в чаше из человеческого черепа. Меня вновь передернуло от светившейся в них животной злобы, которую я впервые заметил в тот момент, когда он выступил из тени на причале. Однако теперь я понял, почему мои натянутые, как струны, нервы завибрировали от страха. На какую-то долю секунды в его глазах мелькнул расплавленный желтый огонь, которым светятся в ночи глаза некоторых зверей, — холодный и загадочный внутренний свет, подобного которому я никогда не видел ни у одного человеческого существа.

25

Вспышка, подобная электрическому разряду, промелькнувшая в глазах шефа полиции, была такой мимолетной, что, если бы дело происходило еще вчера, я даже не заметил бы ее или подумал, что это отблеск от светящейся приборной доски. Однако нынешней ночью я уже повидал обезьян, которые были не просто обезьянами, кошку, которая была чем-то большим, нежели просто кошкой, я окунулся в тайны, которые, подобно рекам, текли по улицам Мунлайт-Бей, и научился ожидать важного от того, что кажется незначительным.

Глаза Стивенсона снова стали непроницаемыми и темными. Его гнев, казалось, на время угас, а в голосе теперь звучали лишь безысходная тоска и горечь.

— Все переменилось сейчас. Все переменилось, и уже ничто не вернется.

— Что именно переменилось?

— Я больше не тот, кем был. Я даже с трудом вспоминаю, каким я был раньше, что я был за человек. Все пропало.

Я понял, что Стивенсон, сокрушаясь по поводу утраты самого себя, говорит скорее сам с собой, нежели обращаясь ко мне.

— Мне больше нечего терять. У меня отобрали все, что было мне дорого. Я — ходячий мертвец, Сноу. Ходячий мертвец, и больше никто. Ты можешь себе представить, каково это?

— Нет.

— А ведь даже у тебя, при твоей дерьмовой жизни, когда ты прячешься от света и, подобно мерзкому слизняку, выползаешь из-под камня по ночам, даже у тебя есть причины, чтобы жить.

Должность шефа полиции в нашем городе является выборной, но Льюис Стивенсон, похоже, не заботился о том, чтобы получить мой голос на следующих выборах. Мне хотелось послать его далеко и надолго, но существует огромная разница между тем, чтобы выказывать бесстрашие, и тем, чтобы напрашиваться на пулю.

Он отвернулся от меня и уставился в лобовое стекло, по которому ползла белесая каша тумана, но за мгновение до этого я заметил, как в его глазах снова промелькнула электрическая вспышка. Она была еще более быстрой и незаметной, чем прежде, но встревожила меня гораздо сильнее, поскольку теперь я знал: мне это не привиделось.

Понизив голос, словно боясь, что его подслушивают, Стивенсон признался:

— Меня мучают жуткие ночные кошмары. Просто ужасные. Полные секса и крови.

Я, признаться, с самого начала не знал, чего ждать от этого разговора, но излияний Стивенсона о терзающих его душевных муках ожидал меньше всего.

— Они начались больше года назад, — продолжал полицейский. — Поначалу случались лишь раз в неделю, но затем начали приходить все чаще. Кроме того, поначалу женщины, появлявшиеся в этих снах, были мне незнакомы — всего лишь плод фантазии. Такие сны часто снятся подросткам: девочки с шелковой кожей, которым не терпится тебе отдаться... Вот только я в своих снах не просто занимался с ними сексом.

Казалось, его мысли уплыли далеко и теперь витают в тумане над какими-то неведомыми и мрачными землями.

Хотя лицо Стивенсона, покрытое потом и освещенное приборами, было обращено ко мне профилем, я увидел на нем выражение такой дикости, что порадовался: слава Богу, я не вижу его анфас.

Еще больше понизив голос, Стивенсон сказал:

— В этих снах я избиваю их, хлещу по физиономиям и бью, бью, бью — до тех пор, пока их лица не превратятся в кровавые маски, душу их, пока не вывалится наружу язык...

Когда Стивенсон принялся описывать свои кошмары, в его голосе зазвучали нотки ужаса, однако, помимо страха, я безошибочно уловил в нем нездоровое возбуждение. Оно угадывалось и в том, как напряглось его тело.

— ...Они орут от боли, а я упиваюсь этими криками, тем, как страшно искажены их лица, видом их крови. Это так прекрасно! Так возбуждает! Просыпаясь, я корчусь от наслаждения, меня сжигает сексуальное желание. А иногда, хотя мне уже пятьдесят два, я кончаю прямо во сне или сразу после пробуждения.

Орсон убрал лапы с решетчатой перегородки и затаился в глубине заднего сиденья.

Мне бы тоже хотелось очутиться как можно дальше от Льюиса Стивенсона. Мне казалось, что и без того тесная патрульная машина еще сильнее сжимается вокруг нас, словно под чудовищным давлением гидравлического пресса, какие используются на автомобильных свалках.

— А потом в кошмарах начала появляться Луиза, моя жена, и две... две мои... две мои дочери — Жанин и Кира. В этих снах они боятся меня, и я делаю все для этого, потому что их ужас возбуждает меня. Мне отвратительно то, что я делаю с ними, и в то же время я наслаждаюсь этим.

Ярость, отчаяние и извращенное возбуждение по-прежнему угадывались в его интонациях, низком тяжелом дыхании, в том, как ссутулились его плечи. Даже глядя на Стивенсона в профиль, можно было видеть, как страшно исказилось его лицо. Его разум атаковали непреодолимые внутренние позывы и порочные желания, но одновременно в этом человеке угадывалась еще и слабая надежда остаться самим собой, избежать окончательного погружения в пучину безумия, на грани которого он пытался удержаться. Эта надежда сквозила во всем его поведении, звучала болью в голосе — не менее отчетливо, нежели ярость и отчаяние.

— Со временем кошмары стали такими жуткими, а те вещи, которые я в них творил, — такими извращенными и омерзительными, что мне стало страшно засыпать. Я бодрствовал до полного изнеможения, когда никакое количество кофеина было уже не способно удержать меня на ногах, когда, сколько ни прикладывай лед к затылку, никак не удается избавиться от рези в глазах и держать их открытыми. И когда я наконец засыпал, на меня вновь наваливались ночные кошмары, причем во сто крат хуже, чем обычно, словно усталость швыряла мое сознание в еще более глубокую и темную пучину, таившуюся внутри меня и населенную самыми отвратительными монстрами. Половая охота, гон, бойня — неустанные и полные цвета, вот чем были наполнены мои сны — первые цветные сны, которые я когда-либо видел. Яркие цвета, отчетливые звуки! Я наслаждался тем ужасом, который творил со своими доченьками. Я слышал их мольбы о пощаде и свои безжалостные ответы, их стоны и рыдания, их конвульсии и предсмертные хрипы в тот момент, когда я входил в них, одновременно разрывая их глотки зубами.

Вокруг машины кружились лишь хлопья тумана, но Льюис Стивенсон смотрел на лобовое стекло и, казалось, видел на нем все те жуткие картины, которые описывал, словно они проецировались туда каким-то невидимым кинопроектором.

— Потом я перестал противиться сну. Я уже привык к этим снам. А еще немного погодя — сейчас я уже не помню, когда точно это случилось, — кошмары перестали вселять в меня ужас, и я стал получать от них подлинное удовольствие. Я уже не испытывал вины — одно только наслаждение. Поначалу я боялся признаться в этом даже самому себе, но вскоре уже с нетерпением ожидал того момента, когда окажусь в постели. Когда я бодрствовал, эти женщины были самым дорогим для меня, но в своих снах я дрожал от наслаждения, всячески унижая их, позоря и пытая самыми невообразимыми способами. Если раньше я просыпался в холодном поту, то теперь после пробуждения испытывал странное блаженство. Лежа в темноте, я размышлял над тем, насколько приятнее было бы совершить все это взаправду, нежели просто видеть во сне. Всего лишь думая об этом, я начинал ощущать, как в меня вливается некая непостижимая сила, я чувствовал себя свободным — совершенно свободным, как никогда прежде. В эти моменты мне казалось, что всю свою жизнь я прожил закованным в кандалы, цепи и с ядром на ноге. Мне начало казаться, что, выпусти я на волю свои потаенные желания, в этом не будет ничего зазорного. Это будет ни хорошо, ни плохо, ни правильно, ни неправильно. Но это будет свобода!

Я испытывал тошноту. Вот только не знаю, почему: то ли воздух в патрульной машине становился все более спертым, то ли мне просто было отвратительно вдыхать то, что выдыхает главный полицейский. Во рту у меня появился металлический привкус, словно я пососал медную монету, в желудке ощущался какой-то холодный ком, а сердце покрылось панцирем изо льда.

12 Зак. № 693 Кунц

Я не понимал, с какой стати Стивенсон вываливает передо мной свои омерзительные откровения, но чувствовал, что это только прелюдия, а за ней последуют такие жуткие признания, которые мне вряд ли захочется выслушивать. Мне хотелось, чтобы он умолк раньше, чем откроет мне последний из своих секретов, но, судя по всему, Стивенсон был настроен на то, чтобы высказать мне все до конца. Может быть, потому, что я был первым, кому он открылся? Заставить его замолчать было невозможно — разве что пристрелить.

— В последнее время, — продолжил он голодным шепотом, который будет преследовать меня до конца жизни, — я вижу во сне в основном свою внучку Ребекку. Ей десять лет. Очаровательная девочка. Стройная, красивая. Что только я не вытворяю с ней во сне! Ох, что я с ней делаю! Такой безжалостной жестокости ты себе даже представить не можешь. Я проявляю такую злобную изобретательность, что сам себе удивляюсь. А когда просыпаюсь, то чувствую себя хищником — божественно, лучше, чем во время оргазма. Я лежу в постели рядом со спящей женой, которая даже не подозревает — и, наверное, никогда не узнает — о странных обуревающих меня мыслях, и чувствую, как внутри меня бурлит сила. Я знаю, что могу получить абсолютную свободу в любой момент, когда захочу: на следующей неделе, завтра, сейчас.

Наверху время от времени подавало голос обычно молчаливое лавровое дерево. С его листьев периодически падали капли собравшейся от тумана влаги, и казалось, что дерево принимается быстро и неразборчиво болтать сотнями заостренных зеленых язычков. Капли неожиданно и резко стучали о капот машины, скатывались по лобовому стеклу, и меня почему-то удивляло, что это не кровь.

Я крепко сжал рукоятку «глока» в кармане куртки. После всего услышанного от Стивенсона я не допускал и мысли, что он выпустит меня живым из этой машины. Я поерзал на сиденье — легонько, чтобы он ничего не заподозрил. Мне нужно было сесть таким образом, чтобы я смог выстрелить в него прямо через карман, не вынимая пистолета из куртки.

— На прошлой неделе, — снова зашептал шериф, — Кира с Ребеккой приехали к нам на ужин, и я был не в силах оторвать от девочки взгляд. Я смотрел на нее и видел ее обнаженной, как во сне. Такую стройную. Хрупкую. Беззащитную. Я был так возбужден ее уязвимостью, нежностью, слабостью, что мне пришлось скрывать свое состояние от Киры и Ребекки. И от Луизы. Я хотел... хотел... мне было необходимо...

Неожиданно шеф полиции начал всхлипывать. Его вновь, как и в самом начале, захлестнула волна горя и отчаяния, на какое-то время отодвинув на задний план безумные желания и извращенную одержимость.

— Одна часть меня хочет, чтобы я убил себя, но — только маленькая и слабая часть, жалкая крупица того меня, каким я когда-то был. Хищник, в которого я превратился, никогда не убьет сам себя. Никогда. Он слишком живуч.

Стивенсон сжал левую ладонь в кулак, поднес его ко рту и вцепился зубами в костяшки, да так сильно, что из руки едва не брызнула кровь. Кусая пальцы, он пытался подавить всхлипывания — такие отчаянные, каких мне еще никогда не приходилось слышать.

В этом новом Стивенсоне не оставалось и следа спокойствия и невозмутимости, которые делали его такой внушительной и заслуживающей уважения фигурой, когда он стоял на страже закона и порядка. Теперь он полностью находился во власти эмоций — противоречивых, терзающих его изнутри и не дающих ни секунды передышки, как волны, без устали бороздящие поверхность штормового моря.

Несмотря на страх, который я испытывал перед этим человеком, в моей душе даже нашлось место для жалости к нему. Я был близок к тому, чтобы сочувственно положить руку ему на плечо, но вовремя остановился, почувствовав, что чудовище, которое только что исповедовалось мне, никуда не исчезло и не смирилось.

Вытащив кулак изо рта, он повернул ко мне лицо, искаженное такой нечеловеческой мукой, такой страшной душевной агонией, что я был вынужден отвернуться.

Стивенсон тоже отвернулся, снова вперил взгляд в лобовое стекло и молчал до тех пор, пока его слезы, подобно каплям с лавровых листьев, не скатились вниз и он вновь обрел способность говорить.

— С прошлой недели я под любыми предлогами избегаю общения с Кирой, чтобы только не видеть Ребекку. — Его голос предательски задрожал, но дрожь эта тут же пропала, уступив место ненасытной похоти бездушного тролля. — И иногда по ночам, когда на меня накатывает такое настроение, как сейчас, когда я начинаю чувствовать внутри себя холод и пустоту, когда мне хочется зайтись в крике и кричать не переставая, я думаю, что лучший способ заполнить эту пустоту, унять этот непрекращающийся внутренний зуд — это... сделать то, что я делаю в своих снах. И я обязательно сделаю это. Рано или поздно, но сделаю. Причем скорее рано, нежели поздно. — Теперь горечь и боль в его шепоте сменились тихим, но поистине сатанинским ликованием. — Я буду делать это снова и снова. Я уже приглядел несколько девочек примерно одного с Ребеккой возраста — лет по девять-десять, таких же стройненьких и симпатичных, как и она. Будет безопаснее начать с кого-нибудь, кто не связан со мной. Безопаснее, хотя, конечно, не до такой степени приятно. Но все равно это будет здорово. Почувствовать силу разрушения, сбросить с себя все эти кандалы, в которых нас приучили жить, разрушить свою темницу, стать наконец свободным — совершенно свободным! Когда я останусь один на один с девочкой, я стану кусать ее, кусать снова и снова. Во сне я облизываю их кожу и чувствую на языке вкус соли, а потом принимаюсь кусать и чувствую, как от их криков вибрирует плоть, которую я сдавливаю зубами.

Даже при скудном освещении в патрульной машине я заметил, как бешено пульсирует жилка на виске Стивенсона. Его зубы были крепко сжаты, рот перекошен от маниакального возбуждения. Сейчас он казался в большей степени животным, нежели человеком, а скорее — не был ни тем ни другим.

Моя ладонь так отчаянно вцепилась в рукоятку «глока», что руку вплоть до самого плеча пронизала боль. Я внезапно сообразил, что мой указательный палец лежит на спусковом крючке и я в любой момент могу непроизвольно выстрелить. Однако я еще не успел сесть таким образом, чтобы дуло оружия было направлено в сторону Стивенсона. Лишь сделав над собой изрядное усилие, мне удалось снять палец с курка.

— Что сделало вас таким? — спросил я.

Стивенсон повернул ко мне голову, и под ресницами у него вновь промелькнула мимолетная вспышка, но в следующий миг глаза его вновь стали темными и мертвыми.

— Лишь маленький мальчик-разносчик, — загадочно проговорил он, — лишь маленький мальчик-разносчик останется жить.

— Зачем вы рассказывали мне о своих снах и о том, что вы намерены делать с какой-то девочкой?

— Потому, проклятый уродец, что я должен предъявить тебе ультиматум. И хочу показать, насколько серьезно обстоят дела и насколько я опасен. Ты должен понять, что мне больше нечего терять и я с наслаждением вырву твои кишки, если до этого дойдет. Другие тебя не тронут...

— Из-за того, кем была моя мать?

— Ах ты уже и это знаешь?

— Я лишь не знаю, что это означает. Кем же была моя мать на самом деле?

Вместо ответа на мой вопрос Стивенсон проговорил:

— Другие не тронут тебя и не хотят, чтобы тебя трогал я. Но если придется, я это сделаю. Только попробуй и дальше совать нос не в свои дела, и я раскрою тебе череп, вытащу из него твои никчемные мозги и брошу их в залив на корм рыбам. Или, думаешь, не смогу?

— Сможете, — искренне ответил я.

— Учитывая, что ты у нас — великий писатель, возможно, тебе и удастся сделать так, что тебя выслушают несколько газетных придурков. Так вот знай: если ты сделаешь хотя бы один звонок журналистам, я первым делом наложу лапу на твою сучку диск-жокея. Наизнанку ее выверну, и не один раз.

Когда он упомянул Сашу, во мне вскипело бешенство, но вместе с тем я был до такой степени напуган его словами, что промолчал.

Теперь я понял, что Рузвельт Фрост действительно не угрожал, а всего лишь советовал мне. Вот сейчас я услышал настоящую угрозу, и именно об этом предупреждал меня Рузвельт, утверждавший, что говорит от имени кошки.

Бледность исчезла с лица Стивенсона, и теперь его лицо заливала краска, словно в тот момент, когда он решил капитулировать перед своими безумными желаниями, в холодных пустотах его души, о которых он упоминал, вспыхнул сатанинский огонь.

Полицейский протянул руку к приборной доске и выключил обогреватель.

Сомнений не оставалось: прежде чем наступит следующий рассвет, он на самом деле замучит какую-нибудь маленькую девочку.

Я осмеливался задавать вопросы только потому, что к этому времени успел переместиться на сиденье достаточно для того, чтобы невидимый для шерифа ствол моего пистолета был направлен прямехонько ему в грудь.

— Где тело моего отца?

— В Форт-Уиверне. Там должны произвести вскрытие.

— Зачем?

— Тебе это знать необязательно. Но для того, чтобы положить конец твоему глупому маленькому крестовому походу за правдой, могу сказать тебе одну вещь: его убил действительно рак. Своего рода рак. Тебе больше ни к чему расспрашивать других людей, как ты пытался это делать с Анджелой Ферриман.

— Почему я должен вам верить?

— Потому что для меня было бы гораздо проще тебя убить, чем отвечать на твои вопросы. Так что с какой стати мне врать?

— Что происходит в Мунлайт-Бей?

Лицо полицейского исказила ухмылка, подобную которой можно увидеть разве что в стенах сумасшедшего дома. Он выпрямился на сиденье и даже как-то раздулся, словно мысль о грядущей катастрофе доставляла ему неизъяснимое наслаждение.

— Весь город встал на волну и полным ходом катится прямиком в преисподнюю. Потрясающий будет полет!

— Это не ответ.

— Хватит с тебя и такого.

— Кто убил мою мать?

— Это был несчастный случай.

— Я тоже так думал до сегодняшнего вечера.

Его мерзкая ухмылка — тонкая, словно сделанная бритвой — расширилась и теперь напоминала большую резаную рану.

— Ну что ж, расскажу тебе еще кое-что, коли тебе так приспичило. Твою мать действительно убили, как ты и подозревал.

Мое сердце превратилось в тяжелый булыжник.

— Кто ее убил?

— Она сама. Она сама убила себя. Самоубийство. Она разогнала свой «Сатурн» до ста миль в час и въехала прямиком в опору моста. Машина была совершенно исправна, педаль акселератора не заклинило. Эту «легенду» мы состряпали для прикрытия.

— Вы — лживый сукин сын.

Медленно-медленно Стивенсон облизал губы, словно для того, чтобы его улыбочка выглядела более привлекательной.

— Я не лгу, Сноу. И знаешь, если бы два года назад я мог хотя бы предположить, что со мной произойдет и как все обернется, я бы собственными руками и с огромной радостью убил твою старуху. Убил бы ее за то, какую роль она сыграла во всем этом. Я бы отвез ее куда-нибудь подальше, вырезал сердце из ее груди, насыпал бы в дырку соли, привязал, как ведьму, к столбу и сжег дотла — все, что угодно, лишь бы убедиться в том, что она мертва. Потому что чем отличается сделанное ею от проклятия, наложенного ведьмой? Какая разница, наука или колдовство, когда результат один и тот же! Но тогда я еще не подозревал о том, что на нас надвигается, а она уже знала и поэтому решила избавить меня от хлопот и по собственной воле врезалась на полном ходу в бетонный столб метровой толщины.

К моему горлу подбиралась маслянистая тошнота, поскольку, слушая Стивенсона, я чувствовал, что каждое его слово — правда. Я понимал всего лишь маленькую часть из того, что он говорил, но и это было для меня чересчур.

— Тебе некому мстить, уродец, — проговорил полицейский. — Твоих стариков никто не убивал. На самом деле выходит так, что это сотворила именно твоя мамаша — и с собой, и с папочкой.

Я закрыл глаза. Мне было невыносимо видеть его. И не только из-за того, что, говоря о смерти моей матери, Стивенсон получал явное удовольствие, но и потому, что он явно считал — какая разница, по какой причине! — ее гибель справедливой.

— А теперь я хочу, чтобы ты заполз обратно под свой камень и сидел там до конца жизни, не высовывая носа наружу. Мы не допустим, чтобы ты разболтал всем на свете о том, что здесь происходит. Если об этом узнают другие, если слух дойдет до кого-то еще, помимо нас и тех, кто находится в Форт-Уиверне, чужаки объявят весь наш округ на карантине. Они все здесь выжгут, убьют всех нас до последнего, сровняют с землей все здания, отравят всех птиц, койотов и домашних кошек, а потом — в лучшем случае — сбросят на то, что останется, несколько атомных бомб. И все это будет впустую, поскольку зараза давно распространилась за пределы здешних мест и дошла уже до противоположного конца континента, а то и дальше. Мы — самые первые, поэтому ее воздействие на нас более очевидно, и распространяется она здесь быстрее, но теперь она пойдет дальше и без нашего участия. Поэтому ни один из нас не хочет умирать только для того, чтобы вонючие политики могли отчитаться в том, что не сидели сложа руки.

Открыв глаза, я увидел, что Стивенсон поднял пистолет, и теперь его дуло смотрит на меня. От моего лица его отделяло не более полуметра. Теперь мое единственное преимущество состояло в том, что противник не подозревал, что я тоже вооружен, однако оно могло сыграть в мою пользу лишь в том случае, если бы мне первым удалось нажать на спусковой крючок.

Я понимал, что это бесполезно, но все же попытался вступить с ним в спор — возможно, только потому, что лишь таким способом мог отвлечься от того, что услышал от Стивенсона о своей матери.

— Послушайте, всего две минуты назад вы говорили, что вам больше незачем жить. Так, что бы здесь ни происходило, может быть, если бы нам помогли...

— Я был в таком настроении, — резко оборвал

он меня. — Ты что, не слушал меня, уродец? Я же сказал тебе, что я — в настроении. В отвратительном настроении. А сейчас у меня другое настроение — получше. Я в настроении стать тем, в кого я превращаюсь, отдаться этому вместо того, чтобы сопротивляться и дальше. Перемены, дружок, вот в чем все дело. Восхитительные перемены. Сегодня меняется все и навсегда. Грядет новый мир, и он будет ослепителен!

— Но мы не можем...

— Если ты раскроешь тайну и сообщишь о ней миру, ты тем самым подпишешь свой смертный приговор, убьешь свою маленькую сучку диск-жокея и остальных друзей. А теперь вытряхивайся из машины, садись на велосипед и вези свою костлявую задницу обратно домой. Похорони пепел, который выдаст тебе Сэнди Кирк. А потом, если почувствуешь, что любопытство не дает тебе жить спокойно, отправляйся на пляж, проведи там несколько дней и как следует позагорай.

Стивенсон отпускает меня? Я не верил своим ушам.

— А собака останется со мной, — добавил он.

— Нет.

Полицейский указал стволом пистолета на дверь:

— Вон!

— Это моя собака.

— Это ничья собака. И я не намерен с тобой спорить.

— Для чего он вам нужен?

— Для показательного урока.

— Какого?

— Я возьму его в муниципальный гараж. Там стоит специальная машина — вроде мясорубки, только для дерева. Кидаешь туда ветку, а с другого конца вылезают стружки.

— Вы этого не сделаете.

— Сначала я выстрелю твоему псу в башку...

— Нет!

— ...Засуну его в «дереворубку»...

— Выпустите его из машины немедленно.

— ...А потом соберу фарш, который вылезет с другой стороны, и в качестве напоминания брошу возле твоего дома.

Я смотрел на Стивенсона и понимал, что это уже не просто новый человек. Это вообще нечто иное, вылупившееся из прежнего Льюиса Стивенсона, как бабочка из кокона, за тем лишь исключением, что этот процесс был отвратителен и происходил задом наперед: бабочка забралась в кокон и выбралась оттуда мерзким червяком. Эта кошмарная метаморфоза происходила, видимо, не один день, но сейчас, на моих глазах, достигла кульминации. Последнее, что оставалось от прежнего шефа полиции Стивенсона, безвозвратно исчезло, а тот, с кем я сейчас мерился взглядом, был движим одними лишь безумными страстями и порывами, недоступен для голоса совести, не способен плакать, как делал это всего пару минут назад, и опаснее, чем кто-либо или что-либо на этой земле.

Если внутри его сидит какая-то выведенная в лаборатории инфекция, передастся ли она сейчас мне?

Мое сердце, казалось, обменивается тяжелыми боксерскими ударами с самим собой.

Я никогда не считал себя способным на убийство человека, но этого был готов уничтожить без колебаний, поскольку спас бы таким образом не только Орсона, но и неизвестных мне девочек, которых Стивенсон намеревался затащить в свои кошмары, ставшие явью.

В моем голосе прозвучала неизвестно откуда взявшаяся сталь, и я потребовал:

— Выпустите собаку из машины. Немедленно!

На лице шерифа вновь заиграла змеиная улыбка, и он сказал:

— Эй, уродец, ты, случаем, не забыл, кто из нас полицейский? Не забыл, у кого пистолет?

Выстрели я сейчас, я мог бы не убить гадину сразу — даже с такого незначительного расстояния. Если первая пуля и остановит его сердце, он может в агонии несколько раз нажать на курок и наверняка не промахнется.

Мой противник первым нарушил молчание:

— А может, тебе хочется посмотреть, как я это сделаю? Ну что ж, изволь.

Он наполовину повернулся на сиденье, просунул ствол пистолета сквозь ячейки металлической решетки и выстрелил в Орсона.

Грохот выстрела в салоне смешался с отчаянным собачьим визгом.

— Нет! — закричал я.

Стивенсон выдернул свой пистолет из решетки, и в этот момент выстрелил я. Пуля проделала дырку в моей кожаной куртке и разворотила ему грудь. Уже бессознательно он выстрелил в потолок машины. Я выпустил еще одну пулю. Она угодила ему в горло и, вылетев из затылка, разбила окно.

26

Я был не в состоянии не только пошевелиться, но даже моргнуть, словно какой-то колдун превратил меня в каменное изваяние. Сердце металось в моей груди подобно взбесившемуся железному маятнику. Я утратил способность чувствовать и даже не ощущал в своей руке пистолет. Ослепленный вспышками выстрелов и наступившей потом темнотой, я ничего не видел — даже мертвеца рядом с собой. И ничего не слышал, то ли оглушенный пистолетным грохотом, то ли не желая слышать того, что навязчиво бормотал мой внутренний голос о неминуемых последствиях случившегося.

Единственным из всех чувств, которое мне не отказало, было обоняние. В воздухе причудливо смешались вонь и благоухание: отдающая серой пороховая гарь, запах крови с металлическим привкусом, кислое зловоние мочи, шедшее от обмочившегося в предсмертной агонии полицейского, и почему-то — аромат шампуня с запахом роз, которым когда-то пользовалась моя мать. Все окружавшие меня запахи были реальны, если не считать последнего — давно забытого, но почему-то вдруг отчетливо ощущаемого сейчас. В мгновения леденящего страха наша память тянется в детство, сказал какой-то мудрец. Видимо, заставив меня почувствовать этот запах, мое подсознание в минуту паники обратилось к детству, надеясь, что на мою руку успокаивающе ляжет материнская ладонь и все сразу окажется на своих местах.

В следующее мгновение ко мне вернулись зрение, слух и все остальные чувства, обрушившись на меня почти с такой же — хоть и не столь смертоносной — силой, как две мои 9-миллиметровые пули на шерифа Льюиса Стивенсона.

Не в силах унять дрожь, я надавил ту же кнопку на консоли, которую чуть раньше до меня нажимал полицейский. Электрические замки на задних дверях щелкнули и открылись.

Толкнув плечом свою дверь, я вывалился из машины и рывком распахнул заднюю, словно безумный выкликая имя Орсона. Одновременно с этим в моей голове вихрем кружились мысли: каким образом я успею вовремя доставить пса в ветеринарную лечебницу, если он ранен, и как мне жить дальше, если он убит? Нет, он не может умереть! Он ведь не просто собака. Он — Орсон, мой необычный, особенный пес, мой спутник и друг, ставший за последние три года неотъемлемой частью моего ночного мира — не менее важной, нежели все остальные.

И он действительно оказался жив. Орсон выскочил из машины пушечным ядром, едва не сбив меня с ног. Оказывается, его жалобный визг после пистолетного выстрела был вызван не болью, а всего лишь страхом.

Уронив «глок» на землю, я бессильно опустился на колени прямо на дорожку и заключил пса в объятия. Я изо всех сил прижимал его к себе, гладил по голове, теребил мягкую черную шерсть, наслаждался, ощущая, как он перебирает лапами и как быстро бьется его сердце, наслаждался тем, как он машет хвостом, наслаждался даже запахом псины, исходившим от его влажной шерсти, и запахом собачьего печенья из его пасти.

Я боялся говорить, поскольку не доверял своему голосу. Язык мой превратился в камень, присохший к горлу. Если я попытаюсь пошевелить им, он может вообще развалиться, рассыпавшись в пыль, горечь и боль потерь пузырем поднимутся из недр моей души и, взорвавшись, выльются потоком рыданий.

Но я не позволю себе плакать. Пусть лучше печаль грызет меня, как сухую кость, чем выжимает подобно губке.

Да если бы я и сумел что-то сказать, разве слова сейчас хоть что-нибудь значили? Даже будучи необычной собакой, Орсон вряд ли захотел бы вступить со мной в задушевную беседу — по крайней мере до тех пор, пока я не вылезу из своей раковины, не попрошу Рузвельта Фроста поделиться со мной умением общаться с животными.

После того как я наконец сумел оторваться от Орсона, я поднял с земли «глок» и поднялся на ноги, чтобы оглядеть окрестности. Туман скрывал большинство машин и прогулочных лодок, принадлежавших той горстке людей, которые постоянно жили на своих судах. Не было видно ни одной живой души, и ничто не нарушало тишину ночи за исключением ленивого ворчания автомобильного мотора.

Звуки выстрелов, раздавшиеся в закрытой машине да еще поглощенные подушкой тумана, наверняка не привлекли ничьего внимания. Ближайшие жилища находились не менее чем в двух кварталах отсюда. А если кто-то в плавучих домиках и проснулся, то, вероятно, подумал, что три приглушенных хлопка были либо автомобильными выхлопами, либо просто привиделись им во сне.

В ближайшие минуты мне не грозила опасность быть пойманным, но мне не улыбалась и перспектива уехать отсюда и потом дожидаться, когда за мной придут, чтобы надеть наручники. Я как-никак убил начальника полиции. Пусть он уже не был тем человеком, которого знали и которым восхищались все в Мунлайт-Бей, пусть из верного слуги народа он превратился в существо, не имеющее ничего человеческого, я не смог бы это доказать. Ну кто поверит моим словам о том, что Стивенсон обернулся чудовищем, от которого я сам должен был защищаться!

Учитывая то, кем являлся убитый, к расследованию наверняка привлекут лучших экспертов из полиции округа и штата, которые обшарят машину Стивенсона, не упуская ни единой, даже самой мельчайшей, детали. Потом будет проведена криминалистическая экспертиза, и мне наступит конец.

Я не выдержу заключения в тесной, освещенной свечами камере. Хотя моя жизнь ограничена рамками заката и восхода, в этих пределах не может быть места стенам. И никогда не будет. Темнота замкнутого пространства и темнота ночи — совершенно разные вещи. Ночь не имеет границ и предлагает вам бесконечные тайны, открытия, чудеса и поводы для радости. Ночь — это флаг свободы, под которым проходит моя жизнь, и единственный мой выбор — это жить свободным или умереть.

От одной мысли о том, чтобы вновь забраться в патрульную машину с сидящим в ней мертвецом и вытирать все поверхности, на которых я мог оставить отпечатки пальцев, к моему горлу подкатила тошнота. Тем более это все равно оказалось бы пустым занятием, поскольку я бы неизбежно что-нибудь пропустил.

Кроме того, отпечатки пальцев были далеко не единственными свидетельствами моего пребывания в машине. Полицейские найдут много всего: волосы, невидимые глазу ворсинки от моих джинсов, шерсть Орсона на заднем сиденье, следы его зубов на обивке и, возможно, что-нибудь похуже.

Пока что мне дьявольски везло. Никто не слышал выстрелов. Но везенью, так же как времени, свойственно заканчиваться. Внутри моих электронных часов находилась не пружина, а кварцевая батарейка, но я был готов поклясться, что слышу тиканье.

Орсон тоже нервничал и усиленно нюхал воздух, пытаясь определить, не приближаются ли к нам обезьяны или еще какая-нибудь опасность.

Я поспешил к задней части автомобиля и нажал на кнопку, которая открывала багажник. Он, как я и боялся, оказался заперт.

«Тик-так, тик-так».

Подгоняя сам себя, я вернулся к передней дверце машины, открыл ее и, задержав дыхание, нырнул внутрь.

Стивенсон, перекрученный ударами пуль, сидел, откинув голову на стойку дверцы. Рот его был приоткрыт словно в экстазе, а зубы испачканы кровью, как будто он все-таки осуществил свои мечты и разорвал горло какой-нибудь девочке. Втянутое сквозняком, в машину вплыло маленькое облачко тумана, и мне почудилось, что это пар, поднимающийся от еще теплой крови, залившей форменную куртку шерифа.

Опершись коленом о пассажирское сиденье, я потянулся вперед — дальше, чем мне бы хотелось, — к ключам, торчавшим в замке зажигания.

Темные оливковые глаза Стивенсона были открыты. Жизнь уже покинула их, и сверхъестественный огонь — тоже, но я бы не удивился, если бы они вдруг мигнули, повернулись в глазницах и уставились на меня.

Прежде чем серая рука шерифа успела подняться с сиденья и схватить меня, я вытащил ключи из зажигания, торопливо попятился и, выбравшись наконец из автомобиля, шумно выдохнул.

В багажнике, как я и ожидал, находилась объемистая автомобильная аптечка для оказания первой помощи. Я вытащил из нее лишь толстый моток марлевого бинта и ножницы.

Пока Орсон бегал по периметру патрульной машины, я размотал бинт и стал складывать пополам — снова и снова, делая что-то вроде толстого жгута. Затем я отрезал бинт ножницами, скрутил жгут и завязал на нем три узла — два по концам и один посередине. После этого я повторил процедуру, связал два жгута вместе и получил прекрасный запальный шнур длиной около трех метров.

«Тик-так, тик-так».

Разложив марлевый жгут на тропинке и расправив его, я открыл заслонку бензобака и открутил крышку. Из горловины поплыли густые пары бензина.

Уложив ножницы и остатки бинта в аптечку, я положил ее в багажник и захлопнул крышку.

Пространство причалов по-прежнему оставалось безлюдным. Единственными раздававшимися в ночи звуками были удары капель, падавших с индийского лавра на машину, да топот лап Орсона, который, находясь в дозоре, озабоченно бегал тут и там в радиусе нескольких метров.

Как ни претило мне снова оказаться вблизи от мертвого Стивенсона, я все же вернул ключи от машины в замок зажигания. Я видел по телевизору некоторые фильмы из самых популярных детективных сериалов и поэтому знал, с какой легкостью детективы из отдела по расследованию убийств умеют загнать в ловушку даже самого дьявольски хитроумного преступника. Или как писательница, автор популярных детективных романов, расследует на досуге настоящие убийства. Или как блистательно занимается этим старая дева — бывшая школьная учительница, вышедшая на пенсию и страдающая от избытка свободного времени. Все это происходило на экране стремительно и неудержимо — за короткое время между первыми титрами и заключающей фильм рекламой женского дезодоранта для промежности. Я намеревался оставить всем им — и опытным профессионалам, и назойливым любителям — как можно меньше улик, которые могли бы навести их на мой след.

Где-то глубоко в пищеводе мертвеца лопнул пузырь газа, и труп рыгнул в мою сторону.

— Голубков пускаешь? — неудачно пошутил я, пытаясь подбодрить сам себя.

Я осмотрел переднее сиденье, но трех стреляных медных гильз нигде не было видно. Армия сыщиков, которая изучит здесь каждый дюйм, наверняка найдет их, и эти гильзы помогут им выйти на мой след, но я все равно не мог заставить себя искать их на полу, особенно под ногами мертвого Стивенсона.

Впрочем, даже если бы я нашел все три гильзы, мне бы это мало помогло, потому что глубоко в груди шерифа застряла одна из моих пуль. Если она не слишком деформирована, на ней будут обнаружены царапины, которые могли быть оставлены только внутренней поверхностью ствола моего пистолета. Однако даже угроза пожизненного заключения не заставила бы меня взять свой фонарик-ручку и произвести здесь же хирургическую операцию по извлечению пули из груди трупа.

Но даже будь я другим человеком, я все равно вряд ли осмелился бы на это. Если допустить, что резкие изменения, произошедшие в личности Стивенсона, и появившаяся в нем неуемная тяга к насилию являлись одним из симптомов сидевшей в нем загадочной болезни, и если предположить, что болезнь эта может передаваться через контакт с зараженными тканями и физиологическими жидкостями, я не мог бы даже помыслить о подобной «мокрой работе». По той же причине я старательно избегал соприкасаться с любыми поверхностями в машине, на которые попала кровь убитого мной полицейского.

Когда он рассказывал мне о своем желании терзать и рвать чужую плоть, меня тошнило только от мысли о том, что я дышу одним с ним воздухом. И все же я сомневался, что инфекция эта могла передаваться по воздуху. Если бы она была заразной до такой степени, то сейчас Мунлайт-Бей не просто катился бы в преисподнюю, как утверждал шериф, а давно находился бы в ней.

«Тик-так, тик-так».

Судя по показаниям приборов, бензобак был почти полон. Хорошо. Отлично. Чуть раньше, в доме Анджелы, обезьянья семейка научила меня, каким способом удобнее всего уничтожать улики и заметать следы убийства.

Огонь должен быть таким жарким, чтобы расплавить три медные гильзы, корпус автомобиля, а может, даже и раму, отлитую из более прочного металла. От самого Льюиса Стивенсона останется лишь обгорелый костяк, а о моих отпечатках, ворсинках и собачьей шерсти даже говорить не приходится.

Моя вторая пуля прошила шею шерифа, вдребезги разнесла окно и вылетела на улицу. Сейчас она, должно быть, лежит где-то в районе причалов или, если повезет, вообще улетела вдоль извилистой дорожки, изгибом уходившей вверх, к Эмбаркадеро-уэй, где ее вообще невозможно будет отыскать.

— Придется старой деве и бывшей училке как следует попотеть, — пробормотал я, захлопывая переднюю и заднюю дверцы машины. Короткий смешок, вырвавшийся у меня, был настолько безрадостным и тусклым, что я сам его испугался — не меньше, чем мысли о возможности оказаться за тюремной решеткой.

Я вытащил из «глока» обойму, вынул оттуда один патрон — значит, всего там осталось шесть — и снова загнал магазин в рукоятку пистолета.

Орсон нетерпеливо заскулил и схватил зубами один конец скрученного мной марлевого жгута.

— Да, да, да, — сказал я и очень внимательно посмотрел на пса.

Возможно, пес схватил жгут лишь потому, что тот его заинтересовал, как интересует собак все новое и непонятное.

Смешная белая веревка. Похожа на змею. Змея, но... не змея. Интересно, интересно. Пахнет хозяином Сноу. А может, она вкусная? Все, что угодно, может оказаться вкусным.

Из того, что Орсон поднял зубами с земли мой запальный шнур, вовсе не следовало, что он догадался о его предназначении или понял суть задуманных мной действий. Его интерес к белой веревке и ситуация, в которой этот интерес проявился, могли оказаться всего лишь случайным совпадением.

Да, конечно. Такое же случайное совпадение, как то, что фейерверк ежегодно устраивается именно в День независимости.

С сильно бьющимся сердцем, боясь, что меня в любой момент обнаружат, я взял из пасти Орсона конец жгута и осторожно привязал к одному из его концов пистолетный патрон.

Собака внимательно следила за моими действиями.

— Такой узел одобряешь? — спросил я его. — Или хочешь сам завязать?

Затем я сунул конец жгута с привязанным патроном в горловину бака. Тяжесть патрона потащила его внутрь, на самое дно бензобака. Мягкая марля стала мгновенно пропитываться бензином.

Орсон нетерпеливо бегал по кругу. «Торопись, торопись, торопись! Быстрее, быстрее, быстрее, хозяин Сноу!»

Я оставил снаружи около двух метров жгута. Он свисал с заднего крыла патрульной машины и тянулся по дорожке.

Подкатив велосипед от того места, где я его оставил — у ствола индийского лавра, — я наклонился, чиркнул газовой зажигалкой и поджег конец жгута. Хотя эта его часть еще не успела пропитаться бензином, огонь побежал по ней быстрее, чем я ожидал. Слишком быстро.

Я вскочил на велосипед и стал крутить педали так, будто за мной гнались все демоны ада и еще несколько чертенят в придачу, что, наверное, отчасти соответствовало действительности. Орсон несся галопом сбоку, а я гнал велосипед через автомобильную стоянку к наклонному выезду на пустынную в этот час Эмбаркадеро-уэй, а потом — на юг, мимо закрытых ресторанов и магазинов, выходивших фасадами на побережье.

Вскоре раздался взрыв. Гулкое «бум» прозвучало тише, чем я ожидал. Пространство вокруг меня и даже впереди расцвело оранжевым светом. Яркая вспышка взрыва преломилась в триллионах крохотных капель тумана и была видна даже дальше, чем можно было предположить.

Я безрассудно нажал на ручной тормоз, резко, тормозя ногой об асфальт, развернул велосипед на сто восемьдесят градусов и остановился, глядя в ту сторону, откуда только что приехал.

Отсюда мало что было видно: шар оранжевого пламени и менее яркие языки огня по бокам выглядели расплывчатыми в серой пелене тумана.

Но самую страшную картину услужливо нарисовала мне не ночь, а, как водится, мое собственное воображение: лицо Льюиса Стивенсона, которое пузырится, дымится и шипит выступающим от огня жиром, словно кусок свинины на вертеле.

— Боже милостивый! — проговорил я таким хриплым и дрожащим голосом, что сам не узнал его.

И все же у меня не оставалось иного выбора, как только поджечь эту чертову машину. В противном случае полицейские узнали бы, что Стивенсон убит, и получили бы улики того, кем и как это сделано.

Я снова заставил петь велосипедную цепь, уводя своего верного пса подальше от залива, в глубь запутанного лабиринта улиц и бульваров, в укутанное одеялом тумана, пропитанное влагой сердце Мунлайт-Бей.

Несмотря на тяжелый «глок», лежавший в кармане, моя кожаная куртка развевалась подобно накидке. Я летел, не видимый никем, избегая света — и уже не только из-за своего недуга, — как тень, сливаясь с другими тенями, будто знаменитый призрак, выбравшийся из лабиринтов под зданием оперы, севший на колеса и нагоняющий ужас на жителей земной поверхности.

Это, конечно, было не очень хорошо — так бесстыдно рисоваться перед самим собой после того, как только что убил человека. В свое оправдание могу сказать лишь одно: прокручивая события этого вечера как некое выдающееся приключение с собой в главной роли, я лишь отчаянно старался заглушить в себе страх и воспоминания о сделанных мной выстрелах. Мне также было необходимо отделаться от образов горящего внутри машины тела, которое усилиями моего воображения поднималось и лопалось подобно пузырям на поверхности болота.

Тем не менее романтизировать собственный образ мне пришлось недолго — лишь до того момента, когда я выехал на бульвар позади театра «Гранд», в половине квартала южнее Оушн-авеню. В свете покрытого застарелой грязью фонаря туманный воздух здесь тоже казался грязным и коричневым. Я спрыгнул с велосипеда, бросил его на асфальт и, перегнувшись через поручень набережной, изверг из желудка все, что там оставалось после нашей полуночной трапезы с Бобби Хэллоуэем.

Я убил человека.

Бесспорно, моя жертва заслуживала смерти. И раньше или позже, под тем или иным предлогом Льюис Стивенсон обязательно убил бы меня, несмотря на намерение его друзей-заговорщиков предоставить мне отсрочку. Кроме того, я действовал таким образом в порядке самообороны и для того, чтобы спасти жизнь Орсону.

И все же я убил человека, и никакие смягчающие обстоятельства не могли изменить этот факт. Меня до сих пор преследовал взгляд его пустых, черных и мертвых глаз, его рот, разинутый в беззвучном крике, его залитые кровью зубы. Память с готовностью подсовывает зрительные образы. Звуковые, вкусовые и осязательные ощущения вспоминаются не так легко, и уже совсем невозможно вызвать из памяти тот или иной запах. Однако чуть раньше я явственно почувствовал аромат материнского шампуня, а теперь меня преследовал запах горячей крови шерифа Стивенсона, да так навязчиво, что я продолжал висеть на парапете, как парус на рее яхты, не в силах распрямиться.

На самом деле я, видимо, был потрясен не только тем, что убил его, а еще из-за того, что с такой жестокостью и дьявольским спокойствием уничтожил его тело и прочие улики. Наверное, мне все же присущ некий криминальный талант. Я со страхом подумал, что за двадцать восемь лет, прожитых мной в темноте, какая-то ее часть проникла внутрь меня и теперь клубится в неведомом мне самому закутке моего сердца.

Очистившись, но не чувствуя себя лучше, я снова взгромоздился на велосипед, и мы с Орсоном «огородами» двинулись по направлению к «Кальдекотс шелл» — бензозаправочной станции на углу Сан-Рафаэль-авеню и Палм-стрит. Сейчас она была закрыта. На стене внутри ее тускло светились синим неоном электронные часы, а снаружи — автомат по продаже прохладительных напитков.

Я купил банку пепси, чтобы избавиться от мерзкого вкуса во рту, а затем открыл водопроводный кран на площадке заправочной станции и подождал, пока напьется Орсон.

— До чего же ты везучий пес, что обзавелся таким заботливым хозяином! — сказал я. — Никогда не забудет тебя напоить, накормить, вычесать. Всегда готов убить любого, кто хоть тронет тебя пальцем.

Пес повернул голову и посмотрел на меня смущенным — я разглядел это даже в темноте — взглядом. А потом лизнул мою руку.

— Принимаю твою благодарность, — сказал я.

Он еще немного полакал воду, текущую из крана, а затем сделал шаг в сторону и отряхнул морду.

Закрутив кран, я спросил:

— Откуда мама взяла тебя на самом деле?

Пес снова посмотрел мне в глаза.

— Что за секрет она хранила?

Он не отвел глаза в сторону. Он знал ответы на эти вопросы. Он просто не хотел говорить.

27

Я думаю, что Бог, возможно, действительно обитает где-то неподалеку от церкви святой Бернадетты, играя на гитаре ветра в веселой компании джаз-банда из ангелов. Он может находиться здесь в некоем невидимом нам измерении, набрасывая на ватмане чертежи каких-нибудь новых миров, в которых не будет места таким вещам, как ненависть, безграмотность, рак и грибковые заболевания на ногах спортсменов. Он может парить высоко над дубовыми полированными скамьями для прихожан, словно в плавательном бассейне, вместо воды наполненном ароматами благовоний и бормотанием молящихся, погруженный в глубокие размышления, наталкиваясь время от времени на церковные колонны и ожидая людей, спешащих к нему со своими бедами.

Однако сейчас я почувствовал, что этой ночью Бог решил держаться подальше от церкви и примыкавшего к ней дома приходского священника. У меня самого по коже побежали мурашки, когда я проехал мимо него на велосипеде. Двухэтажный каменный дом, напоминающий по форме здание самой церкви, был выстроен в осовремененном нормандском стиле и лишился многих чисто французских черт, чтобы больше подходить к мягкому климату Калифорнии. Широкие выступы пологой кровли, крытые темной черепицей, были толстыми, как покрытый толстой броней лоб дракона, чуть ниже пустыми глазницами чернели окна, а за ними и за маленькими декоративными окошками на каждой из дверных створок таились безжизненные неизведанные чертоги. Я никогда не воспринимал дом священника как некое запретное место, и сейчас он казался мне таковым лишь из-за загадочной сцены между отцом Томом и Джесси Пинном, свидетелем которой я стал в церковном подвале.

Я миновал церковь, дом пастора, проехал под раскидистыми кронами дубов и вновь оказался на кладбище, между ровными рядами могил. Ноа Джозеф Джеймс, проживший девяносто шесть лет между днем своего рождения и днем смерти, проявил обычную для себя сдержанность и, как всегда, не ответил на мое приветствие. В отместку за подобную невоспитанность я прислонил к его надгробию велосипед.

Сняв с ремня мобильный телефон, я набрал номер, не значившийся ни в одном справочнике. Он должен был соединить меня с телефоном, стоявшим прямо в радиобудке перед Сашей. Тот, разумеется, не звонил. О том, что поступил звонок, Саша узнавала по тому, что на стене перед ней начинала мигать синяя лампочка. Она сняла трубку после четвертого «звонка», но ответила не сразу, поскольку как раз сейчас говорила что-то в микрофон. Я слышал, как в студии играет музыка.

Орсон снова принялся обнюхивать беличьи следы.

Между могил, словно заблудившиеся призраки, плавали клочья тумана.

Мне пришлось ждать, пока Саша прокрутит два «пончика» — так называются рекламные ролики, в которых записаны только конец и начало, а между ними оставлено место для вставок во время прямого эфира. Затем она сделала исторический экскурс в творчество Элтона Джона и включила «Руки японки». Судя по всему, бенефис Криса Айзека закончился.

Взяв трубку, она сказала:

— Я поставила две песни подряд, так что в твоем распоряжении пять минут, милый.

— Как ты догадалась, что это я?

— Во-первых, этот номер знают очень немногие, а во-вторых, большинство из них в этот час давно в постели. Кроме того, когда дело касается тебя, я отличаюсь необычайной интуицией. Как только я увидела, что на стене мигает лампочка, то сразу же почувствовала покалывание в нижних частях тела.

— В нижних частях?

— В женских нижних частях. Жду не дождусь встречи с тобой, Снеговик.

— Звучит заманчиво. Слушай, кто сегодня с тобой работает?

— Доги Сассман. — Это был звукоинженер радиостанции «Кей-Бей».

— Вас только двое? — обеспокоенно спросил я.

— Ты что, ревнуешь? Как мило! Но можешь не волноваться, я не в его вкусе.

В редкие часы, когда Доги не сидел за пультом звукозаписи в радиостудии, он в основном носился на «Харли Дэвидсоне». Ростом он был чуть ниже ста восьмидесяти сантиметров, а весил сто пятьдесят килограммов. Буйная грива светлых волос и курчавая борода Доги казались такими шелковистыми, что их хотелось погладить, а руки и торс представляли собой красочное панно татуировок, покрывавших каждый квадратный сантиметр его тела. Однако по поводу вкуса Доги в отношении женщин Саша, конечно, пошутила. В общении с противоположным полом он проявлял такую бездну обаяния, что по сравнению с ним Винни-Пух показался бы просто сухарем. Мы были знакомы уже шесть лет, и я знал всех четырех женщин, с которыми на протяжении этого времени у него были романы. Любая из них могла бы прийти на церемонию вручения «Оскаров» в простых джинсах, фланелевой рубахе, без макияжа и при этом легко затмила бы всех блистающих там старлеток.

Бобби предполагает, что Доги Сассман либо продал душу дьяволу, либо является тайным повелителем Вселенной, либо обладает самыми гигантскими гениталиями в истории человечества, либо выделяет такие флюиды, которые сильнее земного притяжения.

Я обрадовался, что в эту ночь работает именно Догги, поскольку знал, что он круче любого другого звукоинженера на студии.

— Нет, просто я полагал, что, помимо вас двоих, там должен быть кто-то еще, — сказал я.

Саша, конечно, знала, что я не ревную ее к Догги, и сейчас уловила в моем голосе тревогу.

— Ты знаешь, что наши дела пошли гораздо хуже после того, как закрыли Форт-Уиверн и мы лишились военных — доброй трети наших ночных слушателей. Нам пришлось сократить штат, но даже в урезанном составе мы едва сводим концы с концами. А в чем дело, Крис?

— Двери у вас на радиостанции все время заперты?

— Да. Это требуют от всех ночных диск-жокеев.

— Хотя ты выйдешь, когда уже рассветет, пообещай мне, что попросишь Доги либо кого-нибудь из утренней смены проводить тебя до машины.

— Неужели Дракула вырвался на волю?

— Обещай мне.

— Крис, какого черта ты...

— Я все расскажу тебе позже. Просто пообещай, и все, — продолжал настаивать я.

Она вздохнула.

— Ну ладно. Только объясни, что стряслось? Ты, случайно, не...

— Со мной все в порядке, Саша, честное слово. Не волнуйся. Пообещай же мне, черт побери!

— Я пообещала.

— Но ты не произнесла это слово.

— О Господи! Ну ладно, ладно. Я обещаю. Чтоб мне сдохнуть, чтоб мне провалиться. Век воли не видать! Но с тебя — увлекательный рассказ, какая-нибудь страшилка вроде тех, что я слушала у костра в лагере герл-скаутов. Ты будешь ждать меня дома?

— А ты наденешь форму герл-скаута?

— У меня от нее остались только носочки.

— Этого вполне достаточно.

— Ага, уже задрожал, представив такую картинку?

— Просто вибрирую.

— Ты плохой человек, Кристофер Сноу.

— Да, я — убийца.

— Ладно, до скорой встречи, убийца.

Она положила трубку, а я выключил свой телефон и снова повесил его на пояс.

Несколько секунд я вслушивался в кладбищенскую тишину. Соловьиные трели давно умолкли, и даже стрижи, похоже, отошли ко сну, устроившись на ночь под дымоходом. Вероятнее всего, не спали только могильные черви, но они трудились в торжественной и уважительной тишине.

Обращаясь к Орсону, я сказал:

— По-моему, мне не обойтись без духовного наставления. Давай-ка нанесем визит преподобному Тому.

Я пересек кладбище пешком, обошел церковь сзади и вытащил из кармана куртки «глок». Находясь в городе, где начальник полиции грезит о том, как он станет избивать и мучить маленьких девочек, и где работники похоронного бюро разгуливают с пистолетами под мышкой, я имел все основания предполагать, что священник тоже будет вооружен не одним только словом Божьим.

* * *

Дом отца Элиота был темным с фасада, но, зайдя с заднего двора, я увидел два освещенных окна на втором этаже.

После сцены, которую я наблюдал в церковном подвале, спрятавшись за гипсовым ангелом, не приходилось удивляться тому, что настоятель святой Бернадетты не в состоянии уснуть. Часы показывали три утра, после визита сюда Джесси Пинна прошло уже четыре часа, а священник все не выключал свет.

— Топай потише, — прошептал я Орсону.

Стараясь производить как можно меньше шума, мы взобрались по каменным ступенькам и прошли по деревянному полу заднего крыльца.

Я подергал дверь, но она оказалась закрыта, хотя служителю Господа следовало скорее уповать на него, а не на дверные замки.

Я не собирался стучать или звонить у парадного входа. Имея за плечами убийство полицейского, было бы глупо бояться наказания за незаконное вторжение в чужое жилище. Мне только не хотелось разбивать окно, поскольку звон стекла наверняка насторожит священника.

На террасу крыльца выходили четыре окна с двойными рамами. Я подергал их одно за другим. Третье оказалось незапертым. Пистолет мне пришлось засунуть в карман куртки, поскольку деревянные рамы разбухли от сырости и с трудом поддавались моим усилиям. Требовались обе руки, чтобы поднять вверх наружную раму и зафиксировать ее горизонтальной защелкой, а затем подсунуть пальцы под нижнюю планку внутренней рамы и произвести с ней такую же операцию.

Рама медленно поползла вверх, издавая такой зловещий скрип и скрежет, который сделал бы честь любому фильму ужасов Веса Крэйвена. Орсон скептически фыркнул, крайне невысоко оценивая мои навыки взломщика. Ну что тут поделаешь, кругом одни критики!

Я выждал несколько мгновений, желая убедиться, что поднятый мной шум не был никем услышан, а затем скользнул в открытое окно. Внутри было темно, как в ведьмином мешке.

— Давай сюда, парень, — прошептал я. Мне вовсе не хотелось оставлять Орсона снаружи одного, тем более что у него не было при себе пистолета.

Пес запрыгнул в окно. Бесшумно, как только мог, я опустил обе рамы и запер их. Вряд ли в этот момент за нами наблюдали члены обезьяньего отряда или еще кто-то, но я все же хотел быть уверенным в том, что никто с улицы не последует за нами в дом священника.

Включив фонарик-ручку, я поводил лучом вокруг себя и понял, что нахожусь в столовой. Здесь имелись две двери: одна — справа от меня, другая — прямо напротив окон.

Выключив фонарик и достав из кармана «глок», я открыл ближайшую ко мне дверь — ту, что вела на кухню. На двух плитах и микроволновой печи светились цифры электронных часов. Мне вполне хватило их тусклого света для того, чтобы дойти до вращающейся двери в холл и при этом не врезаться головой в холодильник и стол для готовки.

Коридор, в который выходили двери комнат, вел в прихожую, освещенную одной маленькой свечкой. На трехногом полукруглом столике у стены стояла фарфоровая статуэтка Девы Марии, а рядом в красной стеклянной плошке мерцал фитилек церковной свечки. Она уже догорала.

В неверном колеблющемся свете лицо Марии казалось скорее не скорбным, а злорадным. Казалось, она знает, что обитатель этого дома является в последнее время не столько воином веры, сколько пленником страха.

Бок о бок с Орсоном мы преодолели два пролета ступеней, шедших на второй этаж. Взломщик-инвалид и его четвероногий сообщник.

Коридор второго этажа был изогнут в форме кочерги, и выход с лестницы располагался прямо на изломе. Коридор, шедший влево, был темным, заглянув во второй, я увидел открытый чердачный люк и приставленную к нему лесенку. В одном из дальних углов чердака, по-видимому, горела лампа, но рассеянный свет едва выбивался из проема в потолке.

Справа от меня находилась ярко освещенная комната, дверь в которую была широко открыта. Крадучись, я сделал несколько шагов по коридору, приблизился к порогу и, осторожно заглянув внутрь, увидел аскетически обставленную спальню отца Тома с распятием над простой сосновой кроватью.

Священника здесь не было. Судя по всему, он находился на чердаке. Покрывало с постели было снято, одеяло откинуто аккуратным треугольником, но на кровать еще никто не ложился.

На тумбочках, по обе стороны от нее, горели лампы, поэтому в этом конце комнаты было чересчур ярко, однако меня больше заинтересовал противоположный конец спальни с письменным столом у стены. Рядом с бронзовой настольной лампой под зеленым стеклянным колпаком лежала толстая открытая тетрадь и ручка. Это было похоже на тетрадь для записей или дневник.

Позади меня негромко заворчал Орсон.

Я обернулся и увидел, что он стоит около лестницы, ведущей наверх, и, задрав голову, смотрит на тускло освещенный проем открытого чердачного люка. Когда пес повернул голову ко мне, я поднес палец к губам, делая знак замолчать, а потом тихо похлопал ладонью по ноге, подзывая его к себе.

Орсон не стал изображать из себя цирковую собаку, способную взбираться по стремянке, и подошел ко мне. Иногда ему доставляло удовольствие быть послушной собакой. Для разнообразия.

Я не сомневался, что, спускаясь с чердака, преподобный Том наделает достаточно шума и я буду заблаговременно предупрежден о его скором появлении. И все же велел Орсону оставаться возле порога спальни, чтобы постоянно видеть чердачный люк.

Отворачивая лицо от горевших возле кровати ламп, я прошел через комнату по направлению к письменному столу, заодно заглянув в смежную со спальней ванную комнату. Там было пусто.

На столе, помимо тетради, стоял кувшин, в котором оказалось шотландское виски, и стакан, более чем наполовину наполненный золотистой жидкостью. Преподобный потягивал виски неразбавленным и без льда. Скорее даже не потягивал, а хлебал.

Я взял в руки тетрадь. Почерк отца Тома был четким и убористым, как шрифт пишущей машинки. Поскольку моим привыкшим к темноте глазам не требовалось много света для того, чтобы читать, я отошел подальше в тень, царившую в углу комнаты, и пробежал первый абзац на странице. Он заканчивался на полуслове, и речь в нем явно шла о сестре священника:

«Когда настанет конец, я, возможно, не сумею спастись. Я знаю также, что не смогу спасти Лору, поскольку она уже не то, чем была. Она умерла. От нее осталась лишь физическая оболочка, да и та, наверное, переменилась. Господь либо забрал ее душу в свои сады, оставив в земном теле Лоры то существо, в которое она превратилась, либо покинул ее. В таком случае он покинет и всех нас. Я верю в милосердие Христа. Я верю во власть Божью. А если я верю, то должен жить своей верой и попытаться спасти тех, кого могу. Если я не способен спасти себя или даже Лору, я могу помочь хотя бы тем несчастным созданиям, которые приходят ко мне, моля избавить их от мучений и даровать свободу. Джесси Пинн или те, кто отдает ему приказы, могут убить Лору, но она уже не та. Лора давно потеряна, и их угрозы не остановят меня. Они могут убить и меня, но до тех пор...»

Орсон стоял настороже возле открытой двери и внимательно наблюдал за коридором.

Я открыл первую страницу дневника и прочитал запись, датированную первым января этого года:

«Лору не отпускают вот уже девять месяцев, и я

окончательно потерял надежду хоть когда-нибудь увидеть ее снова. А если мне и предложат увидеться с ней, то я, да простит меня Господь, откажусь. Мне слишком страшно увидеть то, во что она могла к этому времени превратиться. Каждую ночь я молю Святую Деву попросить своего Сына, чтобы он забрал Лору к себе и избавил ее от страданий этого мира».

Для того чтобы полностью понять, что же все-таки случилось с Лорой, мне пришлось бы найти предыдущие тома этого дневника, а рыться в шкафах у меня сейчас времени не было.

На чердаке что-то бухнуло. Я замер, подняв голову к потолку и прислушиваясь. Сидевший у порога Орсон задрал одно ухо.

В течение тридцати секунд не раздавалось ни звука, и я снова обратился к тетради, которую держал в руках. Чувствуя, как летит время, я торопливо пролистывал дневник, наугад выхватывая глазами те или иные абзацы.

Большая часть содержимого касалась теологических исканий и сомнений отца Тома. День изо дня он убеждал себя, молил себя помнить о том, что вера поддерживала его в течение всей жизни и что если сейчас, во время этого тяжкого испытания, он утратит ее, то с ним будет покончено. Эти пассажи были мрачными и стали бы увлекательным чтивом для тех, кто хочет заглянуть в мятущуюся душу психа, но они не проливали свет на таинственную деятельность в Форт-Уиверне и заразу, которая вырвалась из его недр и набросилась на Мунлайт-Бей. Поэтому я пропускал эти рассуждения.

Листая страницы, я наткнулся на одну или две, на которых аккуратный почерк отца Тома превращался в безобразные каракули. Написанные им пассажи были бессвязными, пустыми и безумными. Видимо, преподобный писал их, изрядно накачавшись виски и будучи готовым к беседе с унитазом.

Особенно тревожно выглядела запись, датированная пятым февраля. Она, правда, была сделана старательным и аккуратным почерком:

«Я верю в милосердие Христа. Я верю в милосердие Христа. Я верю в милосердие Христа. Я верю в милосердие Христа. Я верю в милосердие Христа...»

Эти пять слов — строчка за строчкой — повторялись примерно двести раз. Все они были выписаны с идеальной аккуратностью одержимого. Такого результата, наверное, нельзя было бы добиться, даже используя резиновый штамп и чернильную подушечку. Скользя глазами по этим строчкам, я почти физически ощущал ужас и отчаяние, владевшие священником в те минуты, когда он это писал. Он изливал эти чувства на бумагу, чтобы они кричали с нее во все оставшиеся времена.

«Я верю в милосердие Христа».

Интересно, какое происшествие, случившееся пятого февраля, ввергло отца Тома в бездну эмоционального и духовного отчаяния? Что он увидел? А может, он исписал страницы этой судорожной молитвой под впечатлением ночного кошмара, подобного сновидениям, которые сначала тревожили, а потом стали возбуждать Льюиса Стивенсона?

Продолжив листать дневник, я наткнулся еще на одну любопытную запись от одиннадцатого февраля. Она находилась посередине длинного пассажа, в котором отец Том спорил с самим собой по поводу существования и сущности Бога, выступая одновременно скептиком и верующим. Я бы наверняка проглядел ее, если бы мой глаз не зацепился за слово «отряд».

«Этот новый отряд, освобождению которого я посвятил себя, вселяет в меня надежду именно потому, что он является противоположностью первому. В этих созданиях нет зла, нет тяги к насилию, нет ярости...»

От чтения дневника меня отвлек жалобный крик, донесшийся с чердака. Этот звук без слов был полон боли и отчаяния, в нем слышалось такое несчастье, такая безысходность, что, помимо страха, гонгом прозвучавшего в моем мозгу, я испытал еще и безотчетную жалость. Это было похоже на крик ребенка трех или четырех лет — потерявшегося и напуганного.

Крик произвел на Орсона такое сильное впечатление, что он вскочил на ноги и выбежал в коридор.

Дневник отца Тома был слишком велик, чтобы поместиться в кармане, поэтому я засунул его сзади за ремень джинсов.

Выйдя следом за Орсоном в коридор, я вновь нашел его стоящим возле стремянки. Пес пристально всматривался в складчатые тени и тусклый свет в открытом чердачном люке. Он обратил ко мне свой выразительный взгляд, и я знал, что, если бы мой пес умел говорить, он сказал бы: «Мы должны что-нибудь предпринять».

В этой необыкновенной собаке не только кроется масса загадок, она не только проявляет ум, несвойственный большинству ее сородичей, но плюс ко всему, похоже, обладает ярко выраженным осознанием морального долга. До того как начали происходить описываемые здесь события, я иногда полусерьезно подумывал, что реинкарнация, возможно, не такой уж и бред. Я запросто мог представить Орсона преданным своему делу учителем, самоотверженным полицейским или даже миниатюрной и мудрой монахиней, которая жила в стародавние времена, а теперь возродилась к жизни в новом облике — на четырех лапах, покрытая шерстью и с хвостом.

Предаваясь подобным размышлениям, я, конечно, понимал, что являюсь кандидатом на премию имени Пиа Клик за выдающиеся достижения в области наиболее бредовых предположений. По иронии судьбы, вскоре мне предстояло узнать, что происхождение Орсона, хотя его и нельзя назвать сверхъестественным, было еще более невероятным, нежели могли бы предположить мы с Пиа Клик, даже предприняв совместный мозговой штурм.

Сверху раздался еще один крик. Орсон пришел в такое возбуждение, что тоненько завыл, впрочем, недостаточно громко, чтобы его услышали на чердаке. На сей раз этот жалобный звук еще больше напоминал плач маленького ребенка.

Следом послышался другой голос. Он прозвучал слишком тихо, чтобы можно было разобрать слова. Я был уверен, что говорит отец Том, но не мог понять по его тону, угрожает ли преподобный комуто или утешает.

28

Если бы я доверился своим инстинктам, я кинулся бы отсюда со всех ног, прибежал бы домой, заварил себе чаю, намазал булочку лимонным джемом, поставил кассету с Джеки Чаном и провел следующие пару часов на диване, укрыв ноги пледом и заперев свое любопытство в чулане.

Однако гордость не позволяла мне признать, что чувство моральной ответственности развито у меня в меньшей степени, чем у моей собаки, поэтому я дал знак Орсону оставаться на месте и ждать, а сам полез вверх по стремянке — с 9-миллиметровым «глоком» в правой руке и украденным дневником отца Тома за поясом.

Словно ворон, отчаянно бьющий крыльями в клетке, в моей голове метались образы из сумасшедших снов Льюиса Стивенсона. Шериф мечтал растерзать девочку — ровесницу его десятилетней внучки, но крики, раздавшиеся на чердаке, должны были принадлежать совсем маленькому ребенку. Впрочем, если пастор прихода святой Бернадетты был одержим таким же безумием, как Стивенсон, с какой стати ему в своих маниакальных притязаниях ограничиваться лишь теми, кому уже исполнилось десять лет?

Добравшись до верхней ступеньки и держась одной рукой за тонкую неустойчивую верхушку лестницы, я обернулся, посмотрел вниз и встретился взглядом с Орсоном. Пес, как было ему велено, сидел в коридоре и не пытался следовать за мной.

Вот уже полчаса он был на удивление послушен, выполняя все мои приказы без саркастического фырканья и закатывания глаз. Он никогда еще не вел себя так примерно. Скажу больше: за последние полчаса он, бесспорно, завоевал золотую олимпийскую медаль по послушанию.

Ожидая в любой момент получить от внезапно появившегося священника удар ботинком по голове, я поднялся еще выше и оказался наконец на чердаке. Видимо, до сих пор мне удавалось действовать достаточно скрытно, поскольку отец Том не поджидал меня, чтобы вбить мою височную кость в мои же мозги.

Люк располагался посередине небольшого пустого пятачка, вокруг которого, как мне удалось разглядеть, были навалены картонные коробки различных размеров и формы, старая мебель и другой непонятный хлам. Эти завалы достигали в высоту двух метров. Голая лампочка, висевшая прямо над люком, не горела. Свет шел из дальнего угла чердака, расположенного слева, ближе к фасаду.

Я стоял на четвереньках, хотя вполне мог бы распрямиться в полный рост — пологая нормандская кровля располагалась довольно высоко, и мне не грозило удариться головой о балки. Но я боялся не этого. Мне все еще казалась вполне вероятной возможность получить от взбесившегося святого отца либо удар по черепу, либо пулю между глаз, либо нож в сердце, поэтому я решил высовываться как можно меньше. Если бы я умел скользить на животе, как змея, я не раздумывая выбрал бы именно этот способ передвижения.

Спертый воздух пах, как само время — очищенное и закупоренное в бутылку. Запах шел от старого картона, грубо обработанных деревянных балок, пятен плесени и какого-то маленького мертвого существа — возможно, мыши или птицы, разложившейся в одном из темных углов.

Слева от люка можно было разглядеть два прохода, ведущие в глубь этого беспорядочного лабиринта: один шириной около полутора метров, другой чуть уже метра. Сообразив, что преподобный пользуется более широким проходом для того, чтобы приходить и уходить от своего пленника (если, конечно, тут вообще был какой-то пленник), я бесшумно скользнул в тот, что поуже. Я предпочитал застать священника врасплох, нежели столкнуться с ним нос к носу на каком-нибудь из поворотов этого лабиринта.

По обе стороны от меня громоздились коробки. Некоторые из них были перетянуты шпагатом, другие — широкой липкой лентой, концы которой свешивались перед моим лицом, словно липучка для мух. Я двигался с осторожностью, шаря рукой впереди себя, поскольку тьма была обманчивой, а мне не хотелось наткнуться на что-нибудь и устроить обвал всего этого хлама.

Я добрался до поперечного прохода, который шел в обе стороны, но не торопился выходить в него. Постоял у этого своеобразного перекрестка, прислушался, задержав дыхание, но ничего не услышал.

Тогда я осторожно высунул голову и посмотрел сначала направо, а затем налево. Этот новый коридор был узок — всего сантиметров девяносто в ширину. Свечение исходило слева и казалось теперь значительно ярче. Справа царил непроглядный мрак, который не выдал бы своих секретов даже моим привыкшим к темноте глазам. Мне почудилось, что там, в темноте, на расстоянии вытянутой руки, обитает какое-то опасное существо, которое сейчас, сжавшись пружиной, изготовилось к прыжку.

Я стал убеждать себя в том, что тролли живут под мостами, злые гномы — в пещерах и глубоких шахтах, что гремлины обитают лишь в заброшенных котельных, а гоблины, будучи демонами, не осмелились бы устроить свое логово в доме священника. Наконец я шагнул в узкий проход и повернул налево, оставив непроницаемую тьму у себя за спиной.

И в ту же секунду раздался визг — такой пронзительный и страшный, что я крутанулся вокруг своей оси и выбросил вперед руку с пистолетом, уверенный, что сейчас на меня набросятся сразу все тролли, злые гномы, гремлины, гоблины, призраки, зомби и еще парочка взбесившихся мальчиков-мутантов, в обычные дни прислуживающих у алтаря. К счастью, я не нажал на курок, поскольку секундное помешательство прошло и я сообразил, что визг раздался не позади меня, а впереди — там, где горел свет.

Этот третий жалобный стон донесся оттуда же, откуда и первые два, и заглушил шум, который я произвел, собираясь оказать сопротивление орде воображаемых врагов. Однако здесь, на чердаке, стон прозвучал иначе, чем когда я находился внизу. Во-первых, теперь он не так уж напоминал плач маленького ребенка. Сейчас этот звук показался мне гораздо более странным, если не сказать обескураживающим, словно из человеческой глотки вырвалось несколько тактов какой-то сверхъестественной музыки.

Мне подумалось, не повернуть ли назад и вернуться к стремянке, но я все же не исключал до конца возможность того, что кричал ребенок, находящийся в опасности. К тому же, если я вернусь, мой пес поймет, что я наложил в штаны. В этом мире, где имели значение лишь семья и дружба, он был одним из трех моих самых близких друзей, и, поскольку семьи у меня больше не было, я придавал огромное значение тому, что подумает обо мне Орсон.

Слева от меня коробки закончились. Дальше шли выстроенные пирамидой плетеные летние стулья, покрытые слоем лака корзины из камыша и тростника, обшарпанный комод с овальным зеркалом — таким мутным от старости, что я не смог увидеть в нем собственного отражения. Дальше громоздились груды какого-то непонятного барахла, прикрытые тряпками, а затем снова начались коробки.

Я повернул за угол и услышал голос отца Тома. Он говорил тихо, успокаивающим тоном, но слов я пока разобрать не мог.

На моем пути оказалась паутина, которая сразу же облепила мое лицо и прижалась к губам поцелуем призрака. Левой рукой я стер липкие нити со щек и козырька кепки. На вкус паутина оказалась горьковатой и пахла грибами. Гримасничая, я стал отплевываться, пытаясь делать это бесшумно.

Я стремился к новым открытиям, и поэтому голос преподобного Тома манил меня так же неудержимо, как дудка крысолова из Гаммельна. Все это время я с трудом удерживался от желания чихнуть. Повсюду было полным-полно пыли — такой сухой и мелкой, что казалось, будто она лежит здесь еще с прошлого века.

Еще один поворот — и я оказался в последнем коротком проходе. Примерно в двух метрах после окончания этого узкого коридора из коробок виднелась изнанка пологого ската крыши. В размытом желтом свете, источник которого находился справа и был пока не виден, можно было рассмотреть стропила, скрепы и доски крыши, на которых крепился шифер.

Передвигаясь украдкой к концу прохода, я слышал, как под моими ногами поскрипывает пол. Звук был негромким и вполне обычным для такого рода помещений, и все же он мог выдать меня.

Голос святого отца звучал теперь более отчетливо, и все равно я мог разобрать лишь одно слово из пяти.

Неожиданно послышался второй голос — высокий и дрожащий. Он на самом деле напоминал голос ребенка и вместе с тем был совершенно ни на что не похож. Он был не таким мелодичным, как ребячий голосок, и в нем не слышалось детской невинности. Я не мог понять ничего из того, что он говорит, если в этих звуках вообще имелся хоть какой-то смысл. Чем дольше я прислушивался, тем более странными они мне казались. Наконец собеседник отца Тома умолк, и я двинулся дальше.

Коридор закончился, упершись в длинный прямой проход, который опоясывал чердак по периметру. Я осмелился выглянуть.

Слева царил сумрак, а справа — в юго-восточной стороне строения— я ожидал увидеть источник света и преподобного с его плачущим пленником. Однако выяснилось, что они находились еще за одним изгибом коридора, тянувшегося вдоль правой стороны дома.

Пригибаясь, поскольку крыша спускалась здесь довольно низко, я пошел по этому проходу шириной около двух метров, миновал узкое ответвление, уходившее вправо, в глубь лабиринта из громоздящихся коробок и старой мебели, и остановился в двух шагах от угла. Теперь лишь один поворот отделял меня от лампы.

Внезапно на внутренней обшивке кровли и стропилах возникла и начала корчиться жуткая страшная тень: острые зазубренные лапы копошились по сторонам огромной круглой туши. Это было так жутко, что я едва не выстрелил, вцепившись в «глок» обеими руками.

Когда моя паника улеглась, я осознал, что увидел всего лишь увеличенную тень паука, повисшего на шелковой нити паутины. Насекомое, видимо, находилось так близко к лампе, что его тень проецировалась на потолок и выглядела огромной.

Для безжалостного убийцы я что-то чересчур пуглив. Возможно, все дело в той банке пепси-колы с кофеином, которую я выпил на бензоколонке, чтобы прополоскать рот после рвоты. В следующий раз, после того как я кого-нибудь убью и проблююсь, надо будет принять валиум и запить его диетической пепси. Иначе моя репутация холодного и беспощадного мясника окажется безнадежно подмоченной.

Успокоившись по поводу паука, я осознал, что теперь уже могу отчетливо разобрать каждое слово священника.

— ...Больно, конечно, очень больно. Но я вырезал из тебя передатчик. Вырезал и раздавил каблуком, так что теперь они не смогут тебя выследить.

Я мысленно вернулся к тому моменту, когда увидел Джесси Пинна, рыскавшего по кладбищу. Тогда он держал в руках какой-то странный прибор, издававший электронный писк и мерцавший зеленым экраном, на который смотрел могильщик, то и дело нажимая на кнопки. Он наверняка отслеживал сигнал от вживленного в тело этого существа радиомаяка. Была ли это обезьяна? И в то же время не была?

— Надрез неглубокий, — продолжал пастор. — Передатчик находился прямо под кожей. Рану я дезинфицировал и зашил.

В своем дневнике отец Том упоминал о новом отряде, менее враждебном и злобном, нежели первый, а также о том, что посвятил себя освобождению его членов. Но я не имел ни малейшего представления о том, откуда появился этот новый отряд, столь отличный от первого, почему эти существа были отпущены на волю с трансплантированными в их тела радиомаяками и каким образом они — и первые, и вторые — вообще появились на свет. Было ясно одно: святой отец решил выступить в роли эдакого современного аболициониста, сражающегося за права обездоленных, а его дом стал для них узловой станцией на маршруте Уиверн — Свобода.

Я понял, что, когда Джесси Пинн измывался в подвале над отцом Томом, он полагал, что этот беглец уже прооперирован и приемник отслеживает сигнал от извлеченного из его тела передатчика. А беглец тем временем отсиживался здесь, на чердаке.

Таинственный визитер отца Тома тихонько, словно от боли, постанывал, а преподобный отвечал ему ласковой скороговоркой, какой обычно утешают детей.

Вспомнив, как покорно вел себя священник в стычке с могильщиком, я набрался смелости и преодолел последний метр. Я стоял спиной к коробкам, слегка согнув ноги в коленях, чтобы не задевать головой стропила. Для того чтобы увидеть пастора и неизвестное существо, мне требовалось лишь податься вправо, высунуть голову и посмотреть в проход, шедший вдоль южной стороны чердака, откуда лился свет и доносились голоса.

Я колебался, не желая выдавать свое присутствие, лишь потому, что на память мне пришли некоторые странные записи из дневника священника — пустопорожние, бессвязные, почти безумные пассажи и повторенная две сотни раз фраза «я верю в милосердие Христа». Возможно, он не всегда бывает так кроток, как в той стычке с Джесси Пинном.

Перебивая вонь слежавшегося картона, плесени и пыли, здесь царил уже другой запах — едкая смесь спирта, йода и дезинфицирующей жидкости.

Толстый паук в соседнем проходе пополз вверх по своей паутинке, удаляясь от лампы. Его гигантская тень на покатой крыше стала быстро уменьшаться, превратилась в маленькую точку, а потом и вовсе пропала.

Отец Том говорил своему пациенту:

— У меня есть антибиотики, капсулы с различными производными пенициллина, но, к сожалению, нет достаточно эффективного болеутоляющего. Как жаль! Но все равно этот мир находится на пороге страданий. Прольется море слез. А с тобой все будет в порядке. Ты поправишься. Обещаю тебе. Господь через меня позаботится о тебе.

Хотел бы я знать, был ли отец Том святым или злодеем, оставался ли он одним из немногих здравомыслящих людей в Мунлайт-Бей или вконец свихнулся. В моем распоряжении было недостаточно фактов, чтобы понять контекст, в котором происходили все эти события.

Я был уверен только в одном: если даже отец Том действовал рационально и правильно, проводки у него в голове все равно были перекручены до такой степени, что я не доверил бы ему держать младенца во время крещения.

— У меня есть кое-какая медицинская подготовка, — сказал священник своему пациенту, — потому что после окончания семинарии я три года провел миссионером в Уганде.

Мне показалось, что я слышу и второй голос — бормотание, напоминавшее одновременно низкое голубиное воркование и утробное урчание кошки. И в то же время это был совершенно особый звук.

— Я уверен, что у тебя все будет хорошо, — продолжал пастор. — Но ты должен пробыть здесь еще несколько дней. Я буду давать тебе антибиотики и следить за тем, как заживает твоя рана. Ты понимаешь меня? — С ноткой растерянности и отчаяния он переспросил: — Ты понимаешь вообще хоть что-нибудь из того, что я говорю?

Я уже был готов выглянуть, как в этот момент Другой ответил священнику. Другой — именно это слово я стал мысленно употреблять, думая о существе, нашедшем прибежище у святого отца, особенно после того, как сейчас услышал с близкого расстояния его голос. Я не мог себе представить, что он может принадлежать ребенку, обезьяне или вообще какому-либо существу, занесенному в написанную Господом Великую Книгу Мироздания.

Я прирос к тому месту, где стоял. Палец мой напрягся на спусковом крючке.

Нет, этот голос определенно чем-то напоминал плач ребенка — маленькой девочки — и одновременно походил на обезьяний щебет. Он напоминал тысячу знакомых нам звуков и в то же время не был похож ни на один из них. Как будто некий виртуозный звукоинженер из Голливуда, используя аудиотеку с голосами различных животных и птиц, монтировал их на своем пульте до тех пор, пока не получил идеальный голос, которым мог бы разговаривать инопланетянин.

Больше всего в голосе Другого потрясала не его тональность, не интонации и даже не его необычность и отчетливо звучавшие в нем эмоции. Самым поразительным было то, что эти звуки, казалось, заключают в себе какой-то смысл. Я слышал не просто бормотание животного. Оно, разумеется, не имело ничего общего не только с английским, но, насколько я мог понять, даже не являясь полиглотом, ни с одним другим из существующих языков. Оно было слишком примитивным для того, чтобы являться каким-либо языком. И в то же время представляло собой беглый поток необычных звуков, неумело сгруппированных в некое подобие слов, горячая, но попытка что-то сказать с помощью маленького запаса многосложных слов — торопливая и тревожная.

Создавалось впечатление, что Другой прилагает отчаянные усилия, пытаясь установить контакт с собеседником. Прислушиваясь, я поймал себя на том, что глубоко тронут мольбой, одиночеством и тоской, звучавшими в его голосе. Я ожидал чего угодно, только не этого. Эти интонации были так же реальны, как половицы под моими ногами, наваленные друг на друга коробки за моей спиной и гулкие удары моего сердца.

Другой и священник умолкли, но я не находил в себе сил выглянуть из-за угла. Я думал, что, как бы ни выглядел пациент отца Тома, он окажется непохожим на настоящих обезьян в отличие от членов того отряда, который досаждал Бобби и повстречался нам с Орсоном на южном мысе залива. Даже если он и походил на обычных резусов, то наверняка отличался от них, причем не только злобными темно-желтыми глазами.

Я боялся не того, что могу увидеть, меня пугало не возможное безобразие этого Другого, порожденного в лаборатории. От страха у меня сдавило грудь и перехватило горло, да так сильно, что я с трудом дышал и едва мог глотать. Но на самом деле я боялся заглянуть в глаза этого существа и увидеть там такое же одиночество, как то, от которого страдал сам, мечту быть нормальным — такую же, какую на протяжении двадцати восьми лет таил в душе я, притворяясь перед самим собой, что полностью доволен и даже счастлив своей судьбой. Но мое счастье, так же как счастье любого другого, хрупко. Я слышал в голосе неведомого существа страстное желание сродни моему собственному, вокруг которого, желая заточить его в своей душе, я год за годом выращивал раковину из многих слоев равнодушия и спокойной отчужденности. И теперь я боялся, что, если мы с Другим встретимся взглядом, возникнет некий резонанс, который разрушит эту раковину, и я снова стану уязвимым.

Меня трясло.

Именно по этой причине я не могу, не осмеливаюсь, не имею права выразить боль или горе, когда жизнь наносит мне рану или забирает кого-нибудь из дорогих мне людей. Горе легко перерастает в отчаяние, а на его благодатной почве может пустить побеги и расцвести жалость к самому себе. Я же не могу позволить себе проливать слезы над собственной судьбой. Сосредоточившись на своих несчастьях, то и дело разглядывая и пересчитывая их, я мог бы вырыть себе такую глубокую яму, из которой не выбраться никогда. Чтобы уцелеть, мне надо быть холодным мерзавцем с камнем вместо сердца — по крайней мере в тех случаях, когда речь идет об умерших. Я способен к выражениям любви по отношению к живым, я широко и радостно раскрываю объятия перед друзьями, я готов дарить свое сердце, не заботясь о его сохранности. Но в день кончины отца я обязан отпускать шуточки по поводу смерти, крематория, жизни — по поводу всего на свете, поскольку я не могу — не имею права! — рисковать, окунаясь в стремнину горя. Она неизбежно принесет меня в водоворот отчаяния и самооплакивания и, наконец, затянет в пучину безысходной злости, одиночества и ненависти к себе, а это уже уродство. Я не могу любить умерших слишком сильно. Как бы мучительно мне ни хотелось помнить о них и удерживать при себе эти воспоминания, я обязан отпустить их, причем как можно быстрее. Я должен быть хладнокровным подонком, должен вышвырнуть их из своего сердца даже раньше, чем они успеют остыть на своем смертном ложе. Точно так же я обязан отпускать шуточки по поводу того, что я — убийца. Потому что если я слишком долго и сосредоточенно стану размышлять над тем, что на самом деле означает убить человека — даже такого монстра, каким был Льюис Стивенсон, — то неизбежно начну задаваться вопросом: а может, я и вправду уродец, каким дразнили меня в детстве малолетние гаденыши — Мальчик-вампир, Летучая мышь, Ужастик Крис? Я не должен заботиться о мертвых свыше меры, независимо от того, любил ли я их при жизни или презирал. Меня не должно смущать одиночество. Меня не должно волновать то, что я не в силах изменить. Как любой из нас, в этом шторме, бушующем между рождением и смертью, я не способен изменить этот мир и могу разве что добиться каких-то мелких перемен к лучшему для тех, кого люблю. А значит, для того чтобы жить, я обязан заботиться не о том, кто я есть, а о том, каким могу стать, не о прошлом, а о будущем и, наконец, не о себе, а о своих друзьях — людях, источающих единственный свет, при котором я способен существовать.

Я дрожал, собираясь с силами, чтобы выглянуть

в проход и встретиться взглядом с Другим, в глазах которого я, возможно, увижу частицу самого себя. Я вцепился в «глок», будто он был не оружием, а талисманом, распятием, с помощью которого я мог отогнать грозившую мне опасность, и наконец принудил себя к действию. Подавшись вправо, я высунул голову в проход и... никого не увидел.

Боковой коридор вдоль южной части чердака был шире, чем тот, который шел вдоль восточной его части, — около полутора метров. На фанерном полу, под самым свесом крыши, лежала узкая подстилка и смятые простыни. Свет шел от лампы с конусообразным плафоном, державшейся на прищепке, прицепленной к стропилу. Рядом с подстилкой стоял термос, тарелка с нарезанными фруктами и ломтями хлеба с маслом, судок с водой, пузырьки с лекарствами и медицинским спиртом, бинты для перевязки, сложенное полотенце и влажная, пропитанная кровью тряпка.

Пастор и его гость испарились словно по мановению волшебной палочки.

Хотя потусторонний голос Другого приковал меня к месту, после того как существо умолкло, я оставался неподвижным не более минуты, а то и меньше. И тем не менее сейчас в открывшемся моему взгляду проходе не было ни его, ни отца Тома.

На чердаке царила непроницаемая тишина. Не было слышно шагов. Не слышалось вообще ни единого звука, кроме поскрипывания дерева, обычного для старых домов.

Я невольно поднял глаза к стропилам, подумав, уж не последовала ли эта парочка примеру умного паука, взобравшись по каким-то невидимым нитям под кровлю и свернувшись в плотной тьме, царившей наверху.

Справа от меня возвышалась стена из коробок. Свод крыши был здесь достаточно высок, чтобы я мог стоять в полный рост. Слева, сантиметрах в двадцати от моей головы, торчали острые концы стропил. И все же я принял положение, казавшееся мне более безопасным, слегка пригнувшись и подогнув колени.

Свет лампы мне не грозил, поскольку плафон ее был повернут в противоположную от меня сторону, поэтому я решил подойти поближе к подстилке и рассмотреть стоящие рядом с ней предметы. Носком кроссовки я разворошил смятые простыни. Не знаю уж, что я ожидал там обнаружить, но не нашел ровным счетом ничего.

Я не боялся, что отец Том решит спуститься вниз и наткнется на Орсона. Во-первых, я был уверен, что пастор еще не покончил с делами, которые привели его на чердак, а во-вторых, у моего искушенного в преступных деяниях пса хватит смекалки, чтобы спрятаться и не высовывать носа до тех пор, пока не появится возможность улизнуть.

Вдруг в голову мне пришла мысль, что, если пастор спустился вниз, он неизбежно уберет стремянку и запрет люк. Я, конечно, смогу открыть щеколду изнутри и спуститься, но для этого мне придется наделать столько шума, сколько наделали Сатана и его приспешники, когда их низвергли с небес.

Вместо того чтобы продолжать движение по этому проходу с риском наткнуться на священника и Другого, я решил повернуть назад и пойти тем же путем, которым пришел сюда, стараясь ступать как можно тише. Под фанерой, которой был обшит пол, почти не было пустот. Она была не прибита к доскам, а привинчена шурупами, поэтому мне без труда удавалось двигаться почти бесшумно — даже при том, что я шел довольно быстро.

Дойдя до конца прохода из коробок, я повернул за угол, и тут из сумрака, в котором всего минуту назад я прятался, вслушиваясь в голоса, выступила пухлая фигура отца Тома. Он был одет не так, как одеваются для мессы или готовясь отойти ко сну. На нем был серый тренировочный костюм с потеками пота, будто преподобный только что занимался аэробикой, поставив учебную видеокассету с показательным уроком.

— Ты! — с горечью воскликнул он, узнав меня. Можно подумать, что я был не Кристофером Сноу, а князем тьмы Ваалом, который шагнул из меловой пентаграммы заклинателя духов, даже не спросив предварительно разрешения. Видимо, добродушный, шутливый, мягкосердечный падре, которого я знал прежде, уехал в отпуск в Палм-Спрингс, вручив бразды управления приходом своему злобному двойнику.

Законам физики подвластны все, даже люди, больные ХР, поэтому, получив в грудь удар тупым концом бейсбольной биты, я отлетел назад, врезался спиной в скат крыши и сильно приложился головой о конец потолочной балки. Из глаз у меня не посыпались искры, и вокруг головы не начали виться птички, как показывают в мультфильмах, но если бы не густая копна волос а-ля Джеймс Дин, я наверняка выпал бы в осадок по крайней мере на несколько минут.

Снова ткнув меня в грудь бейсбольной битой, отец Том повторил:

— Ты! Ты!

Чего греха таить, это действительно был я и вовсе не собирался этого отрицать, поэтому мне было непонятно, с какой стати отец Том так кипятится.

— Ты! — выдохнул священник, охваченный новым приступом необъяснимой ярости.

На сей раз он двинул чертовой битой прямо мне в живот. Удар был бы гораздо более болезненным, если бы я не подготовился. За секунду до него я втянул в себя воздух и напряг мышцы живота. Поскольку я уже избавился от остатков съеденных у Бобби такос с цыпленком, единственным последствием удара стала жгучая боль, мгновенно распространившаяся от паха до солнечного сплетения. Если бы под обычной одеждой у меня были доспехи супермена, я бы, конечно, посмеялся над этой жалкой атакой, но теперь...

Я направил на преподобного пистолет и угрожающе, как мне показалось, захрипел. Но отец Том либо действительно являлся Божьим человеком, лишенным страха смерти, либо окончательно спятил. Ухватившись за конец биты обеими руками, он снова что было сил ткнул ею мне в живот. На сей раз мне удалось увернуться от удара, хотя, задев головой о грубо отесанную балку, я, похоже, потерял изрядный клок волос.

Я находился в замешательстве. Вступать в бой со святым отцом казалось мне еще более абсурдным, чем бояться его, и все же... Все же я боялся. Мне было настолько страшно, что Бобби вполне мог получить свои джинсы с засохшими пятнами мочи.

— Ты! Ты! — твердил отец Том с еще большей злостью, чем раньше. Похоже, мое появление на его пыльном чердаке казалось падре настолько странным и неправдоподобным, что изумление его росло с каждой секундой, угрожая взорвать мозг наподобие сверхновой.

Святой отец снова взмахнул битой, но на сей раз он промахнулся бы даже в том случае, если бы я не нырнул под нее, увернувшись от удара. В конце концов, он был всего лишь пожилым и толстым приходским священником, а не убийцей-ниндзя.

Удар был таким сильным, что бейсбольная бита пробила в одной из картонных коробок дыру и свалила ее в проход. Демонстрируя позорное незнание элементарных азов боевых искусств и не обладая внешностью могучего воина, святой отец тем не менее проявлял завидный энтузиазм.

Я не допускал и мысли о том, чтобы пристрелить его, но вместе с тем не мог допустить и того, чтобы он забил меня до смерти. Поэтому я стал пятиться по направлению к подстилке и лампе, находившимся в более широком проходе вдоль южной стороны чердака, надеясь, что падре все же придет в чувство.

Вместо этого он двинулся за мной, размахивая из стороны в сторону битой, рассекавшей воздух с угрожающим свистом, и после каждого взмаха выкрикивая: «Ты!»

Волосы его были растрепаны и свисали на лоб, лицо — искажено смесью страха и ярости. Ноздри его сжимались и разжимались подобно жабрам мурены, а с губ летела слюна — каждый раз, когда он повторял местоимение, составлявшее, похоже, весь его словарный запас.

Если бы я стал дожидаться, покуда к отцу Тому вернется здравый смысл, я бы точно погиб — решительно и безвозвратно. Впрочем, если у преподобного и сохранилась хотя бы крупица здравого смысла, он наверняка не захватил ее с собой на чердак, а схоронил в стоявшей в церкви раке вместе с мощами какого-нибудь святого.

Он снова замахнулся битой, и я посмотрел ему в глаза, ожидая увидеть в них животный огонь, какой уже видел в глазах Льюиса Стивенсона. Если бы я увидел его, то смог бы ответить насилием на насилие. Это бы означало, что я убиваю не священника или даже обычного человека, а нечто, стоящее одной ногой в Сумеречной Зоне. Но я так и не увидел в его взгляде этого звериного мерцания. Если отец Том и был заражен той же страшной болезнью, что и шеф полиции Стивенсон, у него она, очевидно, не зашла так далеко.

Пятясь задом и не сводя глаз с бейсбольной биты, я зацепился ногой за электрический шнур от лампы и, доказывая, что я являюсь вполне подходящей жертвой для толстого пожилого священника, навзничь упал назад, отстучав затылком о фанерный пол барабанный сигнал тревоги.

Лампа тоже свалилась. По счастливой случайности она не ударила меня по голове, а ее яркий свет миновал мои чувствительные глаза.

Я стал трясти ногой, чтобы избавиться от электропровода, и пополз назад, елозя на ягодицах, а отец Том устремился за мной, занеся над головой бейсбольную биту и выкрикнув местоимение, звучавшее в его устах как смертный приговор:

— Ты!

Священник промахнулся всего на пару сантиметров, и бита тяжелой кувалдой врезалась в пол рядом с моими ногами.

— Ты! — так же истерично выкрикнул я, продолжая отползать назад.

«Интересно, — подумал я, — где все люди, которые меня почитают? Сейчас я не стал бы возражать против знаков внимания. Но ни Стивенсон, ни святой отец Том Элиот явно не являлись членами общества поклонников Кристофера Сноу».

С преподобного градом струился пот, он задыхался, но был, видимо, полон решимости доказать свою выносливость. Сгорбившись, опустив плечи, он приближался ко мне пугающей походкой тролля, вышедшего на рабочую смену из-под моста, к которому обычно приписан. Эта ссутуленная поза позволила ему поднять биту высоко над головой, не задевая при этом за потолочные балки. Держа свое орудие наготове, он явно нацелился на мой череп, собираясь повторить один из коронных ударов легенды американского бейсбола Бэйба Рута, да так, чтобы у меня брызнули мозги из ушей.

Светятся у него глаза или не светятся, но я должен был утихомирить разбушевавшегося коротышку как можно скорее. Я не мог ползти назад так же быстро, как он приближался ко мне своей походочкой тролля, и, находясь близко к истерике — да что там, в самой настоящей истерике! — я отдавал себе отчет в том, что даже самый отчаянный игрок из Лас-Вегаса не поставит сейчас на меня ни цента. До смерти перепуганный, испытывая головокружение от абсурдности происходящего, я подумал, что наилучшим выходом из положения было бы отстрелить святому отцу яйца. Он наверняка дал обет безбрачия, так что они ему ни к чему.

Подобный выстрел потребовал бы выдающейся меткости, но, к счастью, мне не пришлось демонстрировать снайперские навыки. Я навел пистолет на его сгорбленную фигуру и напряг палец на спусковом крючке. Времени на то, чтобы включать лазерный прицел, не оставалось. Но прежде чем я успел выстрелить, нечто ужасное зарычало в проходе позади отца Тома, и огромный зверь темного цвета прыгнул ему на спину, заставив преподобного закричать, выронить биту и рухнуть лицом на пол.

Меня изумило, во-первых, то, что Другой не имел ни малейшего сходства с обезьяной, а во-вторых, то, что он напал на отца Тома — своего исцелителя и благодетеля, вместо того чтобы вцепиться в глотку мне. Но, конечно же, огромный черный и рычащий зверь оказался не Другим. Это был Орсон.

Стоя на спине священника, пес вцепился зубами в воротник его тренировочного костюма и рычал так злобно, что я не на шутку испугался, как бы он на самом деле не перегрыз преподобному горло.

Поднявшись на ноги, я отозвал собаку, и она мгновенно повиновалась, не причинив поверженному воину ни малейшего ущерба. Кровожадность пса была чистой воды театральным эффектом.

Падре даже не пытался подняться с пола. Всклокоченные потные волосы свисали ему на лицо. Он тяжело дышал, всхлипывал и продолжал горько твердить:

— Ты... Ты...

Он наверняка знал достаточно много и был в состоянии ответить практически на все мои вопросы относительно того, что происходит в Форт-Уиверне и Мунлайт-Бей, но мне не хотелось с ним говорить. Я просто не мог.

Другой, судя по всему, по-прежнему находился где-то здесь, прячась в каком-нибудь темном углу чердака. И хотя я не считал, что он представляет для нас с Орсоном опасность, тем более что в руке у меня был «глок», сейчас я его не видел и поэтому не мог не учитывать в нынешнем раскладе сил. Мне не хотелось преследовать его, но еще меньше хотелось, чтобы он охотился за мной в этом тесном пространстве.

Конечно, все эти рассуждения по поводу Другого являлись для меня всего лишь предлогом, чтобы поскорее смыться отсюда, и внутренним оправданием этого бегства.

На самом деле я боялся иного — ответов, которые отец Том мог бы дать на мои вопросы. Мне не терпелось услышать их, но, видимо, я еще не был готов узнать правду.

Ты.

Он произносил это слово с нескрываемой ненавистью, с яростью, видеть какую было удивительно не только в служителе Господа, но и просто в человеке, который еще совсем недавно отличался добросердечием и мягкостью. Обычное местоимение звучало в его устах проклятием.

Ты.

Я не сделал ничего для того, чтобы заслужить подобное отношение. Не я породил к жизни те несчастные существа, освобождению которых посвятил себя священник. Я не имел никакого отношения к проекту Форт-Уиверна, в результате которого заразилась его сестра, а возможно, и он сам. А значит, он ненавидел не меня лично, а того, кем я являюсь.

А кем я являюсь?

Кем я являюсь, как не сыном своей матери?

По словам Рузвельта Фроста и даже шефа полиции Стивенсона, существуют те, кто почитает меня благодаря моей матери, хотя мне они до сих пор не встречались. Другие по той же причине меня ненавидят.

Кристофер Николас Сноу, единственный сын своей матери — Глицинии Джейн Сноу, урожденной Милбери, женщины, названной в честь цветка. Кристофер, рожденный от Глицинии, вошел в этот чересчур освещенный мир почти одновременно с началом десятилетия диско. Рожденный в годы, когда правила безвкусная мода и фривольные нравы, когда страна с облегчением выбиралась из войны, а самой страшной казалась угроза термоядерной катастрофы.

Что же такого могла совершить моя мать для того, чтобы меня почитали и ненавидели одновременно?

Распростершийся на полу чердака, раздавленный бурей эмоций, отец Том знал разгадку этой тайны и наверняка раскрыл бы ее мне, немного придя в себя. Однако вместо того, чтобы потребовать у него ответы, которые объяснили бы мне все события нынешней ночи, я принялся робко извиняться перед всхлипывающим священником:

— Простите меня. Я... Мне не следовало приходить сюда. Послушайте... Я так виноват. Простите меня, пожалуйста. Простите.

Что сделала моя мать?

Не спрашивай.

Не спрашивай!

Если бы он стал отвечать на не заданные мной вопросы, я неизбежно заткнул бы уши.

Я кликнул Орсона и торопливо повел его прочь от пастора по лабиринту из коробок. Узкие проходы сменяли друг друга бесконечной чередой, и казалось, что мы находимся не на чердаке, а в недрах катакомб. Местами темнота становилась почти непроницаемой, но меня, дитя ночи, это никогда не смущало, и вскоре мы добрались до открытого люка.

Забраться вверх по стремянке Орсону удалось, но сейчас он переминался возле люка, боязливо поглядывая вниз и явно не решаясь ступить на лестницу. Даже для четвероногого акробата спускаться по скользким ступеням несравнимо сложнее, чем подниматься.

Поскольку на чердаке находилась громоздкая мебель и много больших коробок, которые явно не пролезли бы в этот люк, было очевидно, что существует еще один — большего размера, да к тому же оснащенный каким-то подъемным устройством, чтобы затаскивать сюда и опускать на первый этаж тяжелые предметы. Мне вовсе не хотелось искать его, но разве смогу я спуститься с чердака, держа на руках собаку весом почти в полцентнера?

Из дальнего угла помещения послышался голос священника. Он звал меня:

— Кристофер... — В нем звучало мучительное раскаяние. — Кристофер, я вконец заблудился!

Это, конечно, не означало, что он заблудился на собственном чердаке. Все было гораздо сложнее. И гораздо трагичнее.

— Я заблудился, Кристофер. Прости меня. Я совсем запутался.

Из темного угла, расположенного чуть поближе к люку, послышался детско-обезьяний, не от мира сего, голос Другого — страдающий, продирающийся сквозь набор звуков к осмысленной речи, полный боли и одиночества, бесцветный, словно арктическая пустыня, наполненный надеждой, которой никогда не суждено сбыться.

В этом крике было столько невыносимой тоски, что он словно подтолкнул Орсона, заставил его ступить на верхнюю ступеньку стремянки. С трудом удерживая равновесие, пес преодолел половину лестницы, а затем спрыгнул в коридор.

Дневник преподобного выскользнул из-под ремня и теперь болтался у меня в штанах. Пока я спускался по лестнице, тетрадь немилосердно натирала мне спину, и, оказавшись внизу, я вытащил ее оттуда и взял в левую руку. В правой у меня попрежнему находился «глок».

Мы с Орсоном бегом спустились на первый этаж, миновали столик с фигуркой Святой Девы Марии, и дуновение, поднявшееся от наших бегущих тел, погасило догорающую свечу. Мы миновали коридор, пробежали через кухню, где все так же светились циферблаты электронных часов, выскочили через заднюю дверь, бегом спустились с крыльца и окунулись в ночь и туман. Мы неслись так, будто спасались из дома Эшеров за секунды до того, как он погрузился в мрачную пучину озера.

Мы прошли позади церкви. Ее махина напоминала цунами из камня, и, когда я оказался в ее тени, мне почудилось, что она вот-вот обрушится и раздавит нас.

Я дважды оборачивался. Священник не гнался за нами. И никто другой тоже.

Я ожидал увидеть свой велосипед сломанным или не найти его вовсе, однако он оказался там же, где я оставил его, — прислоненным к надгробию, в целости и сохранности. Обезьяны не успели здесь побывать.

Я не стал задерживаться, чтобы перекинуться словечком с Ноа Джозефом Джеймсом. В том искореженном мире, в котором я очутился, девяносто шесть лет жизни уже не казались мне таким драгоценным даром, как вчера.

Сунув пистолет в карман, а тетрадь за рубашку, я взялся за руль велосипеда, покатил его между рядами могил и на бегу вспрыгнул в седло. Пружинисто соскочив с тротуара, я пригнулся к велоси-

14 Зак. № 693 Кунц

педному рулю и, бешено крутя педали, полетел сквозь пелену тумана, прокладывая в нем тоннель, который тут же вновь заполнялся клубящейся сединой.

Орсон утратил всякий интерес к беличьим следам. Ему не меньше моего хотелось как можно скорее и как можно дальше убраться от святой Бернадетты.

Мы миновали несколько кварталов, и только тут я осознал, что спасение невозможно. Скорый рассвет ограничивал мои передвижения границами Мунлайт-Бей, а безумие, подобное тому, какое я наблюдал в доме священника, наверняка царило сейчас в каждом уголке города.

Я пытался убежать от опасности, от которой не смог бы спастись даже на самом укромном островке или на самой высокой горе мира. Куда бы я ни направился, я унесу с собой то, что пугало меня больше всего, — жажду узнать правду. Я боялся не просто ответов на вопросы о моей матери. Я боялся именно этих вопросов, поскольку сама их природа и то, получу я на них ответы или нет, навсегда изменят мою жизнь.

29

Сидя на скамейке в маленьком сквере на углу Палм-стрит и Грейс-драйв, мы с Орсоном разглядывали скульптурную композицию: стальной ятаган, укрепленный на паре кувыркающихся игральных костей из белого мрамора, которые балансируют на земном шаре из полированного голубого мрамора. Этот глобус, в свою очередь, стоит на большой бронзовой штуковине, напоминавшей кучу собачьего дерьма.

Это произведение искусства располагалось в центре мягко булькающего фонтана и было установлено около трех лет назад. Мы с Бобби провели здесь не одну ночь, пытаясь разгадать потаенный смысл данного сооружения. Оно интриговало нас, будоража воображение и бросая вызов нашей сообразительности, но озарение так ни разу и не посетило нас.

Поначалу нам казалось, что все предельно ясно: ятаган означает войну или смерть, игральные кости олицетворяют судьбу, голубой мраморный шар Земли — это наша жизнь. Соедините все вместе и получите формулу существования человека: мы живем или умираем в соответствии с предопределением рока, а ходом нашей жизни в этом мире управляет бесстрастная цепь случайностей. Бронзовая какашка в фундаменте сооружения является укороченным вариантом все той же формулы: жизнь — дерьмо.

За первой попыткой толкования последовали многие другие. К примеру, ятаган мог быть вовсе не ятаганом, а полумесяцем. Игральные кости могли оказаться кубиками сахара, а голубая сфера могла олицетворять совсем даже не нашу планету-кормилицу, а шар для игры в боулинг. Предметы, из которых была составлена композиция, могли быть чем угодно. Только один элемент этого сооружения невозможно было истолковать двояко — бронзовую кучу собачьего дерьма в его основании.

Если принять версию полумесяца, рафинада и шара для боулинга, смысл этого произведения искусства можно было расшифровать в качестве предупреждения, что даже самые высокие наши устремления (высотой до Луны) могут остаться несбыточными, если мы будем наказывать свое тело и возбуждать свой рассудок потреблением чересчур большого количества сладкого или надрывать свой позвоночник, отчаянно кидая шары в боулинге, когда счет десять — семь в пользу соперника. Бронзовое дерьмо предупреждает нас о том, каковы будут конечные последствия неправильного питания в сочетании с неумеренным увлечением боулингом.

Вокруг фонтана со скульптурой шла широкая дорожка, на которой стояли четыре скамейки. В разное время мы рассматривали загадочное сооружение со всех возможных точек.

Фонарями в сквере управляет таймер, и с наступлением полуночи они выключаются. Фонтан, к сожалению, тоже. Текущая вода располагает к размышлениям, и нам хотелось бы, чтобы она бежала всю ночь напролет. А вот против выключенных фонарей мы не возражали бы даже в том случае, если бы я не был икспером. Рассеянный свет не только не мешает, но, наоборот, помогает восприятию скульптуры, а густой туман только идет ей на пользу.

До того как на постаменте появилось это сооружение, здесь на протяжении более ста лет возвышался памятник Джуниперо Серре, испанскому миссионеру, жившему среди калифорнийских индейцев два с половиной века назад. Он создал целую сеть миссий, здания которых являются сегодня памятниками старины и подобно магниту притягивают к себе увлеченных историей туристов.

Родители Бобби и группа их единомышленников создали комитет и начали борьбу за то, чтобы снести памятник Джуниперо Серре на том основании, что фигура религиозного деятеля не должна красоваться в сквере, разбитом и содержащемся на средства общественных фондов. Отделение церкви от государства. Конституция Соединенных Штатов, утверждали они, не оставляет сомнений на этот счет.

Глициния Джейн Сноу, урожденная Милбери (для своих друзей — просто Глисси, а для меня — ма), несмотря на то что являлась ученым и весьма рациональным человеком, возглавила оппозиционный комитет, боровшийся за сохранение памятника Серре. «Когда общество, не важно по какой причине, отказывается от своего прошлого, оно лишает себя будущего», — говорила мать.

Ма проиграла схватку. Предки Бобби — выиграли.

Мы с Бобби встретились ночью после того, как было принято окончательное решение по этому поводу, и это был один из самых торжественных моментов за все время нашей многолетней дружбы. Нам предстояло решить, обязывают ли каждого из нас семейная честь и святые кровные узы объявить войну между нашими родами и начать нескончаемую жестокую вендетту — наподобие вражды между Хатфилдами и Маккоями — до тех пор, пока самые дальние родственники наших семей не найдут вечного упокоения в земле с червями или пока один из нас — либо оба — будут мертвы. Проглотив достаточное количество пива для того, чтобы наши мозги прочистились, мы пришли к выводу, что невозможно вести непримиримую вражду и при этом выкраивать время для катания на всех прекрасных прозрачных волнах, которые щедрое море посылает к берегу. К тому же нам было жалко тратить на кровавые убийства и опустошение то время, которое мы могли бы использовать, чтобы охмурять сногсшибательных девчонок в бикини из трех тесемочек...

Я набрал на своем телефоне номер Бобби и

нажал на кнопку «соединить», а затем подкрутил регулятор громкости, чтобы Орсон мог слышать не только меня, но и моего собеседника. Осознав, что именно я сделал, я понял, что неосознанно принял все самые невероятные предположения по поводу проекта из Форт-Уиверна за истину, даже если при этом делаю вид, что по-прежнему продолжаю сомневаться.

Бобби снял трубку почти сразу.

— Пошел вон, — приветливо сказал он.

— Ты спишь?

— Да.

— Я сижу в Жизньдерьмовом сквере.

— А мне-то что до того!

— С тех пор как мы с тобой виделись, у меня произошло много неприятностей.

— Это все соус из куриных такос, — сказал Бобби.

— Я не могу говорить об этом по телефону.

— Вот и чудесно.

— Я беспокоюсь за тебя.

— Как мило с твоей стороны!

— Тебе грозит серьезная опасность, Бобби.

— Я почистил зубы, мамочка, честное слово.

Орсон удивленно фыркнул. Сам он этого никогда не делал.

— Ты окончательно проснулся? — спросил я Бобби.

— Нет.

— Готов поспорить, что ты вообще не спал.

В трубке повисла тишина, а затем Бобби проговорил:

— Дело в том, что после твоего ухода всю ночь показывают довольно страшное кино.

— «Планету обезьян»? — предположил я.

— На круговом стереоскопическом экране.

— Что они делают?

— Обычные обезьяньи штучки.

— Ничего угрожающего?

— Они считают, что очень умны. Сейчас одна из них выдрючивается за моим окном. У меня такое чувство, что они хотят довести меня до белого каления и выманить из дома.

— Не выходи, — испуганно сказал я.

— Я же не кретин, — обиженно ответил мой друг.

— Извини.

— Я засранец.

— Вот это верно.

— Между кретином и засранцем — огромная разница.

— Мне об этом известно.

— Сомневаюсь.

— Ружье при тебе?

— Господи, Сноу, я же сказал тебе, что я не кретин.

— Если мы продержимся на этой волне до рассвета, то, думаю, окажемся в безопасности до завтрашнего вечера.

— Они уже на крыше.

— И что делают?

— Не знаю. — Бобби умолк и прислушался. — Там по крайней мере две из них. Бегают взад и вперед. Наверное, ищут путь в дом.

Орсон спрыгнул с лавки и настороженно замер, подняв одно ухо и внимательно вслушиваясь в слова Бобби. Вся его поза выражала неподдельную тревогу. Он уже не пытался изображать из себя обычную собаку.

— А они могут каким-нибудь образом проникнуть в дом? — спросил я.

— В ванной и кухне есть воздуховоды, но они недостаточно широки даже для этих сволочей.

Как ни странно, хотя в коттедже существовали все мыслимые удобства, в нем не было камина. Наверное, по мнению Корки Коллинза — бывшего Тоширо Тагавы, каменное нутро и жесткие кирпичи камина в отличие от огромной ванны с теплой водой не являлись идеальным местом для того, чтобы расслабляться в обществе двух обнаженных девиц с пляжа. Благодаря его однобокой порочной фантазии обезьяны теперь не имели возможности проникнуть в дом через дымоход.

— До рассвета мне предстоит сделать еще коекакую работу в духе Нэнси Дрю.

— Ну и как? Получается? — поинтересовался Бобби.

— Я просто гений в этом деле. Скоро утро. Я проведу весь день в доме Саши, а вечером мы приедем прямиком к тебе.

— Хочешь сказать, что мне снова придется стряпать ужин?

— Мы привезем с собой пиццу. Послушай, я уверен, что нас собираются прикончить. По крайней мере одного из нас. И единственный способ этого избежать — держаться вместе. Постарайся отоспаться днем. Завтрашняя ночь может оказаться весьма напряженной. Как бы нам в штаны не наложить.

— Значит, ты уже научился управляться со всем этим?

— Управляться с этим невозможно.

— В отличие от Нэнси Дрю ты не очень-то оптимистичен.

Я больше не собирался ему врать. Ни ему, ни Орсону, ни Саше.

— Из этой ситуации нет выхода. Это невозможно как-нибудь остановить или повернуть вспять. Что бы здесь ни происходило, нам придется жить с этим до конца своих дней. Но, может быть, нам повезет и мы сможем найти способ проехаться на этой волне, хотя она, сволочь, действительно здоровенная и страшная.

Помолчав, Бобби спросил:

— Что стряслось, братишка?

— Разве я тебе только что не сказал?

— Сказал, но не все.

— Всего по телефону не скажешь.

— Я не имею в виду подробности. Я имею в виду тебя.

Орсон положил голову мне на колени, словно полагая, что, погладив его по голове и почесав между ушами, я немного успокоюсь. Так и случилось. Это всегда срабатывает. Хорошая собака является гораздо лучшим лекарством от стресса и печали, нежели валиум.

— Ты делаешь вид, что тебе не страшно, но тебе страшно, — констатировал Бобби.

— Боб Фрейд, незаконный внук Зигмунда.

— Ложитесь на кушетку, пациент.

Гладя шерсть Орсона в попытке успокоить свои нервы, я вздохнул и сказал:

— В общем, насколько я понял, все сводится к тому, что моя мама уничтожила мир.

— Звучит впечатляюще.

— Правда?

— Этими своими научными штучками?

— Генетика.

— Помнишь, я говорил тебе об опасности стремления оставить след на земле?

— Мне кажется, в данном случае все обстояло

гораздо хуже. Я думаю, поначалу она всего лишь пыталась найти способ помочь мне.

— Ага, устроив конец мира?

— Того мира, каким мы его знаем, — проговорил я, припомнив слова Рузвельта Фроста.

— Как-то раз мамуля, повязав платок, испекла сынуле с ядом пирожок.

Мне не удалось удержаться от смеха.

— Ну что бы я без тебя делал, братишка!

— Я лишь один раз сделал для тебя стоящую вещь.

— Какую именно?

— Научил тебя видеть перспективу.

— Да, — согласился я, — научил меня различать, что имеет значение, а что — нет.

— Большинство вещей — не имеет, — напомнил Бобби.

— Даже то, что происходит сейчас?

— Займись любовью с Сашей. Потом как следует отоспись. Завтра вечером нас ожидает охренительный ужин. Мы надерем мартышкам задницы. Прокатимся на колоссальной волне. Через неделю ты снова будешь воспринимать свою маму так же, как раньше. Если ты, конечно, этого хочешь.

— Может быть, — с сомнением в голосе откликнулся я.

— Правильное восприятие жизни — это главное, братишка.

— Я буду работать над этим.

— И все же не могу отделаться от одной мысли.

— Какой?

— Твоя мама, наверное, здорово разозлилась, когда проиграла сражение за то, чтобы сохранить памятник в сквере.

Бобби повесил трубку, а я выключил свой телефон.

Действительно ли подобный подход к жизни является единственно правильным? Считать, что большую часть жизни не следует воспринимать всерьез, рассматривать ее как некую космическую шутку, иметь лишь четыре основополагающих жизненных принципа: во-первых, причинять как можно меньше вреда другим, во-вторых, всегда быть готовым прийти на помощь своим друзьям, в-третьих, отвечать за себя и ничего не просить у других, в-четвертых, получать от жизни максимум удовольствия. Плевать на мнение всех, за исключением тех, кто тебе близок. Не думать о том, чтобы оставить свой след на земле. Игнорировать «важнейшие вопросы современности», чтобы не портить себе пищеварение. Не оглядываться на прошлое. Не беспокоиться по поводу будущего. Жить сегодняшним днем. Верить в смысл собственного существования и ждать момента, когда понимание его само придет к тебе, вместо того чтобы в поте лица его отыскивать. Когда жизнь бьет тебя в лицо, можешь упасть на спину, но, падая, не забывай смеяться. Лови волну, приятель!

Именно так живет Бобби Хэллоуэй и при этом является самым счастливым и уравновешенным человеком из всех, кого я знаю.

Я пытаюсь жить так же, как он, но у меня это получается не так хорошо. Иногда, когда нужно плыть на спине, я начинаю молотить по воде руками и ногами. Я провожу слишком много времени в ожидании чего-то и трачу слишком мало времени, позволяя жизни удивлять меня. Возможно, я недостаточно стараюсь жить так, как Бобби. А может быть, стараюсь слишком сильно.

Орсон подошел к фонтану и с шумом стал лакать чистую воду, явно наслаждаясь ее прохладой и вкусом.

Я вспомнил июльскую ночь, когда, сидя на заднем дворе, он смотрел на звезды, терзаемый черной тоской. Я не мог определить, насколько Орсон умнее обычных собак. Поскольку его ум был каким-то образом стимулирован научными изысканиями в Форт-Уиверне, он обладал гораздо большей сообразительностью, нежели определено природой для собак. Возможно, в ту ночь Орсон впервые осознал заложенный в нем потенциал и одновременно — чудовищные ограничения, наложенные на него собачьей сущностью. И после этого погрузился в трясину отчаяния, которая едва не засосала его окончательно. Обладать интеллектом и не иметь гортани, приспособленной для осмысленной речи, обладать интеллектом и не иметь рук, с помощью которых можно было бы писать и работать, обладать интеллектом и быть заточенным в таком физическом обличье, которое никогда не позволит проявить этот интеллект. Это можно сравнить разве что с тем, чтобы родиться глухим, немым и лишенным конечностей.

Сейчас я смотрел на Орсона другим взглядом, удивляясь его мужеству и испытывая к нему такую нежность, какую не испытывал никогда и ни к кому на земле.

Он повернулся от фонтана, облизываясь и широко улыбаясь от удовольствия. Увидев, что я смотрю на него, он завилял хвостом. Он был рад моему вниманию, а может, ему было просто приятно находиться рядом со мной этой необычной ночью.

Несмотря на все ограничения, наложенные на него природой, несмотря на то что его было за что пожалеть, у моего пса получалось быть Бобби Хэллоуэем гораздо лучше, нежели у меня.

Можно ли назвать мудрой жизненную позицию Бобби? Или Орсона? Возможно, когда-нибудь я повзрослею достаточно для того, чтобы воспользоваться их жизненной философией.

Поднявшись со скамейки, я указал Орсону на скульптуру и сказал:

— Это не ятаган. И не полумесяц. Это ухмылка невидимого Чеширского Кота из «Алисы в Зазеркалье».

Орсон посмотрел на монументальный шедевр.

— А это не игральные кости и не кусочки сахара, — продолжал я. — Это таблетки для того, чтобы вырасти или уменьшиться, которые проглотила в сказке Алиса.

Орсон сосредоточенно обдумывал услышанное. Он видел мультипликационную диснеевскую версию классической сказки по видео.

— А сфера — это не символ планеты и не синий шар для боулинга. Это большой голубой глаз. Соедини все это вместе, и что получится?

Орсон взглянул на меня, желая, чтобы его просветили на этот счет.

— Чеширская ухмылка — это насмешка скульптора над теми доверчивыми дурачками, которые отвалили ему столь щедрый гонорар. Таблетки означают наркотики, под действием которых он создавал это бредовое произведение. Голубой глаз принадлежит самому художнику, а второго не видно потому, что он подмигивает. Бронзовая куча в основании скульптуры, разумеется, собачье дерьмо, и оно язвительно воплощает символическую оценку всего этого сооружения, поскольку собаки, как известно, являются наиболее восприимчивыми критиками в области искусства.

Если истолковать энтузиазм, с которым Орсон принялся махать хвостом, как знак согласия, моя интерпретация ему чрезвычайно понравилась.

Он обежал рысцой вокруг скульптуры, желая оглядеть ее со всех сторон.

Возможно, мое предназначение состояло вовсе не в том, чтоб писать о своей жизни, отыскивая в ней какой-то универсальный смысл, который помог бы другим осознать смысл их существования, как эгоманиакально внушала мне временами моя гордыня. Вместо того чтобы изо всех сил пытаться оставить след на земле, мне, наверное, следует усвоить, что единственная цель, с которой я был рожден, это развлекать Орсона, быть ему даже не хозяином, а любящим братом, стараться, чтобы его тяжелая и странная жизнь стала как можно легче, радостнее и богаче. Такое жизненное предназначение заслуживает не меньшего уважения, нежели любое другое.

Виляние Орсонова хвоста понравилось мне не меньше, чем ему — мой искусствоведческий анализ скульптуры. Я взглянул на циферблат. До рассвета оставалось чуть меньше двух часов.

До того момента, когда поднимающееся солнце заставит меня забиться в темную щель, мне предстояло посетить еще два места. Первым из них был Форт-Уиверн.

* * *

От сквера на пересечении Грейс-драйв и Палм-стрит, находящегося в юго-западной части Мунлайт-Бей, до Форт-Уиверна можно добраться на велосипеде меньше чем за десять минут, причем без всякой спешки — так, чтобы моему четвероногому братцу не приходилось нестись сломя голову. Дело в том, что мне известен короткий путь — через дренажную трубу под шоссе № 1. Эта труба переходит в открытый бетонный канал шириной около трех метров, который доходит до металлической сетки, огораживающей военную базу по периметру, и затем тянется в глубь ее территории. Верхний край ограды увит колючей проволокой.

Через определенные интервалы вдоль ограды и по всей территории базы установлены большие черно-красные щиты, предупреждающие, что незаконное проникновение сюда карается в соответствии с федеральными законами и может повлечь за собой штраф не менее десяти тысяч долларов и тюремное заключение на срок не меньше года. Я всегда игнорировал эти грозные предупреждения. Учитывая мою неполноценность, ни один судья не посадит меня в тюрьму за столь незначительный проступок, а если уж дело дойдет до штрафа в десять тысяч баксов, это я как-нибудь смогу себе позволить.

В одну из ночей, полтора года назад, вскоре после того как, согласно официальным заявлениям, Форт-Уиверн был закрыт, я с помощью кровельных ножниц проделал отверстие в сетке ограды — как раз там, где она пересекает водоотводный канал. Искушение исследовать это огромное и неведомое мне пространство было слишком велико, чтобы я мог ему противиться.

Если это кажется вам странным, попытайтесь поставить себя на мое место. Я в ту пору уже давно перестал быть мальчиком, грезящим о приключениях, и мне исполнилось двадцать шесть лет. Вы в этом возрасте, если пожелаете, можете сесть в самолет и полететь в Лондон, поплыть, коли вздумается, на корабле в Порте-Валларта или прокатиться на Восточном экспрессе из Парижа в Стамбул. У вас скорее всего имеется водительское удостоверение и машина. Вы не обречены на то, чтобы всю свою жизнь проторчать в крохотном городке с населением в двенадцать тысяч жителей, из ночи в ночь объезжая его на велосипеде, изучив каждый уголок не хуже собственной спальни. Поэтому вам вряд ли понять неуемную тягу к новым местам, которую испытывал я. Так что сделайте скидку на это.

Форт-Уиверн, названный в честь прославленного героя Первой мировой войны генерала Гаррисона Блэра Уиверна, был создан в 1939 году как учебная и вспомогательная военная база. Занимая территорию чуть ли не 70 тысяч гектаров, Форт-Уиверн является далеко не самой большой, хотя и не самой маленькой по площади военной базой в штате Калифорния.

Во время Второй мировой войны здесь находилось танковое училище, где готовили боевой и обслуживающий состав для всего, что передвигается на гусеницах, а выпускники училища сразу же отправлялись на различные театры военных действий в Европе и Азии. На территории Форт-Уиверна располагались и другие учебные центры, в стенах которых готовили первоклассных подрывников и саперов, диверсантов, артиллеристов, полевых врачей, офицеров военной полиции, шифровальщиков. Здесь же проходили подготовку десятки тысяч простых пехотинцев. На огромной территории военной базы имелся артиллерийский полигон, взлетное поле, разветвленная сеть глубоких подземных бункеров, в которых хранились боеприпасы. Здесь было гораздо больше строений, чем во всем Мунлайт-Бей.

В разгар «холодной войны» персонал Форт-

Уиверна — только по официальным данным — составлял 36 400 человек одних только военных. Помимо них, на базе постоянно жили около тринадцати тысяч детей офицеров и свыше четырех тысяч гражданских лиц, имевших отношение к обслуживанию базы. На содержание базы министерство обороны ежегодно выделяло более семисот миллионов долларов, сто пятьдесят из которых шли на оплату труда контрактников.

Форт-Уиверн прекратил свое существование согласно решению Комиссии по закрытию военных баз и передислокации. Звон денег, высыпавшихся в связи с этим из окружной казны, был таким громким, что лишил сна местных торговцев, предвидевших потерю прибылей, и их детей, плакавших от страха остаться без приличного образования. Радиостанция «Кей-Бей» потеряла треть своей аудитории, почти половину тех, кто слушал передачи по ночам, и в результате была вынуждена значительно сократить штат служащих. Именно поэтому Саше пришлось совместить работу генерального менеджера и ночного ведущего, а Доги Сассман за ту же зарплату работал еженедельно восемь часов сверхурочно и при этом никогда не вздымал в протестующем жесте свои татуированные лапы.

Все годы существования Форт-Уиверна на его территории постоянно велось широкомасштабное строительство. Оно производилось под покровом глубокой тайны специально отобранными компаниями, специализирующимися на выполнении военных подрядов, а их сотрудники были вынуждены давать подписку о неразглашении секретов под страхом провести остаток жизни за решеткой в случае ее нарушения. Ходили слухи, что в связи со своей гордой историей центра военного обучения и подготовки Форт-Уиверн был избран в качестве главного оплота разработки химического оружия и превращен в глубоко засекреченный, способный к автономному существованию и биологически надежный подземный комплекс.

Принимая во внимание события последних двенадцати часов, я был более чем уверен, что во всех этих слухах кроется изрядная часть правды, хотя и не имел пока ни единого доказательства, говорившего в пользу того, что подобная цитадель на самом деле существует.

Заброшенная военная база являет собой зрелище, которое в одно и то же время поражает, нагоняет страх и заставляет ощутить масштабы человеческого безумия почище всего того, что можно увидеть в лаборатории по разработке криобиологического оружия. Я отношусь к Форт-Уиверну — такому, каким он является сейчас, — как к огромному и мрачному луна-парку, разделенному, подобно Диснейленду, на различные зоны, но с той разницей, что сюда допускается лишь один посетитель со своей верной собакой.

Больше всего мне нравится здесь Город мертвых.

Городом мертвых эту часть заброшенной базы назвал я. Вероятно, в те дни, когда Уиверн процветал, она называлась как-нибудь иначе. Здесь стоит свыше трех тысяч коттеджей. Некоторые из них были рассчитаны на холостых и незамужних одиночек, в других жили семейные пары с детьми, решившие обосноваться не в городе, а на территории самой базы.

Архитектурно эти невзрачные сооружения ничем не отличаются друг от друга, и каждое из них является точной копией соседнего. Они предоставляли минимум удобств жившим в них — преимущественно молодым — семьям. В военные годы обитатели этих бунгало сменяли друг друга почти каждый год. Несмотря на свою похожесть, эти домики весьма симпатичны, и когда ходишь по их пустым комнатам, начинаешь ощущать когда-то бурлившую здесь жизнь — с любовью, смехом, веселыми вечеринками.

Улицы Города мертвых, проложенные с военной аккуратностью, делят его на идеально ровные прямоугольники. Сейчас по ним путешествуют лишь клубы пыли да сухие шары перекати-поля дожидаются дуновения ветра, чтобы продолжить свой бессмысленный путь в никуда. После того как заканчивается сезон дождей, трава здесь почти сразу становится бурой и остается такой в течение всего года. Кустарник засох, деревья вдоль улиц почти все погибли, и их голые черные ветви кажутся тощими руками, в отчаянии цепляющимися за такое же черное небо. Дома обжиты неисчислимыми полчищами мышей, под стрехами свили гнезда птицы, и пороги бунгало покрыты теперь толстым слоем сухого птичьего помета.

Было бы логичным предположить, что власти решат либо и дальше поддерживать все эти постройки — на тот случай, если они вдруг понадобятся, — либо снесут их подчистую, но ни на то, ни на другое попросту нет средств. Вот и царят здесь запустение и упадок. Постепенно разрушаясь, бывшая военная цитадель все больше напоминает город-призрак, заброшенный старателями после «золотой лихорадки».

Когда слоняешься по Городу мертвых, возникает ощущение, что все в этом мире умерли от какой-то неведомой чумы и ты остался совсем один на всей планете. А иногда кажется, что ты сошел с ума и теперь существуешь в некой ирреальной и мрачной солипсической фантазии, невидимой для окружающих. Может почудиться и другое: будто ты умер, оказался в аду и обречен на вечное одиночество, а шныряющая между домами парочка линялых койотов с их длинными клыками и злобными глазами вполне может сойти за демонов. Впрочем, если ваш отец преподавал поэзию, а сами вы являетесь обладателем «стометровой цирко-мозговой арены», вы можете представить местечко, подобное этому, чем угодно.

Оказавшись в Городе мертвых этой мартовской ночью, я проехал несколько улиц, но ни на одной из них не задержался. Туман еще не забрался так далеко в глубь суши, и воздух здесь был гораздо более теплым и сухим, нежели в липкой пелене, затянувшей побережье. Хотя луна уже зашла, на небе ярко светили звезды, и ночь идеально подходила для экскурсии по Городу мертвых. Впрочем, даже для того, чтобы обследовать хотя бы одну эту часть Форт-Уиверна, потребовалось бы не меньше недели.

За мной наверняка наблюдали, но меня это нисколько не волновало. За последние несколько часов я привык к тому, что на меня постоянно устремлены глаза невидимых соглядатаев, и уже перестал нервничать по этому поводу.

За чертой Города мертвых начинаются бесконечные ряды бараков и других построек: некогда опрятные лавка, парикмахерская, химчистка, цветочный магазин, кондитерская, отделение банка. Теперь их вывески покосились и покрыты пылью. А вот и дневной детский сад. Дети военных, находившиеся в подростковом возрасте, посещали школу в Мунлайт-Бей, здесь же были детский сад и начальная школа. На затянутых паутиной полках библиотеки не осталось книг, кроме одной забытой кем-то «Над пропастью во ржи». Тут же — стоматологическая и обычная поликлиники. Кинотеатр, на пустом экране которого красуется выведенное краской загадочное слово «КТО». Зал для игры в боулинг. Зал для занятий шейпингом и легкой атлетикой. Бассейн — давно высохший, с обломками бетона, валяющимися на потрескавшемся дне. В конюшнях давно нет лошадей, и лишь с каждым дуновением ветра оживает скрипами и стуком хор незапертых дверей в стойлах. Поле для игры в софтбол густо заросло сорняками, а посередине его вот уже целый год лежат разложившиеся останки мертвой пумы, успевшие за это время превратиться в скелет.

Однако меня не интересовало ни одно из этих мест. Проехав мимо них, я направился к сооружению, напоминавшему ангар и стоявшему над комплексом подземных помещений, в которых прошлой осенью, во время последнего посещения Форт-Уиверна, я нашел бейсболку с надписью «ЗАГАДОЧНЫЙ ПОЕЗД».

На багажнике моего велосипеда всегда укреплен полицейский фонарик со шторкой, регулирующей луч света. Остановившись у ангара и прислонив велосипед к стене, я освободил фонарик от резинки и взял его в руку.

У Орсона Форт-Уиверн вызывает одновременно и страх, и любопытство, но тем не менее во время всех моих ночных экспедиций сюда он неизменно оставался рядом со мной, не жалуясь и не скуля. Сегодня он был напуган даже больше обычного, но и на сей раз без колебаний следовал за мной.

Небольшая — в человеческий рост — дверь, врезанная в огромные ворота ангара, была не заперта.

Включив фонарик, я вошел внутрь. Орсон следовал за мной по пятам.

Ангар не примыкает к взлетному полю, поэтому едва ли здесь когда-то хранились или ремонтировались самолеты. Под потолком были проложены извилистые рельсы, по которым вдоль всего помещения некогда двигался подвесной подъемный кран, отсутствующий ныне. Судя по тому, насколько массивны были стальные опоры, поддерживавшие эту конструкцию, кран предназначался для того, чтобы поднимать чудовищно тяжелые грузы. Бетонный пол выложен толстенными стальными плитами, в которых виднеются пустующие ныне углубления. Видимо, в свое время здесь крепились какие-то мощные механизмы, о предназначении которых теперь оставалось только догадываться.

Луч фонаря выхватывал из темноты секции рельсов для подъемного крана, которые образовывали на фоне стен и гофрированной жестяной крыши ангара правильные геометрические узоры, напоминавшие иероглифы какого-то неведомого языка. Половина подслеповатых окошек, тянувшихся высоко под кровлей, была разбита.

Меня снова охватило тревожное чувство, что я нахожусь не в заводском цеху или ремонтной мастерской, а в заброшенной церкви. От пятен смазки и разлитых по полу химикалий исходил странный запах, напоминающий церковные благовония. Постоянно царивший здесь холод проникал в кости и заставлял думать, что ты находишься в некогда священном, но давно оскверненном месте.

В тамбуре, расположенном в одном из углов ангара, находился лестничный пролет и шахта лифта, в которой уже не было ни кабины, ни подъемных механизмов. Точно я сказать не мог, но, судя по валявшимся здесь обломкам, в этот тамбур некогда попадали через другой проход, а затем те, кто демонтировал оборудование, просто проломили стену. Кроме того, я подозревал, что существование лестницы и лифта хранилось в тайне от тех, кто работал в ангаре. Сейчас у входа на лестницу остались лишь крепкий стальной каркас и высокий порог, но самой двери давно не было.

Распугивая лучом фонарика пауков и мокриц, я в сопровождении Орсона двинулся вниз по ступеням. На толстом слое покрывавшей их пыли виднелись следы, но они принадлежали нам самим и оставались здесь с нашего последнего посещения Форт-Уиверна.

Лестница вела на три подземных этажа, причем каждый из них был значительно больше, чем расположенный наверху ангар. Это была настоящая паутина коридоров и лишенных окон помещений. Сейчас тут было пусто и голо. Покидая эти катакомбы, их обитатели забрали абсолютно все, что могло бы пролить хоть какой-то свет на первоначальное предназначение этих помещений. Не осталось ни единого предмета, который мог бы подсказать или послужить хотя бы малейшим намеком на то, чем здесь занимались раньше. Теперь тут не осталось ничего, кроме голого бетона. Из стен были с корнем вырваны даже водопроводные трубы и вентиляционная система.

Я подозреваю, что это безжалостное опустошение было вызвано не только желанием хозяев военной базы оставить в тайне ее предназначение. Интуиция подсказывает мне, что, изничтожая все до последнего следы своей деятельности, они были движимы не только служебным рвением, но еще и стыдом.

И все же я не верю в то, что над химическим или биологическим оружием работали именно здесь. Учитывая то, какие требования безопасности предъявляются к подобным помещениям, они должны находиться в самом дальнем углу Форт-Уиверна, быть тщательно скрыты, упрятаны гораздо глубже под землю и значительно превосходить по размеру те три этажа, мимо которых я проходил сейчас.

И главное, те помещения, видимо, по-прежнему функционируют.

Но тем не менее я уверен, что здесь, в подземном пространстве под железным ангаром, велась крайне опасная и весьма необычная деятельность. Большинство комнат, в которых не осталось ничего, кроме бетонных стен, казались диковинными и в то же время наполняли душу тревогой.

Одно из самых странных помещений, окруженное лабиринтом коридоров и комнат меньшего размера, располагалось в центре нижнего этажа, куда еще не успела добраться пыль с поверхности. Это был огромный зал в форме яйца — метров сорок в длину и двадцать в ширину, сужавшийся к краям. Пол, стены и потолок этого помещения были покатыми, поэтому, когда я стоял здесь, мне казалось, что я на самом деле нахожусь в пустой скорлупе гигантского яйца.

Попасть сюда можно было через небольшое — размером примерно в половину человеческого роста — и круглое отверстие в стене. Судя по всему, в свое время оно закрывалось не дверью, а герметичным люком.

Приподнятый закругленный вход в помещение представлял собой своеобразный тоннель. Это обусловливалось толщиной стен яйцевидного зала —

почти два метра прочнейшего армированного бетона, по которому сейчас скользил луч моего фонаря.

Все округлые поверхности внутри огромного яйца — и пол, и покатые стены, и овальный потолок — покрыты слоем необычного вещества — молочно-золотистого полупрозрачного стекла толщиной в пять или семь сантиметров. И все же это не стекло, поскольку оно обладает чрезвычайной прочностью, и если по нему постучать, отзывается глухим гулом трубчатых колокольчиков. Кроме того, на нем нет ни одного шва. Этот необычный материал тщательно отполирован и гладок, как влажный фарфор, но совсем не скользкий. Свет фонарика проникает внутрь его, заставляя его мерцать и переливаться золотыми спиралями, рождает нежное свечение на поверхности этого покрытия.

Мы двигались по направлению к центру зала. Резиновые подошвы моих кроссовок тихонько попискивали, а когти Орсона цокали по гладкому полу, как маленькие поросячьи копытца.

Сегодня, в ночь смерти моего отца, в эту ночь ночей, мне захотелось вернуться на это место, где прошлой осенью я нашел кепку со словами «ЗАГАДОЧНЫЙ ПОЕЗД». Она лежала на полу, в самом центре огромного яйца, — единственный предмет, оставшийся во всех помещениях, расположенных на трех подземных этажах под металлическим ангаром.

Тогда я подумал, что кепку забыл кто-то из рабочих или инспекторов, наблюдавших за тем, как производится демонтаж оборудования, и ушедших последними. Теперь я знал, что все обстояло иначе. В ту октябрьскую ночь какие-то неизвестные, зная, что я решил обследовать эти помещения, тайком шли за мной по пятам, переходя с этажа на этаж, а затем проскользнули вперед и оставили бейсболку там, где я наверняка должен был на нее наткнуться.

Если все происходило именно так, то этот поступок следует расценивать не как попытку запугать меня, а как своеобразный приветственный жест, некую демонстрацию доброй воли. Шестое чувство подсказывало мне, что слова «ЗАГАДОЧНЫЙ ПОЕЗД» были каким-то образом связаны с работой моей матери. Через двадцать один месяц после ее смерти кто-то подбросил мне эту кепку, поскольку она являлась связующей ниточкой с моей мамой. Кто бы ни сделал мне этот подарок, он наверняка испытывал по отношению к ней глубочайшее восхищение и уважал меня хотя бы за то, что я ее сын.

Мне хотелось верить, что в не поддающемся разгадке заговоре, с которым я столкнулся, были и те, кто не воспринимал мою мать как злодейку и испытывал дружеские чувства по отношению ко мне. Пусть даже они не «почитали» меня, как говорил Рузвельт Фрост. Мне хотелось верить, что я имею дело не только с негодяями, но и с хорошими людьми. Теперь, узнав о том, какую роль сыграла моя мать в уничтожении прежнего мира, я предпочел бы получать информацию у тех, кто верил в то, что она руководствовалась лучшими побуждениями.

Мне не хотелось узнавать правду от тех, кто, глядя на меня, видел мою мать и выплевывал словно проклятие: «Ты!»

— Есть здесь кто-нибудь? — громко спросил я.

Мой вопрос отразился от противоположных стен гигантской скорлупы и вернулся ко мне двумя отдельными эхами — по одному с каждой стороны.

Орсон в свою очередь тоже вопросительно фыркнул, и этот звук пролетел над гладким полом, как шепот ветра по воде.

Ответа не дождался ни он, ни я.

— Я пришел не для того, чтобы мстить, — сказал я. — Мне это не нужно.

Ничего.

— И я не собираюсь предпринимать попытки связаться с властями за пределами города. Исправить уже ничего нельзя, и я принимаю это.

Когда эхо моего голоса умолкло, тишина в овальном зале сгустилась и стала плотной, как вода. Прежде чем снова нарушить ее, я несколько секунд молчал.

— Я не хочу, чтобы Мунлайт-Бей, а вместе с ним я и мои друзья, были стерты с лица земли за здорово живешь. Единственное, чего я хочу, — это понять.

Никто не пожелал удовлетворить мое любопытство.

Что ж, отправляясь сюда, я заранее знал, что на слишком многое рассчитывать не приходится.

Я не был разочарован. Я вообще редко позволяю себе испытывать чувство разочарования по поводу чего-либо. Жизнь научила меня терпеливости.

Далеко наверху, над этими рукотворными пещерами, быстро приближался рассвет. Я не мог больше тратить время на Форт-Уиверн. Прежде чем укрыться от поднимающегося смертоносного солнца в доме Саши, мне предстояло заглянуть еще по одному адресу.

Мы с Орсоном пошли обратно по молочному полу. Там, куда попадал свет фонарика, зажигались золотые спирали и вращались под нашими ногами, как новые галактики.

За овальным входом в зал в стену уходил узкий коридор, в свое время служивший, очевидно, воздуховодом. Проходя мимо, я заглянул в него и обнаружил там портфель отца — тот самый, который поставил на пол больничного гаража перед тем, как спрятаться под катафалк, и который уже не нашел, выбравшись из покойницкой. Когда я проходил здесь пять минут назад, его тут, разумеется, не было.

Я обошел портфель и посветил фонариком в темное пространство позади него. Никого.

Орсон дисциплинированно сидел возле портфеля, и я вернулся назад.

Портфель оказался на удивление легким, и я подумал, что он пуст, но когда я его встряхнул, то почувствовал, что внутри что-то есть.

Когда я расстегивал замки портфеля, мое сердце отчаянно билось. Я опасался, что обнаружу там еще одну пару вырванных глаз. Чтобы хоть немного успокоиться, я мысленно представил любимое лицо Саши, но от этого мое сердце забилось еще сильнее.

Я открыл портфель, и мне показалось, что, кроме воздуха, в нем ничего нет. Отцовская одежда, книжки, туалетные принадлежности и все остальные вещи исчезли. А потом я заметил спрятавшуюся в углу фотографию — ту самую фотографию моей мамы, которую я пообещал кремировать вместе с телом отца.

Я держал снимок в свете фонарика. Мама была удивительно хороша, а в ее прекрасных глазах светился глубокий ум.

В ее чертах я увидел сходство со мной. Неудивительно, что в свое время Саша с благосклонностью взглянула на меня. Мама улыбалась, и ее улыбка тоже была похожа на мою.

Орсону тоже хотелось взглянуть на карточку, и я повернул ее так, чтобы он смог посмотреть на нее. В течение нескольких секунд его взгляд блуждал по фотографии. Затем пес тоненько заскулил и отвернулся от снимка. На его морде была написана неподдельная грусть.

Мы с Орсоном на самом деле братья. Я — плод сердца и чрева Глицинии, Орсон — плод ее ума. В наших жилах не течет одинаковая кровь, но нас роднят гораздо более важные вещи.

Орсон снова заскулил, а я сказал ему твердым голосом:

— Все. Ее больше нет. Умерла и исчезла.

Надо быть жестоким. Надо жить будущим.

Бросив последний взгляд на фотографию, я сунул ее в карман рубашки.

Никакой печали. Никакого отчаяния. Никакого самосожаления.

Так или иначе, моя мать умерла не окончательно. Она живет во мне, в Орсоне и, возможно, в других таких, как Орсон.

Независимо от того, в каких преступлениях против человечества ее обвиняли остальные, она продолжает жить в нас — в человеке-слоне и его собаке-уродце. И пусть это нескромно, но я уверен, что мир только улучшился от того, что в нем живем мы с Орсоном. Мы с ним далеко не самые плохие ребята.

Покидая темный коридор, я сказал «спасибо» тем, кто оставил для меня фотографию. Уж не знаю, слышали ли они меня и действительно ли испытывали по отношению ко мне добрые чувства.

Оказавшись наверху и выйдя из ангара, я нашел свой велосипед там же, где оставил его. Звезды тоже были на прежнем месте.

Я поехал назад — через Город мертвых, по направлению к Мунлайт-Бей, где меня ждали туман и кое-что еще.

Часть пятая

ПЕРЕД РАССВЕТОМ

30

Наверное, когда-то континент незаметно для всех наклонился, и этот дом с крытой дранкой кровлей и высоким белым крылечком, стоявший раньше где-нибудь в Нантакете, соскользнул и, проехав три тысячи миль, навсегда застрял здесь, в калифорнийских холмах. Предназначенный по виду совершенно для другой местности, он угнездился в тени пиний и оборотился фасадом на участок в один акр. От дома исходили очарование, уют и тепло обитавшей здесь дружной семьи.

Сейчас дом был погружен во тьму, но вскоре в нескольких окнах загорится свет. Розалина Рамирес встанет с первыми петухами и тут же примется готовить обильный завтрак для своего сына Мануэля, который должен вернуться после ночной — второй кряду — смены. Если, конечно, его не задержит на службе шквал бумажной работы в связи с убийством шефа полиции Стивенсона. Будучи гораздо более искусным кулинаром, нежели его мать, Мануэль, конечно, предпочел бы приготовить себе завтрак собственными руками, но он все равно съест ее стряпню до последней крошки да еще обязательно похвалит.

А пока Розалина спит в большой спальне, принадлежавшей когда-то ее сыну. Он ни разу не пользовался ею с тех пор, как шестнадцать лет назад здесь умерла его жена Кармелита, подарив жизнь их сыну Тоби.

В дальнем конце просторного заднего двора стоит сарай с двускатной крышей, крытой так же, как кровля дома, дранкой. Окошки его закрыты белыми ставнями. Поскольку участок расположен в самой южной оконечности города и примыкает к привольным холмам, здесь — раздолье для любителей верховой езды. Относившийся к ним прежний хозяин дома держал в этом сарае лошадей, теперь же в нем расположена студия, в которой Тоби выдувает из стекла свою жизнь.

Сквозь густой туман я увидел, что окна в сарае освещены. Ничего удивительного. Тоби часто встает задолго до рассвета и приходит в свою студию, чтобы поработать.

Прислонив велосипед к стене сарая, я подошел к одному из окон. Орсон рядом со мной поднялся на задние лапы, поставил передние на окно и тоже заглянул внутрь.

Когда у меня появляется желание посмотреть, как творит Тоби, я никогда не захожу внутрь, поскольку флуоресцентные лампы, горящие под потолком, слишком ярки для моих глаз. Кроме того, боросиликатное стекло, из которого выдуваются различные изделия, обрабатывается при температуре свыше двух тысяч градусов по Фаренгейту и светится так ослепительно, что может причинить вред даже глазам нормального человека, не то что моим. Когда Тоби заканчивает работу, он выключает горелку, и тогда мы можем немного поговорить.

Сейчас Тоби сидел на высокой табуретке за своим рабочим столом, напротив многоструйной фишеровской горелки. Глаза его были закрыты специальными очками с черными стеклами. Он только что закончил выдувать вазу в форме груши с изящным тонким горлышком. Она была такой горячей, что светилась красно-золотым светом. Теперь Тоби остужал ее.

Если изделие вынуть из огня и оставить без присмотра, оно станет остывать чересчур быстро и лопнет. Для того чтобы этого не случилось, его необходимо остужать постепенно и в несколько приемов.

В горелку на рабочем столе из стоявшего поодаль баллона под большим давлением поступала смесь природного газа и чистого кислорода. Начиная остужать изделие, Тоби первым делом выключал кислород, отчего температура пламени становилась гораздо ниже, давая тем самым время для того, чтобы укрепились молекулярные связи стекла.

Ремесло стеклодува чревато многими опасностями, поэтому кое-кто в Мунлайт-Бей осуждал Мануэля и считал безответственным то, что он позволяет своему сыну, пораженному болезнью Дауна, заниматься этим сложным, требующим большого мастерства и осторожности делом. Каркая, словно вороны, они предрекали мальчику непоправимые увечья и, возможно, затаив дыхание ждали, когда это случится.

Поначалу Мануэль был настроен категорически против мечты Тоби стать стеклодувом. В течение пятнадцати лет сарай служил студией для Сальвадора, старшего брата Кармелиты, первоклассного стеклодува, настоящего мастера. Будучи ребенком, Тоби провел тысячи часов, сидя рядом с дядей Сальвадором и наблюдая за тем, как тот работает. Иногда ему даже позволялось надеть кевларовые рукавицы и переставить только что изготовленную вазу в очаг для охлаждения. Со стороны могло бы показаться, что в эти часы, сидя рядом с дядей, Тоби находился в прострации — с пустым взглядом и бессмысленной улыбкой, и все же это было не так. Мальчик смотрел и учился. Компенсируя недоданное, природа часто награждает ущербных людей сверхчеловеческим терпением. Просиживая день за днем, год за годом в студии своего дяди, Тоби медленно учился. Два года назад Сальвадор умер, и Тоби, которому тогда исполнилось только четырнадцать, спросил у отца, может ли он продолжить дело дяди. Мануэль не отнесся к этой просьбе всерьез и постарался мягко объяснить сыну, что его мечты нереальны.

А как-то утром, незадолго до рассвета, он обнаружил Тоби в студии, а по огнеупорной керамической поверхности рабочего стола плыл целый выводок лебедей из простого коричневого стекла. Позади лебедей стояла только что сделанная и уже остывшая ваза. Благодаря специальным примесям и добавкам стекло напоминало загадочное полночное небо, в котором клубился синеватый туман и посверкивали серебристые точки звезд. Мануэль с первого взгляда увидел, что эта ваза ни в чем не уступала лучшим изделиям Сальвадора, а Тоби в этот момент остужал вторую вазу — не менее прекрасную, чем первая.

Мальчик перенял у дяди все навыки опытного стеклодува и, несмотря на задержку в развитии, определенно знал, как нужно работать, чтобы не причинить себе увечий. И тут тоже проявилось волшебство генетики, поскольку он обладал удивительным талантом, которому нельзя было научиться. Он был не просто мастером, а художником, и даже не художником, а одаренным слабоумным, которого вдохновение художника и умение мастера посещали так же просто, как волны накатываются на берег.

Произведения Тоби продавались в магазинах подарков не только Мунлайт-Бей, но также Камбрии и других прибрежных городков к северу вплоть до самого Кермела. Через несколько лет он вполне сможет содержать себя без посторонней помощи.

Иногда природа бросает кость тем, кого обделила. В этом убеждает и мое собственное умение складывать слова во фразы, а фразы — в абзацы.

Сейчас Тоби сидел в своей студии и аккуратно поворачивал вазу в гудящем пламени горелки, следя за тем, чтобы огонь равномерно лизал ее округлые бока.

С толстой шеей, покатыми плечами, непропорционально короткими руками и ногами, он вполне мог бы сойти за сказочного гнома, сидящего у сторожевого костра глубоко под землей. Его лоб узок и тяжел, уши посажены чересчур низко, голова кажется слишком маленькой для такого тела. Смазанные черты и тяжелые складки полуприкрытых век придают его лицу вечно сонное выражение.

Сейчас Тоби сидел на высоком стуле, поворачивал вазу в пламени горелки и регулировал количество подаваемого газа, руководствуясь какой-то непостижимой интуицией. На лице его играли отсветы пламени, глаза были закрыты черными стеклами очков, и он ничуть не казался слабоумным и не производил впечатление человека, которого угнетает его физическое и умственное состояние. Наоборот, погруженный в свое творчество, в процесс созидания, он казался возбужденным.

Орсон угрожающе зарычал. Он спрыгнул передними ногами на землю, отвернулся в сторону от сарая и настороженно напрягся.

Я тоже повернулся и увидел темную фигуру, приближающуюся к нам через задний двор. Несмотря на ночь и туман, я сразу узнал этого человека по тому, с какой грацией и легкостью он шел. Это был Мануэль Рамирес, папа Тоби, второй человек в полицейском управлении Мунлайт-Бей, ставший теперь временно первым вследствие гибели своего босса.

Я сунул обе руки в карманы куртки и сжал правой ладонью рукоятку «глока».

Мы с Мануэлем были друзьями. Мне было бы неудобно наставлять на него пистолет, и уж точно я не сумел бы в него выстрелить. Разве что он уже не был прежним Мануэлем. Разве что, подобно Льюису Стивенсону, он превратился в нечто иное.

Он остановился метрах в трех от нас с Орсоном. Из окна шел оранжевый свет от пламени горелки, и благодаря этому скупому освещению я увидел, что Мануэль одет в форму хаки. На его правом бедре была кобура со служебным пистолетом. Он стоял, засунув большие пальцы за пояс, но можно было не сомневаться: в случае чего он успеет выхватить пистолет раньше, чем я достану свой.

— Закончил смену? — спросил я, хотя и знал, что это не так.

Вместо ответа он проговорил:

— Надеюсь, в этот час ты не ожидаешь тамале, пива и фильмов с Джеки Чаном?

— Нет, просто подумал, что Тоби, наверное, уже работает, и заехал поболтать с ним.

На лице Мануэля читалась усталость, и выглядел он сейчас гораздо старше своих сорока. Но улыбка его — даже в этом сверхъестественном освещении — была по-прежнему дружелюбной и ободряющей. Я внимательно вглядывался в его глаза, но единственными огоньками, плясавшими в них, были отсветы из окна сарая. Впрочем, за ними вполне мог прятаться дьявольский огонь, подобный тому, который я видел в глазах Льюиса Стивенсона.

К Орсону вернулась уверенность. Узнав Мануэля, он немного расслабился, но все равно оставался настороже.

Я не чувствовал в Мануэле той нездоровой энергии, которой во время нашей последней встречи бурлил Стивенсон. Наоборот, его голос звучал мягко и даже мелодично.

— Ты так и не появился в управлении после своего звонка, — сказал он.

Прикинув все «за» и «против», я решил говорить правду.

— Нет, появился, — ответил я.

— Значит, когда ты мне позвонил, ты находился уже рядом с нами? — догадался он.

— Прямо за углом. Что это за лысый парень с серьгой в ухе?

Немного подумав, Мануэль решил ответить искренностью на искренность.

— Его зовут Карл Скорсо.

— Но кто он такой?

— Мешок с дерьмом. Кому ты собираешься все это рассказать?

— Никому.

Мануэль промолчал. Было видно, что он не поверил мне.

— Начиная свои поиски, я действительно воспринимал их как крестовый поход, — признал я, — но я умею вовремя поднять руки.

— Да, видимо, я действительно говорю с новым Крисом Сноу.

— Даже если бы я смог связаться с властями или журналистами за пределами Мунлайт-Бей, я все равно не сумел бы их ни в чем убедить, поскольку сам толком не понимаю, что происходит.

— И у тебя нет никаких доказательств.

— Ничего существенного. Кроме того, мне вряд ли позволили бы вступить с ними в контакт. Если бы я даже сумел вызвать кого-нибудь для проведения расследования, вряд ли бы мне или моим друзьям удалось встретить его, когда он приедет сюда.

Мануэль опять не ответил, но его молчание было красноречивее слов.

Он мог по-прежнему оставаться фанатом бейсбола, любить музыку кантри, Эббота и Костелло. Он так же, как раньше, не хуже меня понимал, что такое рок и ограничения, которые накладывает на людей судьба. Он даже мог все так же любить меня. Но он больше не был моим другом. Если он и не спустит курок, целясь в меня, он не станет мешать тому, кто сделает это вместо него.

Мое сердце наполнилось грустью, горло сжала тугая черная тоска.

— В этом участвует все полицейское управление, не так ли? — спросил я.

Улыбка погасла на лице Мануэля, и теперь он выглядел еще более измученным.

Почувствовав в нем не злость, а эту усталость, я понял, что он расскажет мне больше, чем должен бы сказать. Мучимый чувством вины, он не сумеет сохранить все свои секреты.

И я знал почти наверняка, что он расскажет мне о моей матери. Мне до такой степени не хотелось это слышать, что я чуть было не ушел. Чуть было...

— Да, — ответил он, — все полицейское управление.

— И даже ты.

— О, mi amigo, в особенности я.

— Ты тоже заразился этой пакостью, которая вырвалась из Форт-Уиверна?

— Слово «заразиться» в данном случае неуместно.

— Но достаточно близко к сути.

— Это есть у всех в управлении. Только не у меня. Насколько мне известно. Пока еще нет.

— Значит, у них, возможно, не было выбора. Но у тебя-то он есть.

— Я согласился сотрудничать, поскольку из этого может получиться гораздо больше хорошего, нежели плохого.

— Из чего «этого»? Из конца мира?

— Они работают, пытаются исправить то, что случилось.

— Работают там, в Уиверне? Где-то в подземельях?

— Есть и другие места. И если им удастся побороть это... тогда станут возможны замечательные вещи.

Мануэль перевел взгляд с меня на окно сарая.

— Тоби, — догадался я. Глаза Мануэля снова метнулись ко мне. — Эта штука, эта чума, или как там она называется... Ты надеешься на то, что, если им удастся взять ее под свой контроль, они смогут использовать ее для того, чтобы каким-то образом помочь Тоби.

— У тебя в этом деле тоже имеется корыстный интерес, Крис.

Сидевший на крыше сарая филин, словно подозревая всех и каждого в Мунлайт-Бей, потребовал у нас пароль, ухнув пять раз подряд с короткими интервалами.

Я сделал глубокий вдох и сказал:

— Это единственная причина, по которой моя

мать согласилась участвовать в биологических разработках, проводившихся с военными целями. Единственная причина. Она надеялась, что из этого может получиться что-нибудь, что поможет вылечить мой XP.

— И из этого действительно может что-то получиться.

— Это был проект по созданию нового оружия?

— Не осуждай ее, Крис. Только под военный проект можно было получить финансирование в десятки миллиардов долларов. У нее не было бы ни малейшего шанса заниматься этими исследованиями, если бы они были направлены на хорошее дело. Слишком дорого.

Это, без сомнения, было правдой. Огромные деньги, необходимые для того, чтобы попытаться воплотить в жизнь сложнейшую теорию матери, могли быть получены только под разработку нового оружия.

Глициния Джейн Сноу, урожденная Милбери являлась крупным теоретиком в области генетики. Это означало, что она работала головой, а все остальные ученые — руками. Она не пропадала в лабораториях и не просиживала часами за компьютером. Лабораторией мамы являлась ее голова, и, надо сказать, укомплектована она была превосходно. Мама генерировала идеи, а остальные ученые под ее руководством пытались осуществить их на практике.

Я сказал, что она обладала блестящим умом, но на самом деле ее ум был чем-то большим. Он был выдающимся, уникальным. Мама могла бы работать в любом университете мира. Они все умоляли ее об этом.

Мой отец любил Эшдон, но за мамой поехал бы

хоть на край света. Он был способен существовать в любой научной среде.

Мама осталась в Эшдоне из-за меня. Большинство прославленных университетов находятся в больших либо в средних городах. Живя в них, я не испытывал бы особых затруднений днем, но моя ночная жизнь оказалась бы гораздо беднее. В городах светло даже по ночам, а по-настоящему темные уголки большого города не самое подходящее место для молодого человека, который любит путешествовать по ночным улицам на велосипеде.

Мама сузила свою жизнь ради того, чтобы расширить мою. Она замкнула себя в рамках крохотного городка, где никогда не сумела бы реализовать свой неимоверный потенциал, и сделала это ради того, чтобы я смог реализовать свой.

Когда я родился, существовали лишь примитивные способы определения генетической ущербности эмбриона. А если бы тогда, через несколько недель после того, как я был зачат, имелся эффективный способ выявить мой ХР, возможно, мама решила бы, что мне лучше вообще не приходить в этот мир.

Как я люблю этот мир во всей его красоте и странности!

Теперь же, из-за меня, он будет с каждым годом становиться все более странным и, возможно, менее прекрасным.

Если бы не я, мама ни за что не согласилась бы поставить свой ум на службу проекту Уиверна и не вывела бы этих людей на новые пути познания. И тогда мы не пошли бы по дороге, ведущей к обрыву, на краю которого стоим теперь.

Орсон освободил место для Мануэля, и он подошел ближе и заглянул в окно. При виде сына лицо его осветилось. Теперь я окончательно убедился в том, что в его глазах нет злобного хищного огня — одна только безграничная любовь.

— Они стимулировали интеллект животных, — сказал я. — Какое это может иметь военное применение?

— Можешь ли ты представить лучшего шпиона, чем собака, интеллектом равная человеку, которую направили за линию вражеской обороны? Такого разведчика невозможно разоблачить. У собак паспорта не проверяют. Кроме того, такая собака обладает злобой и силой животного — это новый тип солдата. Биологически созданная машина для убийства, умеющая планировать свои действия.

— Я полагал, что ум зависит от размеров мозга.

— Не знаю, — пожал плечами Мануэль. — Я всего лишь легавый, а не ученый.

— Или от количества извилин на его поверхности.

— Видимо, они обнаружили какую-то другую зависимость. Так или иначе, поначалу их работы были вполне успешны. Несколько лет назад был осуществлен проект под кодовым названием «Фрэнсис». Так звали пса, золотого ретривера, интеллект которого в результате экспериментов достиг немыслимого уровня. Ученые из Уиверна бросили все свои силы на то, чтобы развить успех и выкачать из этого максимум новых знаний. Однако в Форт-Уиверне работали не только над стимулированием интеллекта животных. Такие же работы велись с интеллектом человека. Да и вообще там изучали очень многое. Самые разные вещи.

Тоби за окном надел кевларовые рукавицы и аккуратно поставил вазу в ведро, до половины наполненное вермикулитом. Это была следующая ступень процесса остужения.

Стоя рядом с Мануэлем, я повторил его последние слова:

— Разные вещи... Какие же еще?

— Они пытались стимулировать человеческую выносливость, скорость передвижения, продолжительность жизни. Для этого было необходимо отыскать способ не просто передавать генетический материал от одного человека другому, но найти путь такого обмена между живыми существами вообще.

Между живыми существами.

— О Боже! — непроизвольно вырвалось у меня.

Тоби взял коробку с гранулированным вермикулитом и стал сыпать его на вазу до тех пор, пока она не оказалась полностью засыпанной. Вермикулит — прекрасный теплоизоляционный материал. В нем ваза будет остывать очень медленно и равномерно.

Я вспомнил, что сказал мне Рузвельт Фрост: собаки, кошки и обезьяны были далеко не единственными подопытными в лабораториях Форт-Уиверна, там делалось кое-что пострашнее.

— Люди, — ошеломленно проговорил я. — Они ставили эксперименты на людях?

— На солдатах, осужденных военным трибуналом, признанных виновными в убийствах и приговоренных к пожизненному заключению. Им был предоставлен выбор: либо гнить за решеткой, либо... принять участие в проекте и, возможно, со временем обрести свободу в качестве вознаграждения.

— Но ведь опыты на людях...

— Вряд ли твоя мама знала об этом. Ей далеко не всегда сообщали, каким образом ее идеи воплощаются в жизнь.

Тоби, должно быть, услышал наши голоса за окном, поскольку снял свои огнеупорные рукавицы, стащил темные защитные очки, щурясь, посмотрел в нашу сторону и помахал нам рукой.

— Все пошло не так, как планировалось, — продолжал Мануэль. — Я не ученый, так что не спрашивай меня, где именно произошел сбой. Но все пошло не просто не так, а вообще наперекосяк. Все буквально взорвалось. Произошло то, чего никто не ожидал, начались непредвиденные изменения. В генетических структурах подопытных животных и заключенных начались нежелательные изменения, которые вышли из-под контроля.

Я выжидающе молчал, но Мануэль, видимо, не был расположен продолжать рассказ. Тогда я решил немного надавить на него:

— Потом убежала обезьяна. Макака-резус. Ее нашли на кухне Анджелы Ферриман.

Мануэль посмотрел на меня таким пронизывающим взглядом, что мне показалось, будто он читает у меня в сердце, видит содержимое моих карманов и может сосчитать количество патронов, оставшихся в обойме «глока».

— Они поймали обезьяну, — сказал он, — но ошиблись, приписав ее побег недосмотру кого-то из сотрудников лаборатории. Они не поняли, что обезьяна не просто сбежала, а была отпущена на волю. Тогда они еще не знали, что несколько ученых, занятых в проекте, уже... превращаются.

— Превращаются в кого?

— Просто превращаются. Во что-то новое. Изменяются.

Тоби выключил газ, и фишеровская горелка захлебнулась собственным пламенем.

— Изменяются? — переспросил я Мануэля.

— Разработанная ими система внедрения новых генов в организм подопытных животных и людей вышла из-под контроля и стала жить своей жизнью.

Тоби выключил все флуоресцентные лампы, кроме одной, чтобы я мог зайти внутрь.

— Генетический материал подопытных стал попадать в организм ученых, занятых в проекте, а те об этом даже не подозревали. Вскоре у многих из них появилось много общего с этими самыми животными.

— Господи Иисусе!

— Возможно, даже слишком много общего. Произошел какой-то инцидент. Я не знаю всех деталей, но что-то очень жестокое. Погибли люди. А все животные либо сбежали, либо были выпущены.

— Отряд.

— Да, примерно с дюжину умных и злых обезьян. А кроме них — собаки, кошки и... девять заключенных.

— Они до сих пор на свободе?

— Трое узников были убиты, когда их пытались поймать. Военная полиция обратилась к нам за помощью. Тогда-то большинство сотрудников нашего управления и заразились. Но остальные шестеро, а также все животные до сих пор не найдены.

Дверь сарая отворилась, и на пороге появился Тоби.

— Папа! —Мальчик, шаркая, подошел к отцу и изо всех сил прижался к нему. — Здравствуй, Кристофер, — улыбнулся он мне.

— Привет, Тоби.

— Привет, Орсон, — сказал мальчик, отпустив отца и опустившись на колени, чтобы поприветствовать пса.

Орсон любил Тоби и сейчас позволил погладить себя.

— Пойдем в гости, — пригласил меня мальчик.

Обращаясь к Мануэлю, я сказал:

— Теперь есть еще один отряд. Не такой воинственный, как первый. А может, вообще не воинственный. Или... пока не воинственный. Все его члены снабжены имплантированными радиомаяками и сознательно выпущены на волю. С какой целью?

— Для того чтобы отыскать первый отряд и сообщить о его местонахождении. Эти обезьяны настолько скрытны и так хорошо прячутся, что все предыдущие попытки обнаружить их закончились ничем. Подобный шаг был продиктован отчаянием, это была попытка сделать хоть что-нибудь, прежде чем первый отряд успеет расплодиться. Однако и она, похоже, не только не дает результатов, а, наоборот, создает лишь новые проблемы.

— И они связаны не только с одним отцом Элиотом, не так ли?

Мануэль посмотрел на меня долгим взглядом и сказал:

— А тебе много удалось разузнать.

— Пока недостаточно. И все же чересчур много.

— Ты прав, отец Элиот не проблема. Некоторые обезьяны и впрямь пришли к нему за помощью, другие сами выгрызают радиомаяки из тел друг у друга. Этот новый отряд... Его члены действительно не злобны, но они чрезвычайно умны и окончательно вышли из повиновения. Они хотят свободы. Любой ценой.

Продолжая гладить Орсона, Тоби повторил свое приглашение:

— Идем в гости, Кристофер.

Раньше, чем я успел ответить, Мануэль сказал сыну:

— Скоро рассвет, Тоби. Крису пора домой.

Я посмотрел на восток, но даже если ночное небо и начинало светлеть, я не мог видеть этого из-за тумана.

— Много лет мы с тобой были друзьями, — заговорил Мануэль, — и ты всегда хорошо относился к Тоби, поэтому я считал себя обязанным объяснить тебе кое-что. Теперь ты знаешь достаточно. Я выполнил свой долг перед старым другом. Возможно, я сказал тебе даже слишком много. А теперь отправляйся домой. — Его рука внезапно оказалась на правом боку, и он похлопал ладонью по кобуре. — Больше мы с тобой никогда не будем смотреть фильмы с Джеки Чаном.

Это означало, что я никогда больше не должен сюда возвращаться. Что ж, я не стану навязывать ему свою дружбу. Разве что время от времени буду приходить, чтобы пообщаться с Тоби. Только не сейчас.

Я позвал Орсона, и Тоби неохотно отпустил его.

— Да, и вот еще что, — проговорил Мануэль, когда я взялся за руль велосипеда. — Животные, интеллект которых был искусственно стимулирован — собаки, кошки, новое поколение обезьян, — знают, откуда они произошли. Твоя мать... Ты, возможно, уже понял, что она для них — легенда, они воспринимают ее как своего создателя, почти Бога. Они знают, кто ты такой, и почитают тебя. И никто из них не посмеет причинить тебе зло. Но самый первый отряд обезьян и люди, которые подверглись изменениям, даже если некоторым из них нравится то, во что они превращаются, все же ненавидят твою мать за все, чего они лишились по ее вине.

По этой же причине они ненавидят и тебя. Раньше или позже эта ненависть непременно выплеснется, и они начнут действовать. Против тебя, против близких тебе людей.

Я кивнул. Я уже почувствовал на себе эту ненависть.

— И ты не сможешь защитить меня?

Он не ответил. Он обнял сына. В том новом городе, каким стал наш Мунлайт-Бей, семья пока еще сохраняла свое значение, но представление о людской общности становилось все более туманным.

— Не сможешь или не захочешь защитить? — спросил я.

В воздухе снова повисло молчание, и я вспомнил о человеке с бритой головой и перламутровой сережкой в ухе, который, по всей вероятности, отвез тело моего отца в какие-то тайные и по сию пору функционирующие глубоко под землей помещения Форт-Уиверна для того, чтобы произвести вскрытие.

— Ты так и не сказал мне, кто такой Карл Скорсо, — вопросительным тоном проговорил я.

— Он один из тех осужденных, которые согласились принять участие в экспериментах. В генетической системе Скорсо были обнаружены и исправлены нарушения, которые являлись причиной его прежнего антиобщественного поведения. Теперь он неопасен. Его можно назвать одним из немногих успехов проекта.

Я смотрел на Мануэля, но не мог проникнуть в его мысли.

— И тем не менее он убил человека, а потом вырвал у него глаза.

— Нет, бродягу убил отряд, а Скорсо всего лишь подобрал его тело на дороге и привез Сэнди Кирку для кремации. Бродяги, хичхайкеры, — их всегда много шаталось по калифорнийскому побережью. Теперь, видимо, для некоторых из них Мунлайт-Бей окажется последним пунктом в их путешествиях.

— И ты способен смириться даже с этим?

— Я делаю то, что мне велят, — холодно ответил Мануэль.

Тоби обнял отца, словно пытаясь защитить его, и посмотрел на меня обиженным взглядом. Видимо, ему не понравился тон, каким я говорил с его папой.

— Мы все делаем то, что нам велят, — сказал Мануэль. — Именно так обстоят сегодня дела, Крис. Решение о том, чтобы оставить все как есть, было принято на очень высоком уровне. На очень высоком, Крис. Только представь себе такую возможность: допустим, президент Соединенных Штатов является большим поклонником науки и решает войти в историю, выделив огромные деньги на исследования в области генной инженерии — так, как в свое время Рузвельт и Трумэн финансировали Манхэттенский проект, а Кеннеди — подготовку к высадке человека на Луну. И представь себе, что теперь все его окружение намерено замять это дело.

— Ты хочешь сказать, что все обстояло именно так?

— Ни один из тех, кто находится там, наверху, не хочет стать предметом для проклятий со стороны общественности. И, может быть, они боятся не только того, что им дадут пинка и вышвырнут из их кабинетов. Может быть, они боятся, что им предъявят обвинения в преступлениях против человечества. Боятся, что разъяренная толпа разорвет их в клочья. Я имею в виду... солдат из Уиверна и их семьи, которые сейчас, вполне возможно, уже заражены и разносят заразу дальше по всей стране. Скольким людям они уже успели ее передать? По всей стране может начаться паника, а во всем мире — движение за то, чтобы объявить все США на карантине. И все это будет впустую. Поскольку власть имущие полагают, что все должно идти своим чередом. Через некоторое время происходящее достигнет своего пика, а затем... «рассосется», что ли.

— Такое возможно?

— Не исключено.

— Мне почему-то кажется, что все будет совсем иначе.

Мануэль пожал плечами и погладил Тоби по волосам, взъерошенным от надетых на голову защитных очков.

— Не все люди, с которыми происходят изменения, становятся такими, как Льюис Стивенсон. Превращения могут быть самыми разными, они и их разнообразие неисчислимы. Даже те, кто изменяется в худшую сторону, со временем могут миновать эту стадию. Это ведь не одномоментное событие, подобное землетрясению или торнадо, а процесс. В случае необходимости я сам бы разобрался с Льюисом.

Не торопясь ни в чем признаваться, я сказал:

— Возможно, это было более необходимо, чем ты полагал.

— Никому не позволено принимать подобные решения, основываясь лишь на собственных ощущениях. Порядок и стабильность все-таки должны соблюдаться.

— Но их нет.

— Есть я.

— А может, ты и сам заражен, только еще не знаешь об этом?

— Нет, это невозможно.

— Может, ты тоже меняешься, но не сознаешь этого?

— Нет.

— Вдруг ты тоже превращаешься?

— Нет.

— Черт, ты пугаешь меня, Мануэль!

На крыше сарая снова заухал филин.

Налетел легкий ветерок и большой ложкой прошелся по мутной пелене, зачерпнув изрядную долю тумана.

— Отправляйся домой, — сказал Мануэль. — Скоро поднимется солнце.

— Кто приказал убить Анджелу Ферриман?

— Иди домой.

— Кто?

— Никто.

— Я полагаю, ее убили потому, что она собиралась обо всем рассказать. Она сказала, что ей больше нечего терять. Ее пугало то, во что она... превращалась.

— Ее убил отряд.

— Кто контролирует этот отряд?

— Никто. Мы не можем найти этих гаденышей.

Я полагал, что знаю одно местечко, где они могут прятаться: дренажные трубы под холмами, где я нашел коллекцию черепов. Но я не собирался делиться этой информацией с Мануэлем, поскольку пока что не мог понять, кто является для меня более опасным врагом — отряд обезьян или Мануэль вместе с остальными полицейскими.

— Если им никто не отдавал такого приказа, для чего они это сделали?

— Отряд действует в соответствии со своими собственными планами, которые иногда совпадают с нашими. Они тоже не хотят, чтобы мир узнал об этом. Если исправить сделанное, они лишатся будущего, которое связано с новым грядущим миром. Так что, если они каким-то образом узнали о планах Анджелы, они с ней и разобрались. За этим не стоит чья-то воля, Крис. Это — мозаика, слагающаяся из многих кусочков: подопытных животных, ученых из Уиверна, людей, изменившихся в худшую сторону, и тех, кто меняется к лучшему. Много составных частей, которые соперничают, борются между собой. Хаос. И прежде чсм на его месте воцарится порядок, совершится еще много страшного и плохого. А теперь отправляйся домой. Брось все это. Брось, прежде чем тебя не постигла та же участь, которая постигла Анджелу.

— Это угроза?

Мануэль не ответил.

Я покатил велосипед по двору, а Тоби затараторил мне вслед:

— Кристофер-Снеговик. Снег на Рождество. Рождество и Санта-Клаус. Санта и санки. Санки на снегу. Снег на Рождество. Кристофер-Снеговик. — Затем он радостно засмеялся, довольный этой неуклюжей игрой в слова и моим искренним удивлением. Тоби Рамирес, которого я знал прежде, не был способен даже на такую простую игру в слова-ассоциации, как эта.

Повернувшись к Мануэлю, я спросил:

— Судя по всему, они уже начали расплачиваться с тобой за твое сотрудничество, не так ли?

Его гордость за достижения Тоби и эту незатейливую демонстрацию новых навыков была такой неподдельной и трогательной, что я не мог смотреть на него.

— Несмотря на то, что он был многого лишен, он всегда был счастлив, — проговорил я, подразумевая Тоби. — У него была цель, любимое дело. Теперь, когда они занимаются им, он может продвинуться в своем развитии, понять, каков он, и испытать колоссальное разочарование. Но смогут ли они сделать его полностью нормальным?

— Смогут, — проговорил Мануэль с уверенностью, для которой, как мне казалось, у него не было оснований. — Они смогут.

— Те же самые люди, которые породили весь этот кошмар?

— Не надо усматривать во всем этом только темную сторону.

Я вспомнил жалобный плач того, кто находился на чердаке отца Тома, печаль в его молящем о помощи голосе, душераздирающую тоску и отчаянные попытки высказать что-то с помощью бессмысленного мяуканья и щебета. Я вспомнил, как мучился Орсон в ту летнюю ночь, тоскливо глядя на звезды.

— Да поможет тебе Господь, Тоби, — сказал я, поскольку этот несчастный мальчик тоже входил в число моих друзей. — Да благословит тебя Бог.

— У Бога уже был шанс это сделать, но он почему-то не захотел, — проговорил Мануэль. — Теперь мы уж как-нибудь сами попробуем справиться.

Мне нужно было поскорее убираться отсюда, и не только потому, что близился рассвет. Я покатил велосипед по двору и, только оказавшись на улице, осознал, что бегу.

Я обернулся на дом, и он показался мне не таким, как всегда. Он словно бы стал меньше, съежился. И отныне был навсегда закрыт для меня.

Далеко на востоке над миром медленно появлялось серебристо-серое свечение. То ли рассвет нового, то ли утро Судного дня.

За последние двенадцать часов я потерял отца, дружбу с Мануэлем и Тоби, многие иллюзии и изрядную часть своей невинности, а в моей душе гнездилось пугающее предчувствие, что впереди меня ожидают новые и гораздо более страшные потери.

Мы с Орсоном направились к Сашиному дому.

31

Дом, в котором живет Саша, принадлежит «Кей-Бей» и является ее привилегией в качестве генерального менеджера радиостанции. Это — небольшая двухэтажная постройка в викторианском стиле с огромным количеством резных украшений: вокруг слуховых оконцев, на коньке и скосах крыши, вокруг двери и окон, а также на перилах веранды.

Этот чудесный домик мог бы быть настоящей игрушкой, если бы его не выкрасили в фирменные цвета радиостанции. Стены были канареечного цвета, ставни и перила веранды — розовыми, резные украшения — лимонно-желтыми. В результате жилище Саши выглядело так, будто здесь побывала орава в дым перепившихся фанатов Джимми Баффета и на протяжении целого уик-энда разрисовывала дом с помощью баллончиков с краской.

Сашу, впрочем, не угнетает это художественное безумие. «Я, — говорит она, — живу внутри, а не снаружи, откуда видно это безобразие».

Широкая веранда на задней стороне дома была застеклена, и Саша превратила ее в настоящий зимний сад. Электрический обогреватель поддерживал нужную температуру даже в холодное время года. На столах, скамейках и специальных металлических подставках здесь стояли сотни керамических и пластмассовых цветочных горшков, в которых росли эстрагон и тмин, ангелика и кориандр, мята и цикорий, бальзамник и базилик, укроп и ромашка, душица и пижма. Саша использовала все эти травы для того, чтобы делать приправы к блюдам, готовить целебные отвары и лечебные чаи, которые с одинаковым успехом помогали справиться с любыми болячками.

Мне нет нужды носить с собой ключ от дома Саши. Он постоянно лежит в большом керамическом горшке в виде жабы, прикрытый желтоватыми листьями руты. Когда рассвет, несущий мне смерть, окрасил восточную часть небосвода в светло-серый цвет и мир приготовился прощаться со снами, я вошел в дом Саши, который станет моим убежищем на ближайшие двенадцать часов.

Войдя на кухню, я немедленно включил радио. Сашина передача должна была закончиться через тридцать минут, и в этот момент транслировали прогноз погоды. Сейчас стоял сезон дождей, и с северо-запада на нас надвигался приличный шторм. Вскоре после захода солнца должен был начаться дождь с грозой.

Я слушал бы Сашу с удовольствием даже в том случае, если бы она предсказывала приближение цунами в сорок метров высотой, извержение вулкана и выброс потоков лавы. Каждый раз, когда я слышал ее мягкий, немного горловой радиоголос, на моем лице расплывалась широкая глупая улыбка, и даже сейчас, находясь на пороге конца света, я ничего не мог с этим поделать.

За окном расцветал день. Орсон деловито протопал к двум пластиковым мискам, стоявшим в углу кухни на резиновом коврике. На каждой из них было написано его имя. Куда бы ни приходил Орсон — в коттедж Бобби или в гости к Саше, — он всюду оказывался дома.

Как только не пытались называть моего пса, когда он был еще щенком, но из этого ничего не выходило. Маленький мохнатый привереда отказывался отзываться на все эти клички. А затем мы заметили, с каким вниманием он смотрит телевизор, когда мы ставим на видео кассеты с фильмами Орсона Уэллса, особенно в те моменты, когда на экране появляется сам Уэллс. Тогда мы в шутку назвали пса в честь этого актера и режиссера. Он с удовольствием принял это имя и с тех пор откликался только на него.

Обнаружив, что обе миски пусты, Орсон взял одну из них в зубы и принес ко мне. Я наполнил ее водой и поставил обратно на коврик, положенный здесь специально для того, чтобы вода и пища не попадали на белый кафельный пол.

Попив воды, Орсон ткнулся носом во вторую миску и поднял на меня умоляющий взгляд. Это получается у него не хуже, чем у любой другой собаки, но вместе с тем его физиономия приспособлена для несчастного выражения лучше, чем лицо любого — даже самого талантливого — актера, который когда-либо вступал на подмостки.

Когда я находился на борту «Ностромо» и наблюдал за Орсоном и Мангоджерри, мне вспомнились необычайно популярные некогда картинки с изображением собак, играющих в покер. Подсознание извлекло из моей памяти это воспоминание и сделало его на редкость ярким с какой-то определенной целью, желая подсказать мне что-то очень важное. Теперь я понял, что именно. Каждая из собак на этих картинках олицетворяла определенный — и хорошо знакомый каждому из нас — тип человека, и каждая из них была столь же умна, как любой из людей. Находясь на «Ностромо» и наблюдая, как Орсон и Мангоджерри передразнивали людские стереотипы, я понял, что некоторые животные из Форт-Уиверна могут быть гораздо умнее, нежели я предполагал раньше. Они могут быть настолько умны, что я еще даже не готов к осознанию этого. Если бы они умели держать карты и говорить, то запросто могли бы обыграть нас с Рузвельтом в покер. Да что там покер! Они могли бы взять меня к себе в качестве домработницы.

— Вообще-то для завтрака еще рановато, — заметил я, беря в руки миску Орсона, — но у тебя сегодня была напряженная ночь.

Вытряхнув в миску содержимое банки с консервированной собачьей едой, я обошел кухню по периметру, закрывая жалюзи на окнах, чтобы оградить себя от опасности поднимающегося дня. Когда я оказался у последнего окна, мне показалось, что где-то в глубине дома открылась и так же тихо закрылась дверь.

Я замер, обратившись в слух.

— Что там? — прошептал я, глядя на Орсона.

Пес оторвался от своей миски, прислушался, склонив голову набок, а затем фыркнул и снова принялся за еду.

«Стометровая цирко-мозговая арена», будь она неладна!

Подойдя к раковине, я помыл руки и плеснул холодной водой себе в лицо.

Саша содержит кухню в идеальном порядке. Здесь все сияет и благоухает. Она — выдающийся кулинар, и почти половину пространства кухонной стойки занимают ряды всяческих диковинных приспособлений для готовки. Всевозможные кастрюли, судки, ковши и прочая кухонная утварь, подвешенная на крючках, позвякивает над головой, и кажется, будто ты находишься в пещере, со сводов которой свисают десятки сталактитов.

Я отправился на обход дома, задергивая шторы, закрывая ставни и жалюзи и ощущая будоражащий дух Саши во всех его уголках.

В обстановке этого дома, в его дизайне и в том, как он украшен, нет какой-то определенной концепции и гармонии. Каждая из комнат олицетворяет то или иное пристрастие Саши, а она — человек многих страстей.

Едят здесь исключительно за большим кухонным столом, поскольку столовая целиком и полностью отдана под музыкальные увлечения хозяйки. Вдоль одной из стен стоит электронная клавиатура — сложнейший синтезатор, с помощью которого Саша может создавать даже произведения для симфонического оркестра. Рядом — письменный стол с пюпитром для нот и стопка чистой нотной бумаги, лежащей в ожидании ее карандаша. Посередине столовой стоит ударная установка, в углу по соседству — прекрасная виолончель и специальная табуретка для исполнителя. В другом углу, рядом со столом для сочинения музыки, на массивном бронзовом крючке висит саксофон. Здесь есть и две гитары — обычная и электрическая.

Гостиная комната предназначена вовсе не для гостей, а для книг — еще одного увлечения Саши. По всем стенам здесь — полки, уставленные книгами в твердых и мягких переплетах. Стоящую тут мебель нельзя назвать ни ультрамодной, ни стильной, ни безвкусной: стулья и диваны нейтральных тонов, выбранные лишь исходя из того, насколько удобно в них будет сидеть за неспешным разговором или чтением любимой книги.

На втором этаже находится комната, превращенная в гимнастический зал. Здесь стоит велотренажер, гребной тренажер, физкультурные маты и несколько приспособлений для того, чтобы качать мускулатуру — с грузами от одного до десяти килограммов. Эта же комната служит Саше и в качестве ее гомеопатической аптеки. Здесь она хранит бесчисленные баночки с витаминами и минеральными добавками, здесь же занимается йогой. Взобравшись на велотренажер, Саша крутит педали до тех пор, пока с нее не начинает градом катиться пот, а прибор показывает, что она «проехала» как минимум пятьдесят километров. На гребном тренажере она упражняется до тех пор, пока не «переплывет» в своем воображении озеро Тахо, напевая при этом ритмичные мелодии Сары Маклаллан, Джулианы Хэтфилд, Мередит Бруксили, Саши Гуделл, а когда она, лежа на спине, поднимает и опускает ноги, кажется, что от гимнастических матов вот-вот пойдет дым. Причем, закончив упражнения, Саша оказывается еще более энергичной, чем до начала занятий — раскрасневшаяся, пышущая жизнью. А после медитации в какой-нибудь очередной позиции йоги она бывает настолько «расслаблена», что, кажется, вот-вот взорвет все вокруг себя.

Господи, как же я ее люблю!

Когда я вышел из тренажерной комнаты, меня вдруг охватило предчувствие неизбежной и невосполнимой утраты. От страха я затрясся, да так сильно, что мне пришлось прислониться к стене.

С ней ничего не могло случиться днем или во время десятиминутной поездки на машине от студии на Сигнал-хилл, расположенной в самом центре города. Обезьяний отряд выходит на охоту только ночью, а в дневное время где-то прячется — возможно, в дренажных трубах, проложенных под холмами и улицами города. В тех самых мрачных бетонных катакомбах, где я нашел коллекцию черепов. Днем даже люди-оборотни, подобные Льюису Стивенсону, держат себя в руках с большим успехом, нежели ночью. Точно так же, как людям-зверям из «Острова доктора Моро», им гораздо труднее контролировать свои животные инстинкты именно по ночам. С заходом солнца в них просыпается жажда приключений, и они позволяют себе то, на что никогда не осмелились бы при свете дня. Нет, Саше наверняка ничто не грозит сейчас, когда грядет рассвет. Впервые в своей жизни я испытывал облегчение от того, что над землей восходит солнце.

Наконец я добрался до ее спальни. Здесь не было ни музыкальных инструментов, ни книг, ни кастрюль, ни баночек с витаминами, ни тренажеров. Кровать была простой, с незатейливой стойкой в изголовье, и накрыта ворсистым покрывалом. Не было ничего примечательного ни в стоявшем здесь комоде, ни в тумбочках, ни в светильниках. Стены были бледно-желтыми, словно отблеск встающего солнца на утренних облаках, и без единого украшения. Постороннему взгляду эта спальня могла бы даже показаться аскетичной и суровой, но, когда здесь появлялась Саша, спальня расцветала и выглядела не менее нарядной и радостной, чем комната в стиле барокко какого-нибудь французского замка, не менее безмятежной и спокойной, чем буддийский сад, в котором предаются созерцанию монахи.

Сон Саши глубок и безмятежен. Когда она спит, то напоминает мне камень, лежащий на дне океана. В эти моменты я прикасаюсь к ней, желая ощутить тепло ее кожи, ровное биение сердца, и тогда страх за нее, который время от времени хватает меня за глотку, исчезает без следа.

Среди многих страстей, которым она подвластна, есть и страсть ко сну, и даже страсть к самой страсти. Когда мы занимаемся с ней любовью, комната перестает существовать, и я оказываюсь в пространстве без времени и границ, где есть только Саша, исходящее от нее тепло и свет — ослепительный, но не опасный.

Проходя мимо кровати и направляясь к первому из трех окон, чтобы закрыть жалюзи, я вдруг заметил какой-то предмет, лежавший на покрывале. Он был маленьким, неровным и блестящим — кусочек расписанного вручную и покрытого глянцем фарфора. Половина улыбающегося рта, часть шеи, изгиб щеки, один голубой глаз. Осколок головы куклы с лицом Кристофера Сноу, разбившейся о стену в доме Анджелы Ферриман за секунду до того, как погас свет и на лестницу сверху и снизу поползли клубы дыма.

Значит, хотя бы один из бойцов обезьяньего отряда побывал здесь этой ночью.

Меня снова затрясло, но на сей раз уже не от страха, а от бешенства. Я выхватил из кармана пистолет и кинулся обыскивать дом. Я обшарил его весь — от чердака до подвала, не пропустив ни одной комнаты, ни одного стенного шкафа, ни одной — даже самой маленькой — щели, где могла бы спрятаться ненавистная тварь. Теперь я не таился и не осторожничал. Выкрикивая проклятия и угрозы, которые был готов осуществить, я с грохотом открывал двери, отодвигал мебель, шарил под ней ручкой швабры. Я учинил такой бедлам, что Орсон прибежал сломя голову, видимо, ожидая увидеть ожесточенную схватку, в которой я отчаянно сражаюсь за свою жизнь. После этого он следовал за мной по дому, держась на уважительном расстоянии, словно опасаясь, что в таком состоянии я могу случайно либо попасть в себя, либо пристрелить его.

В доме не оказалось ни одной обезьяны.

Закончив поиски, я испытал жгучее желание налить в таз воды, насыпать туда хлорки и протереть все, к чему могли прикоснуться лапы незваного гостя: стены, полы, лестничные перила и ступени, мебель. И даже не потому, что на них могли остаться микроорганизмы, способные нас заразить, а из-за отвращения. Эти твари казались мне нечистыми, будто вышли не из лабораторий Форт-Уиверна, а из отверстий в земле, откуда били молнии, шли клубы серного дыма и раздавались вопли несчастных грешников.

Однако вместо того, чтобы отправиться на поиски хлорки, я подошел к стоявшему на кухне телефону и набрал прямой номер радиорубки на «Кей-Бей». Но раньше, чем была нажата последняя цифра, я сообразил, что Саша уже закончила программу и сейчас должна ехать домой. Я нажал на рычаг и тут же набрал номер ее автомобильного телефона.

— Привет, Снеговик, — откликнулась она.

— Где ты?

— В пяти минутах от тебя.

— Двери машины заперты?

— А что?

— Ради всего святого отвечай: заперла ли ты двери машины?

После некоторого молчания она сказала:

— Теперь заперла.

— Не останавливайся ни под каким видом. Кто бы тебе ни сигналил: хоть друг, хоть полицейский. Особенно если это будет полицейский.

— А если я случайно собью маленькую старушку?

— Это будет не маленькая старушка. Она будет только казаться ею.

— Что-то ты стал в последнее время пугливым, Снеговик.

— Это не я пугливый. Это мир страшный. Вот что, я хочу, чтобы ты не клала трубку и в течение всего пути оставалась на связи со мной.

— Алло! Алло! «Эксплорер» — центру управления полетом: туман начинает рассеиваться. Посадку смогу осуществить самостоятельно.

— Ты мне зубы не заговаривай! Мне сейчас не до этого!

— Я это уже заметила.

— Я должен слышать твой голос постоянно. Все время, пока ты едешь домой. Каждую секунду.

— Голос нежный, как волна, — весело повторила она фразу, которую я так часто ей говорил. Ей явно хотелось подбодрить меня.

Мы говорили до тех пор, пока Саша не подъехала к дому и не заглушила двигатель «Эксплорера».

Несмотря на то что на дворе светило солнце, несмотря на все кумулятивные эффекты смертоносного ультрафиолета, мне хотелось выскочить наружу, подбежать к машине и встретить Сашу прямо у водительской дверцы, а потом идти рядом с ней с «глоком» в руке — до тех пор, пока она не пересечет двор и не подойдет к задней двери, через которую она всегда входила в дом.

Мне показалось, что прошло не меньше часа до того мгновения, когда наконец я услышал ее шаги на заднем крыльце. Она лавировала между цветочными горшками.

Открылась дверь, и я оказался прямо в широком луче солнечного света, ворвавшегося в дом вместе с моей любимой. Пинком захлопнув дверь, я схватил Сашу в объятия и прижал к себе так крепко, что на несколько секунд у нас обоих перехватило дыхание. Я целовал ее — теплую, реальную, красивую. Красивую и живую.

Но, как бы крепко я ни прижимал ее к себе, какими бы сладкими ни были ее поцелуи, я по-прежнему не мог отделаться от предчувствия грядущей горькой утраты.

Часть шестая

ДЕНЬ И НОЧЬ

32

Учитывая все то, что произошло в течение последней ночи, и то, что ожидало нас после следующего захода солнца, я никак не мог предположить, что мы станем заниматься любовью. А вот Саша никак не могла предположить, что мы не будем заниматься любовью. Мои трясущиеся руки, мой перепуганный вид, мой страх потерять ее послужили возбуждающим средством и привели Сашу в такое состояние, что я был просто не в состоянии сказать «нет».

Орсон, джентльмен до кончика хвоста, остался на кухне, а мы поднялись в спальню на втором этаже и унеслись в мир без времени и пространства, где единственной энергией, единственной формой жизни, единственной светлой силой во Вселенной была Саша.

После этого, оказавшись в настроении, когда даже самые апокалиптические новости кажутся не такими уж страшными, я рассказал ей о событиях ночи — от заката до рассвета, про обезьян нового тысячелетия и Стивенсона, про то, что Мунлайт-Бей превратился в ящик Пандоры, в котором притаились мириады бед.

Если даже Саша решила, что у меня поехала крыша, она этого не показала. Когда я рассказывал ей о том, как после ухода от Бобби за нами с Орсоном гнался отряд обезьян, по Сашиному телу побежали мурашки, и ей пришлось накинуть халат. По мере того как я говорил, до нее постепенно доходили страшные истины: мы оказались в безвыходном положении, когда нам не к кому обратиться и некуда бежать, если даже удастся спастись из города, что возможно, страшная зараза из Форт-Уиверна уже сидит в наших телах и грозит последствиями, которые мы не в состоянии даже представить. Осознав все это, Саша подняла воротник халата и туго стянула его вокруг шеи.

Если мой рассказ о том, что я сделал со Стивенсоном, и вызвал у нее отвращение, ей вполне успешно удалось скрыть свои чувства, поскольку, когда я закончил свое повествование, рассказав все до мельчайших деталей — даже про осколок фарфоровой куклы, найденный на ее кровати, она — все еще покрытая гусиной кожей — выскользнула из халата и вновь унесла меня в свой светлый мир.

На сей раз мы занимались любовью гораздо спокойней, двигались медленнее и прикасались друг к другу более нежно, чем раньше. Мы отдавались друг другу с прежней любовью и ненасытностью, но сейчас к ним добавилась еще и некая безысходность, вызванная ощущением того, что мы остались одни в этом новом мире. Странно: мы чувствовали себя двумя приговоренными к смерти, рядом с которыми неотвратимо тикает будильник палача, и все же ощущения наши были слаще, чем когда-либо раньше.

А может быть, в этом и не было ничего странного. Может быть, страшная опасность освобождает нас от любых ограничений, амбиций, стеснения, заставляет, как никогда отчетливо, понимать простую, но в обычное время забываемую нами истину: предназначение нашей жизни состоит в том,

16 Зак. № 693 Кунц

чтобы любить и быть любимыми, черпать красоту и радости этого мира, осознавать, что будущее может настать, а может — и нет, а вот по-настоящему мы живем только сегодня.

Если мир — такой, каким мы его знали до этого, — уходил в небытие, то теряли свое значение и моя писательская работа, и музыкальное сочинительство Саши. Единственным, что у нас оставалось, были дружба, любовь и серфинг. Чудодеи из Форт-Уиверна сузили наше с Сашей существование до тех границ, которыми всегда довольствовался Бобби Хэллоуэй.

Дружба, любовь и серфинг. Бери их с пылу с жару! Бери их, покуда можешь! Наслаждайся ими, пока ты еще человек и способен оценить, насколько они прекрасны!

Некоторое время мы лежали в тишине, прижавшись друг к другу, дожидаясь того момента, когда время возобновит свой ход. А может, надеясь на то, что этого не случится.

Затем Саша проговорила:

— А теперь пора что-нибудь приготовить.

— По-моему, мы только что этим занимались.

— Я говорю про омлет.

— М-м-м... Эти вкуснейшие яичные белки! — промычал я, издеваясь над фанатичной одержимостью Саши идеями «правильного питания». Опасаясь холестерина, она всегда делала омлет из одних только белков, безжалостно выбрасывая желтки.

— Сегодня я приготовлю настоящий омлет — с желтками.

— Вот теперь я понимаю, что действительно грядет конец света!

— Белки, желтки и много масла.

— С сыром?

— Ну, не оставлять же коров без работы.

— Масло, сыр, желтки... Ты положительно решила покончить жизнь самоубийством.

Мы изображали веселье. Но не чувствовали его.

И оба это знали.

И все же продолжали прикидываться, поскольку вести себя иначе означало бы признаться в том, насколько нам обоим страшно.

* * *

Омлет удался на славу. А также — жареная картошка и обильно намазанные маслом английские булочки.

Пока мы с Сашей кушали при свечах, Орсон кружил вокруг кухонного стола и жалобно скулил, а когда мы смотрели на него, вовсю изображал из себя голодающего ребенка из гетто.

— Ты уже сожрал все, что я положил тебе в миску, — сказал я ему.

Он фыркнул, выразив изумление таким беспардонным заявлением, и заскулил, обратив жалобный взгляд на Сашу, будто пытаясь уверить ее в том, что я беспардонно лгу, а у него, бедняги, и маковой росинки во рту не было. Вслед за этим Орсон упал на пол, перевернулся на спину и стал болтать в воздухе лапами, потом вскочил, встал на задние лапы и проделал танцевальное па вокруг своей оси. Он вел себя совершенно бессовестно.

Я отодвинул ногой стул от стола и сказал:

— Ну ладно, садись.

В мгновение ока он вскочил на стул и уселся — весь внимание, не сводя с меня нетерпеливого взгляда.

— Только что, — начал я, — мисс Гуделл услышала от меня совершенно неправдоподобный, почти безумный рассказ, подтверждением которого могут служить только записки вконец свихнувшегося попа. Она приняла его на веру лишь потому, что является сексуально озабоченной и постоянно нуждается в мужчине, а я — единственный, кто соглашается с ней спать.

Саша швырнула в меня недоеденным куском жареного хлеба с маслом. Он упал на стол прямо перед носом Орсона, и тот ястребом кинулся на добычу.

— Нельзя, брат! — сказал я.

Пес замер в сантиметре от кусочка хлеба — с открытой пастью и оскаленными зубами. Повинуясь моему приказу, он не стал есть лакомство, а лишь с видимым удовольствием обнюхал его.

— Если ты поможешь мне убедить мисс Гуделл в том, что все рассказанное мной о проекте Форт-Уиверна является правдой, я поделюсь с тобой омлетом и жареной картошкой.

— Пожалей собаку, Крис, — попросила Саша, — у нее сейчас разорвется сердце.

— У него нет сердца, — ответил я, — у него внутри только желудок.

Орсон укоризненно посмотрел на меня, словно упрекая за то, что я издеваюсь над ним, тогда как он не имеет возможности ответить мне по заслугам.

Обращаясь к псу, я сказал:

— Если захочешь сказать «да», кивнешь головой. Если «нет» — потрясешь головой из стороны в сторону. Понял?

Орсон смотрел на меня, переминаясь с ноги на ногу и глупо ухмыляясь.

— Может, ты не веришь Рузвельту Фросту, но ты должен полностью доверять девушке, которая сидит рядом с нами. Видишь ли, у тебя нет выбора.

Дело в том, что мы с ней намерены быть вместе — с сегодняшнего дня и до конца — под одной крышей, раз и навсегда.

Орсон повернул голову к Саше.

— Разве я не прав? — спросил я ее. — До конца?

— Я люблю тебя, Снеговик, — улыбнулась она, а затем, обращаясь к Орсону, сказала: — С сегодняшнего дня, Пух, вас уже не двое. Теперь нас — трое.

Орсон взглянул на меня, мигнул, перевел взгляд на Сашу, еще раз мигнул и уставился на кусок жареного хлеба перед своим носом.

— Итак, ты понял, когда нужно кивать, когда мотать головой? — строго спросил я.

Поколебавшись, Орсон кивнул.

Саша хихикнула.

— Как ты думаешь, она — хорошая? — осведомился я.

Орсон кивнул

— Она тебе нравится?

Еще один кивок.

По моему телу прокатилась волна радостного возбуждения. Посмотрев на Сашу, я увидел, что ее лицо осветилось тем же чувством.

Моя мать, разрушив наш мир, в то же время одарила его чудесами, которые раньше случались только в сказках.

Помощь Орсона была мне нужна не только для того, чтобы подтвердить рассказанную мной историю. Я хотел поднять наше настроение, заставить нас поверить в то, что жизнь может существовать и после Уиверна. Пусть сегодня человечеству противостоят такие опасные противники, как первый отряд обезьян, сбежавший из лабораторий Форт-Уиверна, пусть мы стали жертвами таинственной заразы, передающейся генетическим путем от особи к особи, пусть не многие из нас переживут ближайшие годы и не подвергнутся при этом фундаментальным интеллектуальным, психическим и тем более физиологическим изменениям, пусть мы, сегодняшние победители извечного генетического состязания, собьемся с ноги, упадем и выйдем из гонки на выживание. Пусть. Но все равно сохраняется возможность того, что будут другие люди — сильнее и выносливее, и они лучше нас смогут противостоять жестокому новому миру.

Уют в холодном доме — лучше, чем бездомность.

— Ты думаешь, Саша красивая? — спросил я Орсона.

В течение нескольких секунд он смотрел на Сашу оценивающим взглядом, затем повернул голову ко мне и кивнул.

— Мог бы ответить и побыстрее, — с притворной обидой надулась Саша.

— Он не стал торопиться и решил присмотреться к тебе повнимательнее, поэтому можешь быть уверена в том, что он искренен, — успокоил я ее.

— Ты мне тоже нравишься, — сказала Саша псу.

Орсон благодарно завилял хвостом.

— Повезло мне с ней, правда, братец?

Он с энтузиазмом кивнул.

— А мне повезло со Снеговиком, верно? — спросила Саша.

Орсон повернулся к ней и помотал головой: «Нет».

— Эй! — возмутился я

Пес подмигнул мне, ухмыльнулся и издал тоненький звук. Я мог бы поклясться, что он хихикал.

— Даже говорить не может, а издевается, — возмутился я.

Мы уже не делали вид, что нам весело. Нам на самом деле было весело.

Если вам весело, вам ничто не страшно. Это — один из фундаментальных принципов, на которых зиждется жизненная философия Бобби Хэллоуэя, и с высоты своего теперешнего — постуиверновского — знания я могу смело утверждать, что Философ Боб предлагает гораздо более эффективный рецепт счастья, нежели все его высоколобые конкуренты: Аристотель, Кьеркегор, Томас Мор, Шеллинг и Джакобо Дзабарелла, которые ставили на первое место логику, порядок и метод. Все это важно, не спорю. Но можно ли измерить, проанализировать и понять все в нашей жизни лишь с помощью одних этих инструментов? Нет, я не становлюсь на сторону тех, кто утверждает, что встречался со снежным человеком, что умеет общаться с душами умерших или является возродившимся к жизни Кахуной, но когда я смотрю, куда привело нас чрезмерное увлечение логикой, порядком и методом, когда я наблюдаю разразившуюся над нами генетическую бурю... Я думаю, что был бы гораздо более счастлив, катаясь на волнах и не думая ни о чем другом.

* * *

С точки зрения Саши, приближающийся апокалипсис вовсе не являлся поводом для бессонницы. Она спала, как всегда, крепко.

Мое же сознание, несмотря на неимоверную усталость, дрейфовало между беспокойным сном и бодрствованием. Я то погружался в дрему, то выпрыгивал из нее и бессмысленно таращился в темноту.

Дверь спальни была заперта и, более того, приперта стулом, а на полу развалился Орсон, который в случае вторжения в дом посторонних выступил бы в роли системы раннего оповещения. На моей тумбочке лежал «глок», а на тумбочке у изголовья Саши находился ее «смит-вессон» — «чифс специал» 38-го калибра. И все же я не чувствовал себя в безопасности и время от времени тревожно просыпался от ощущения, что кто-то ломится в спальню.

Но даже сны не баловали меня. В одном из них я увидел себя бродягой, бредущим вдоль шоссе в полнолуние. Я то и дело поднимаю вверх большой палец в тщетной надежде остановить машину, а в другой руке у меня — портфель. Точно такой же, как папин, только тяжелый, словно набит кирпичами. Наконец я ставлю его на землю, открываю, и оттуда, разворачиваясь кольцами, словно кобра из корзины, начинает подниматься шеф полиции Стивенсон с горящими золотым огнем глазами. В этот момент я понимаю, что, если в моем портфеле может находиться такая странная вещь, как мертвый полицейский, во мне самом может быть что-то еще более странное. Я расстегиваю «молнию» на своем черепе, приподнимаю его крышку и... просыпаюсь.

* * *

За час до захода солнца я спустился на кухню и позвонил Бобби.

— Как погода в обезьяньем заповеднике? — поинтересовался я.

— Приближается буря. С моря движется грозовой фронт.

— Ты хоть немного поспал?

— Чуть-чуть, после того как разбежались маленькие засранцы.

— Когда это случилось?

— Как только я решил поменяться с ними ролями и сам стал гипнотизировать их.

— Они наверняка застеснялись, — предположил я.

— Верно, черт побери. У меня нервы покрепче, и они это знают.

— У тебя много патронов к твоему ружью?

— Несколько коробок.

— Мы привезем еще.

— Саша сегодня ночью не работает?

— По субботам передача не выходит, — ответил я. — А может, и вообще больше не будет выходить.

— Это что-то новенькое.

— Слушай, у тебя там есть огнетушители?

— Ты, по-моему, слишком высокого мнения о себе. Неужели вы с Сашей — такая зажигательная парочка, что вас придется тушить?

— Ладно, привезем с собой. Эти паскуды обладают тягой к поджигательству и умеют это делать.

— Ты на самом деле думаешь, что готовится что-то настолько крутое?

— Круче не придумаешь.

* * *

Сразу после захода солнца мы подъехали к «Оружию Тора». Я остался ждать в машине, а Саша отправилась в магазин, чтобы купить боеприпасы для помпового ружья, «глока» и принадлежавшего ей револьвера «чифс спешиал». Покупки оказались настолько тяжелыми и громоздкими, что Тор Хейссен лично донес их до машины и помог уложить в багажник.

Затем он подошел к пассажирскому окну, чтобы поздороваться со мной. Тор был высоким толстым мужчиной с лицом, усыпанным оспинами, и стеклянным левым глазом. Далеко не первый красавец в городе, он когда-то был одним из лучших копов Лос-Анджелеса и ушел из полиции вовсе не в связи с каким-то скандалом, а из принципиальных соображений. Теперь он являлся церковным старостой и жертвовал большие суммы на благотворительность в пользу сирот.

— Слышал про твоего папу, Крис. Прими мои соболезнования.

— Спасибо. По крайней мере он больше не мучается, — сказал я и невольно подумал: что же за болезнь свела в могилу моего отца, если люди из Форт-Уиверна захотели подвергнуть его останки вскрытию?

— Да, иногда и смерть благословенна, — проговорил Тор. — Она позволяет тебе уйти, когда настает твой час. И все же многим людям будет его не хватать. Он был хорошим человеком.

— Спасибо, мистер Хейссен.

— Так что же вы, ребятишки, затеяли? Объявили кому-то войну?

— Совершенно верно, — ответил я, а Саша тем временем повернула ключ в замке зажигания и запустила двигатель машины.

— Саша говорит, что вы собрались пострелять морских моллюсков, верно?

— Это, наверное, бесчеловечно, да?

Он засмеялся, и мы отъехали.

* * *

Мы находились на заднем дворе моего дома. Саша провела лучом фонаря по лужайке, покрытой комьями вырванной травы и кратерами, вырытыми Орсоном прошлой ночью, прежде чем я забрал его с собой, отправляясь на встречу с Анджелой Ферриман.

— Что вы тут закопали? — спросила она. — Скелет тиранозавра?

— Это Орсон потрудился тут прошлой ночью, — пояснил я. — Поначалу мне показалось, что таким образом он демонстрирует свою грусть, пытается излить свою горечь.

— Излить свою горечь? — переспросила Саша, наморщив лоб.

Она уже стала свидетельницей того, как умен Орсон, но все еще не могла осознать, насколько сложна его внутренняя жизнь и насколько близка она к нашей. Какая бы ни использовалась технология для того, чтобы стимулировать умственное развитие животных, она наверняка предусматривала внедрение в их ДНК какого-то генетического материала, присущего человеку. Когда Саша наконец уразумеет это, ей придется сесть и как следует все обдумать, проведя в подобном положении не меньше недели.

— Теперь я понимаю: он искал что-то такое, что, по его мнению, предназначено мне.

Я опустился на колени на траву рядом с Орсоном.

— Слушай, братишка, я понимаю, что вчера ночью ты был опечален, растерян. Ты тосковал по нашему папе и не мог вспомнить точное место. С тех пор прошел целый день. Ты немного успокоился. Тебе уже легче. Верно?

Орсон тихонько заскулил.

— Так давай же! Попробуй еще разок!

Пес не заставил просить себя дважды. Без малейших колебаний он подошел к одной из ям и стал ожесточенно копать, углубляя ее. Через пять минут его когти заскребли о какую-то металлическую поверхность.

Саша направила луч света на показавшуюся в яме заляпанную землей коробку из-под печенья «Мэнсон», а я довершил работу Орсона и извлек ее наружу.

Внутри оказалась плотная трубка из свернутых и перетянутых резинкой желтых блокнотных листов. Стоило мне развернуть их и поднести первую страницу к свету, как я сразу же узнал почерк отца. Я прочитал только первый абзац:

«Дорогой Крис. Если ты читаешь эти строки, значит, я уже умер и Орсон показал тебе место, где спрятана коробка с моим письмом, поскольку лишь он один знает о его существовании. С этого, пожалуй, и нужно начать. Позволь рассказать тебе о твоей собаке...»

— Есть! — воскликнул я.

Свернув страницы в трубку и сунув их обратно в коробку, я взглянул в небо. Ни луны, ни звезд. Лишь ветер гонит низкие облака, подсвеченные горьковато-желтым мерцанием огней Мунлайт-Бей.

— Прочтем все это позже, — сказал я. — А сейчас надо пошевеливаться. Бобби там один.

33

Саша открыла заднюю дверцу «Эксплорера». Низко над мысом с тревожными криками носились чайки. Напуганные сильным ветром, который морщинил океанскую гладь и швырял на берег хлопья соленой пены, они пытались в глубине суши найти место поспокойнее.

Держа в руках тяжелую коробку с боеприпасами, я наблюдал за тем, как мечутся белые крылья на фоне темного грозового неба.

Туман давно рассеялся, и ночной воздух под низкими облаками был кристально прозрачен.

Вокруг нас колыхались стебли прибрежной травы. На вершинах дюн крутились высокие песчаные смерчи, словно призрачные духи, поднявшиеся из могил.

«Интересно, — подумал я, — только ли ветер выгнал чаек из их убежищ?»

— Они еще не появлялись, — успокоил меня Бобби, забирая из багажника две коробки с пиццей. — Для них еще рано.

— Да, — согласился я, — обезьяны в этот час обычно ужинают, а потом танцуют.

— А может, они не придут сегодня ночью? — с надеждой в голосе спросила Саша.

— Придут, — твердо сказал я.

— Да, придут, — согласился Бобби и ушел в дом, неся в руках наш ужин. Орсон последовал за ним, но не из-за страха, что где-то поблизости могут прятаться злобные обезьяны, а исключительно в качестве жандарма, охраняющего пиццу и следящего за справедливой дележкой жратвы.

Саша вытащила из «Эксплорера» два полиэтиленовых пакета. В них находились огнетушители, которые она приобрела в скобяном магазине «Корона». Затем она захлопнула заднюю дверь машины и нажала на кнопку электронного брелка. Двери машины автоматически заперлись. Поскольку в одноместном гараже Бобби стоял его собственный джип, Сашин «Эксплорер» мы оставили прямо перед входом в коттедж.

Саша повернулась ко мне, и в этот момент налетевший порыв ветра взметнул ее прекрасные волосы цвета красного дерева, а пробившийся из-за туч лучик лунного света ласково погладил ее по щеке, заставив кожу засветиться. Она показалась мне олицетворением сил природы, богиней ветра, призывающей шторм.

— Что? — спросила Саша, не понимая, почему я так смотрю на нее.

— Ты так прекрасна! Ты похожа на богиню.

— Господи, сколько же ерунды у тебя в башке, — проронила она с улыбкой.

— В этом — секрет моего обаяния.

Песчаный смерч стал исполнять вокруг нас танец дервиша, бросая пыль в наши лица, и мы поспешили в дом.

Бобби ждал нас внутри. Он уже успел убавить свет, и сейчас здесь царил уютный полумрак. После того как мы вошли, он запер дверь.

Окинув взглядом широкие окна, Саша проговорила:

— Хорошо бы забить их фанерой или — еще лучше — досками.

— Это мой дом, — сказал Бобби. — Я не намерен заколачивать окна и жить как в тюрьме из-за нескольких поганых мартышек.

— Я знаю этого парня много лет, — сказал я, обращаясь к Саше, — и могу подтвердить, что он действительно никогда не боялся обезьян.

— Никогда, — поддакнул Бобби. — И не собираюсь бояться сейчас.

— Тогда давайте хотя бы закроем жалюзи, — предложила Саша.

Я отрицательно покачал головой.

— Неудачная мысль. Это лишь насторожит их. Если обезьяны смогут видеть нас, а мы станем вести себя так, будто ничего не подозреваем, они будут более беспечны.

Саша вынула из коробок оба огнетушителя и отстегнула от их рукояток пластиковые предохранительные скобы. Огнетушители весили килограммов по пять каждый. Такие обычно используются на судах и крайне просты в применении. Один из них Саша поставила в угол кухни, где его нельзя было увидеть из окна, а второй прислонила к дивану в гостиной.

Пока Саша занималась с огнетушителями, мы с Бобби сидели на кухне и заряжали оружие. Делали мы это, опустив руки ниже уровня стола — на тот случай, если обезьянья мафия незаметно подглядывает за нами через окна. Саша купила три запасных обоймы дли «глока» и три скоростных патронозарядника для своего револьвера. Сейчас мы набивали их патронами.

— После того как вчера вечером я ушел от тебя, я посетил Рузвельта Фроста.

Бобби взглянул на меня исподлобья.

— И у них с Орсоном состоялась дружеская беседа?

— Рузвельт пытался разговорить Орсона, но тот не захотел. Но там еще была кошка, которую звали Мангоджерри.

— Ну конечно, — сухо ответил Бобби.

— Кошка сказала, что люди из Форт-Уиверна хотят, чтобы я бросил все это, не стоял у них на пути.

— Ты лично говорил с кошкой?

— Нет, ее слова передал мне Рузвельт.

— Тогда все ясно.

— По словам кошки, они собираются сделать мне серьезное предупреждение. Если я не перестану совать нос в их дела, они намерены убивать моих друзей — одного за другим, покуда я не перестану им мешать.

— Значит, они намерены убить меня только для того, чтобы сделать тебе предупреждение?

— Так решили они, а не я.

— А почему бы им не начать прямо с тебя? К чему весь этот символизм?

— Рузвельт говорит, что они меня почитают.

— Кто ж тебя не почитает!

Даже обезьяны не заставили его полностью отказаться от привычного скепсиса по поводу очеловечивания животных. Однако сарказм его явно поубавился.

— А сразу же после того, как я покинул «Ностромо», я получил именно то предупреждение, о котором говорила кошка.

Я рассказал Бобби про шефа полиции Стивенсона, и он спросил:

— Стивенсон собирался убить Орсона?

Орсон, находившийся на боевом посту возле коробок с пиццей, заскулил, подтверждая правдивость моих слов.

— Значит, ты застрелил шерифа.

— Он был шефом полиции.

— Ты убил шерифа, — настаивал Бобби.

В свое время он был горячим поклонником произведений Эрика Клэптона, так что я понимал, почему подобная формулировка была ему больше по душе.

— Ладно, пусть будет по-твоему. Я застрелил шерифа, но я не тронул его заместителя.

— Ты опасный тип. Теперь я с тебя глаз не спущу.

Бобби закончил с зарядниками и сунул их в кожаный футляр, приобретенный Сашей специально для этой цели.

— Экая у тебя рубашка! — сказал я.

На Бобби была надета необычная гавайская рубаха с длинными рукавами и тропическим буйством оранжевых, красных и зеленых оттенков.

— «Швейная компания Камехамеха». Примерно пятидесятый год.

В кухню вошла Саша и включила духовку одной из двух стоявших здесь плит, чтобы разогреть пиццу.

— А потом я поджег патрульную машину, чтобы замести следы, — продолжал я свой рассказ.

— С чем пицца? — обратился Бобби к Саше.

— Одна — с пепперони, а другая — с ветчиной и луком.

— Бобби носит рубашки с чужого плеча, — сообщил я Саше. — Сэконд-хенд.

— Антик, — поправил он меня.

— В общем, после того как я взорвал полицейскую машину, я отправился к святой Бернадетте и влез в дом священника.

— Проникновение со взломом?

— Нет, через незапертое окно.

— Ага, значит, просто незаконное проникновение, — констатировал он.

Закончив снаряжать запасные обоймы для «глока», я задумчиво проговорил:

— Поношенная рубашка и антикварная рубашка — не все ли равно? По-моему, одно и то же?

— Поношенная стоит дешево, а антикварная — дорого, — пояснила Саша.

— Это произведение искусства, — сообщил Бобби, протягивая Саше футляр с зарядниками. — Держи. Это для твоей артиллерии.

Саша взяла футляр с боеприпасами и пристегнула его к поясу.

— Сестра отца Тома работала с моей мамой, — сказал я.

— Сумасшедшие ученые, взорвавшие мир? — спросил Бобби.

— Взрывчатка тут ни при чем. Но теперь она тоже заражена.

— Заражена. — Бобби скорчил гримасу. — Ты уверен, что мы должны все это выслушивать?

— Да. Правда, это довольно сложно. Генетика.

— Заумные штуки. Скукота.

— Только не в данной ситуации.

Далеко в океане яркий пульсирующий зигзаг молнии разорвал черное небо, а вслед за этим до нашего слуха докатился низкий рокот грома.

Саша купила еще и кожаный патронташ для охотников на уток и любителей стрелять по тарелочкам. Бобби принялся засовывать ружейные патроны в предназначенные для них отверстия.

— Отец Том тоже заражен, — сказал я, засовывая запасную обойму в нагрудный карман рубашки.

— А ты заражен? — поинтересовался Бобби.

— Возможно. Мама была заражена. И отец тоже.

— Каким образом передается эта хреновина?

— Через физиологические жидкости, — ответил я, ставя еще две обоймы на стол позади толстых красных свечей, чтобы они были не видны из окон. — А может, и другими путями.

Бобби испытующе посмотрел на Сашу, которая выкладывала обе пиццы на противни. Она пожала плечами.

— Если Крис заражен, значит, и я тоже.

— Мы целый год держались за руки, — поддакнул я.

— Если боишься есть с нами, можешь взять себе персональную пиццу, — заметила Саша.

— Да нет. Чересчур хлопотно. Валяйте заражайте меня.

Я закрыл коробку с боеприпасами и поставил ее на пол. «Глок» по-прежнему находился в кармане куртки, которая висела на спинке стула.

Саша продолжала возиться с ужином, я же посмотрел на пса и сказал:

— А вот Орсон наверняка не заражен. Он может быть просто носителем или что-то в этом роде.

Перекатывая через костяшки пальцев ружейный патрон наподобие фокусника, играющего с монетой, Бобби спросил:

— И когда же у больного начинается понос?

— Это нельзя назвать болезнью в обычном смысле, — покачал я головой. — Скорее неким процессом.

В небе снова блеснула молния. Зрелище было прекрасным и слишком коротким, чтобы причинить ущерб моим глазам.

— Процесс, — недоуменно повторил Бобби.

— Человек не болеет. Он... ну, просто меняется.

Засунув противни с пиццей в духовку, Саша осведомилась у Бобби:

— И кто же носил эту рубашку до тебя?

— В пятидесятые годы? Откуда же мне знать!

— А динозавры тогда жили? — поинтересовался я.

— Были, но не очень много.

— Из чего она сделана? — не унималась Саша.

— Искусственный шелк.

— Она отлично сохранилась.

— Рубашки вроде этой не занашивают, — торжественно заявил Бобби. — Их берегут. Перед ними благоговеют.

Подойдя к холодильнику, я достал по бутылке «Короны» для каждого из нас за исключением Орсона. Конечно, от одной бутылки пива пес не опьянеет, но нынче ночью ему понадобится абсолютно ясная голова. А вот нам, двуногим, было необходимо выпить, чтобы успокоить нервы и придать себе чуть больше смелости.

В тот момент, когда я стоял возле мойки, открывая бутылки с пивом, небо снова прорезала молния, и в этой короткой вспышке я увидел три согнувшиеся фигуры, перебегавшие от одной дюны к другой.

— Они пришли, —сказал я, подходя с бутылками к столу.

— Им всегда поначалу нужно время, чтобы набраться наглости, — откликнулся Бобби.

— Надеюсь, они дадут нам возможность поужинать.

— А то я просто умираю от голода, — пожаловалась Саша.

— Ну ладно, так каковы же симптомы этой «неболезни»? Или как ты его называешь — процесса? — спросил Бобби. — Во что мы в итоге превратимся — в сучковатые обрубки, поросшие мхом?

— У некоторых происходит психологическая деградация, как случилось со Стивенсоном, — начал объяснять я. — Другие меняются физически — в большей или меньшей степени. Вот, собственно, и все, что мне известно. Но, похоже, в каждом отдельном случае это проявляется по-разному. Возможно, некоторые люди вообще не меняются, по крайней мере внешне, а другие превращаются во что-то совершенно иное.

Саша восхищенно прикоснулась пальцем к рукаву рубашки Бобби.

— Знаешь, что это за рисунок? — похвастался он. — Фрагмент настенного панно Юджина Сэвиджа «Пир на острове».

— И пуговицы стильные, — сказала Саша, полностью проникшись осознанием прекрасного в виде старой рубахи, с которым ей посчастливилось соприкоснуться.

— Самые стильные, — согласился польщенный хозяин антикварного сокровища, потирая подушечкой большого пальца желто-коричневую пуговицу с продольными бороздками и улыбаясь гордой улыбкой одержимого коллекционера. — Полированный кокосовый орех.

Саша вынула из кухонного шкафа стопку бумажных салфеток и положила ее на стол.

Воздух был влажным. Поверхность океана надувалась подобно воздушному шару. Вот-вот должна была разразиться буря.

Сделав глоток ледяного пива, я сказал Бобби:

— Ладно, брат, прежде чем я начну рассказывать дальше, тебе кое-что продемонстрирует Орсон. — Я подозвал пса и заговорил, обращаясь к нему: — На диванах в гостиной лежат подушки. Одну из них Бобби подарил я. Принеси ему ее, пожалуйста.

Орсон выбежал из кухни.

— Что вы затеяли? — удивился Бобби.

Саша усмехнулась и сказала:

— Подожди, сам все увидишь.

«Чифс спешиал» 38-го калибра лежал на столе рядом ней. Она развернула бумажную салфетку и накрыла ею оружие.

Каждый год на Рождество мы с Бобби обменивались подарками. Поскольку у каждого из нас было все, что ему нужно, покупая друг другу подарки, мы руководствовались не их ценой или полезностью. Смысл заключался в том, чтобы купить самый безвкусный и нелепый предмет, который только можно найти на рождественских распродажах. С тех пор как нам исполнилось по двенадцать, это стало священной традицией. В спальне Бобби есть специальная полка, на которой он хранит мои подарки. Единственной вещью, которую он считает недостаточно безвкусной, чтобы занимать место на этой полке, является эта самая подаренная мной подушка.

Через минуту, держа подушку в зубах, на кухню вернулся Орсон. Бобби принял ее, изо всех сил пытаясь казаться равнодушным.

Прямоугольная подушка размером сорок на двадцать сантиметров была украшена вышивкой. Подобные вещицы изготовлялись и продавались в рамках кампании по сбору средств одного из популярных телевизионных проповедников. Обрамленные кокетливой рамочкой, на ней были вышиты слова: «ИИСУС ПОЕДАЕТ ГРЕШНИКОВ И ВЫПЛЕВЫВАЕТ СПАСЕННЫЕ ДУШИ».

— И ты считаешь, что это не безвкусица? — изумленно спросила Саша.

— Довольно безвкусно, согласен, — ответствовал Бобби, опоясавшись патронташем и даже не привстав для этого со стула. — Но недостаточно безвкусно.

— У нас, видите ли, чересчур высокие запросы, — подковырнул я.

На следующий год после этой подушки я подарил Бобби керамическую статуэтку Элвиса Пресли. Элвис был одет в один из своих великолепных концертных костюмов из белого шелка с блестками и сидел на толчке, на котором его застала смерть. Он молитвенно сложил руки, закатил глаза к небесам, а вокруг его головы был нимб.

В этом святочном соревновании Бобби явно проигрывает. Дело в том, что, руководствуясь каким-то неведомым мне принципом, в поисках подобных идиотских штучек он упорно ходит по магазинам подарков, я же лишен такой возможности, зато в моем распоряжении — десятки каталогов для заказов товаров по почте, а в них такого дерьма — хоть пруд пруди. Купи я все сразу, этим хламом запросто можно было бы заполнить все полки в библиотеке конгресса.

Повертев подушку в руках и покосившись на Орсона, Бобби проговорил:

— Неплохой фокус.

— Никаких фокусов, — сказал я. — Очевидно, в Уиверне проводилось много исследований. И одно из них было связано со стимулированием интеллекта людей и животных.

— Фуфло.

— Чистая правда.

— Безумие.

— Вот здесь ты прав.

Я велел Орсону отнести подушку туда, откуда он ее взял, а потом пойти в спальню, открыть раздвижные двери стенного шкафа и принести черный ботинок Бобби. Вообще-то мой друг признавал только шлепанцы, сандалии и кроссовки, но эта обувка не подходила для того, чтобы прийти в ней на похороны моей матери, и ему пришлось купить пару туфель.

Кухню наполнил ароматный запах пиццы, и пес тоскливо посмотрел на плиту.

— Не переживай, ты свою долю получишь, — успокоил я его. — А теперь делай, что велено.

— Подожди, — окликнул Орсона Бобби, когда тот направился к выходу из кухни. Пес остановился и обернулся к нему. — Принеси не просто ботинок. Принеси левый ботинок.

Насмешливо фыркнув, словно посчитав это усложнение задания слишком незначительным, Орсон выбежал из кухни и отправился выполнять приказ.

Небо над Тихим океаном разверзлось, и изломанная лестница молний соединила поверхность воды с облаками, будто возвещая о том, что архангелы собрались спуститься с небес. От последовавшей за вспышками канонады грома зазвенели стекла и задрожали стены коттеджа.

На нашем побережье с его умеренным климатом грозы не часто сопровождаются подобной небесной пиротехникой. Но сегодняшняя ночь во всем обещала быть из ряда вон выходящей.

Я поставил на стол баночку с красным молотым перцем, одноразовые картонные тарелки и пластмассовые разделочные доски, на которые Саша выложила обе пиццы.

— Мангоджерри, — пробормотал Бобби.

— Это имя из книги стихов о кошках, — пояснил я.

— Чересчур претенциозно, — поморщился Бобби.

— А по-моему, очень забавно, — не согласилась с ним Саша.

— Пушистик — вот имя для кошки, — не сдавался Бобби.

Поднялся ветер, завертел флюгер на крыше, засвистел в стрехах. Мне почудилось, что в отдалении раздались безумные крики наших врагов.

Бобби опустил руку вниз и поправил ружье, стоявшее под столом рядом с его стулом.

— Пушок или Мурзик, — сказал он. — Вот нормальные кошачьи имена.

С помощью ножа и вилки Саша отрезала кусочек от пиццы с пепперони и отложила его в сторонку, чтобы он остывал. Это была порция Орсона.

Тут же прибежал он сам, держа в зубах черный ботинок, и положил его на колени Бобби. Ботинок был на левую ногу.

Бобби встал, подошел к мусорному ведру и бросил ботинок туда.

— Не сочти, что я брезгую твоими слюнями или считаю, что ты изжевал туфлю, — обратился он к Орсону. — Просто я больше никогда в жизни не собираюсь надевать ботинки.

Я вспомнил квитанцию на покупку «глока» из оружейного магазина Тора, которую прошлой ночью обнаружил на своей постели вместе с оружием. Тогда она показалась мне влажной и с какими-то странными отметинами. Так вот что это было. Слюна и отметины от зубов. Значит, это Орсон принес пистолет моего отца и положил туда, где я наверняка нашел бы его.

Бобби вернулся к столу, сел и уставился на собаку.

— Ну, что скажешь? — осведомился я.

— По поводу чего?

— Сам знаешь.

— Я обязательно должен это сказать?

— Да.

Бобби вздохнул.

— У меня такое чувство, будто мне в черепушку засунули здоровенный шланг, высосали мозги и спустили их в толчок.

— Он потрясен тобой, — перевел я фразу Бобби для Орсона.

Саша помахивала кистью руки над кусочком пиццы, предназначенным для Орсона. Она боялась, что горячий сыр прилипнет к нёбу собаки и обожжет его. Убедившись, что угощение остыло, она положила его в картонную тарелку и поставила ее на пол.

Орсон принялся радостно молотить хвостом по ножке стула, рядом с которым сидел, доказывая тем самым, что высокий интеллект необязательно сочетается с умением вести себя за столом.

— Барсик, — произнес Бобби. — Простое хорошее имя. Вполне кошачье. Барсик.

Мы ели пиццу, запивая ее холодным пивом, а я тем временем в тусклом свете свечей одну за другой читал исписанные рукой отца желтые страницы, вырванные из блокнота. Это был подробный рассказ о работах, которые велись в Форт-Уиверне, о том, как непредсказуемо стали разворачиваться события, обернувшиеся в итоге катастрофой, о том, насколько глубоко была вовлечена во все это моя мать. Отец не был ученым и всего лишь по-дилетантски пересказывал то, что узнал от мамы, но все равно в этих оставленных для меня записках содержалось огромное количество информации.

— Маленький мальчик-разносчик, — пробормотал я. — Именно так ответил прошлой ночью Льюис Стивенсон, когда я спросил, что заставило его так неузнаваемо измениться. Маленький мальчик-разносчик, который останется в живых. Он имел в виду ретровирус. Очевидно, моей матери удалось создать новый вид ретровируса, обладающий способностью избирательно воздействовать на ретротранспозон — длинный «прыгающий» ген, являющийся носителем генетической информации.

Я поднял глаза от желтых страничек. Бобби и Саша смотрели на меня непонимающими взглядами.

— Слушай, братишка, может, Орсон и понимает, о чем ты толкуешь, но лично я не доучился в колледже, — проговорил Бобби.

— А я всего лишь скромный диск-жокей, — вздохнула Саша.

— Не скромничай. Ты очень хороший диск-жокей, — галантно заметил Бобби.

— Спасибо.

— Хотя и злоупотребляешь Крисом Айзеком, — вмешался я.

На сей раз молния обрушилась с небес отвесно и моментально, как высотный скоростной лифт, нагруженный взрывчаткой, взорвавшейся при соприкосновении с поверхностью земли. Нам показалось, что содрогнулся не только дом, но и весь мыс, а затем, словно дождь обломков после взрыва, по крыше заколотили капли ливня.

Саша посмотрела за окно и задумчиво проговорила:

— Может, им не нравится дождь и они разбегутся?

Я сунул руку в карман куртки, висевшей на спинке моего стула, вытащил «глок» и положил его на стол, чтобы в случае надобности быстро схватить. Подумав, я повторил прием Саши, прикрыв оружие бумажной салфеткой.

— Различные методы генной терапии пытались использовать для лечения многих болезней: СПИДа, рака, врожденных заболеваний. Главная идея этого заключается в следующем. У больного либо имеются поврежденные гены, либо некоторых генов вообще недостает. Ты заменяешь дефективные гены их здоровой копией или добавляешь недостающие гены, которые помогут клеткам тела более эффективно сопротивляться болезни. В некоторых случаях были получены весьма обнадеживающие результаты, довольно много незначительных успехов, но были, конечно, и неудачи, и разочарования, и неприятные сюрпризы.

— Всегда и везде есть своя Годзилла, — философски заметил Бобби. — Живет себе Токио, процветает, все сыты и довольны, как вдруг появляется ящерица ростом с небоскреб и начинает гигантской лапой давить все вокруг.

— Главная проблема состоит в том, как внедрить здоровые гены в человеческую клетку. Чаще всего для этого используются выхолощенные вирусы, большинство из которых являются ретровирусами.

— Выхолощенные? — непонимающе переспросил Бобби.

— Это означает, что они не способны к воспроизводству и потому не представляют угрозы для организма. После того как эти вирусы доставят ген в человеческую клетку, они аккуратно внедряют его в клеточные хромосомы.

— Мальчики-разносчики, — сказал Бобби.

— А после выполнения этой задачи они должны погибнуть? — спросила Саша.

— Иногда они не сдаются так просто, — сказал я. — Они могут стать причиной воспаления или даже серьезных иммунных реакций организма, разрушающих эти вирусы, а заодно и клетки, в которые те внедрили новые гены. Вот почему некоторые исследователи искали пути создания таких ретровирусов, которые напоминали бы «прыгающие» гены, подстраивались бы под ДНК того или иного пациента и встраивали самих себя в хромосомы.

— И тут появляется Годзилла, — проворчал Бобби, повернувшись к Саше.

— Послушай, Снеговик, — спросила она, — откуда ты набрался всей этой научной галиматьи? Не станешь же ты утверждать, что почерпнул ее из этих бумажек, которые и читал-то всего две минуты?

— Когда хочешь спасти себе жизнь, то нередко находишь интересными даже самые занудные научные книжки, — ответил я. — Если бы кто-нибудь нашел способ заменить мои дефективные гены здоровыми, мое тело смогло бы вырабатывать ферменты, которые защищали бы мою ДНК от воздействия ультрафиолета.

— И тогда ты перестал бы быть ночной тварью, — закончил Бобби.

— Да, тогда — прощай уродство.

За барабанной дробью дождя послышался другой звук, как будто кто-то пробежал по заднему крыльцу. Мы посмотрели в ту сторону и увидели, как на внешний подоконник окна, которое находилось ближе к кухонной мойке, вскочил большущий резус. Его шерсть была мокрой и облепила тело, отчего животное выглядело тощим. Обезьяна балансировала на узком пространстве, держась одной маленькой лапой за средник оконной рамы. То, как незваная гостья глядела на нас, можно было бы интерпретировать как обычное обезьянье любопытство, если бы не злобный желтый огонь, полыхавший в ее глазах.

— Я думаю, если мы не будем обращать на них внимания, они разозлятся гораздо быстрее. А именно это нам и нужно, — сказал Бобби.

— Чем сильнее они разозлятся, тем более неосторожно станут действовать, — добавила Саша.

Откусив еще один кусок пиццы с ветчиной и луком и постучав пальцем по стопке желтых листков, я сказал:

— Я только пробежал эти записки глазами и сразу наткнулся на абзац, в котором отец объясняет, как он понял теорию, разработанную мамой. Работая на проект Форт-Уиверна, она создала новый подход к проектированию ретровирусов — таким образом, чтобы их можно было более эффективно и безопасно использовать для доставки генов в клетки пациента.

— Нет, я определенно слышу шаги гигантской ящерицы, — сказал Бобби. — Прислушайтесь: бум, бум, бум!

Обезьяна, стоявшая за окном, заверещала.

Я бросил взгляд в сторону ближайшего к нам окна, располагавшегося прямо позади стола, но за ним никого не было.

Орсон встал на задние лапы, передние положил на стол и сыграл настоящий театральный этюд, показывая, как ему хочется еще кусочек пиццы. Всю силу своего обаяния он обрушил на Сашу.

— Осторожнее, — предупредил я ее, — ты ведь знаешь, как дети шантажируют одного из родителей, подлизываясь к другому.

— Я скорее прихожусь ему сводной сестрой, — отмахнулась она. — Тем более что этот ужин вполне может оказаться для него последним в жизни. И для нас, кстати, тоже.

— Хорошо, — сдался я. — Но учти, ты создаешь опасный прецедент, и, если нас сегодня ночью не убьют, последствия могут быть весьма печальными.

На оконный карниз запрыгнула вторая обезьяна, и теперь уже две твари визжали на нас и скалили зубы через стекло.

Саша выбрала самый узенький из оставшихся кусочков пиццы и положила ее на собачью тарелку, стоявшую на полу.

Орсон обеспокоенно глянул на бесновавшихся за окном гоблинов, но даже эти адские твари были не в состоянии испортить ему аппетит. Затем он полностью сосредоточился на еде.

Одна из обезьян начала колотить лапой по оконной раме и визжать громче прежнего. Ее зубы выглядели больше и острее, чем должны быть зубы обезьяны, — достаточно большими для того, чтобы терзать живую плоть, как положено хищникам. Возможно, это также было сознательно запланировано мальчиками-шутниками из Форт-Уиверна, работавшими над созданием нового оружия. Я снова мысленно представил растерзанное горло Анджелы Ферриман.

— Это может оказаться отвлекающим маневром, — предположила Саша.

— Они не могут проникнуть в дом, не разбив стекла, а мы это обязательно услышим, — успокоил ее Бобби.

— За таким-то визгом и шумом дождя? — недоверчиво спросила она.

— Мы их услышим.

— Я думаю, мы не должны разделяться и идти в другие комнаты поодиночке, — сказал я. — Только в самом крайнем случае. Они достаточно умны и наверняка понимают, что значит «разделяй и властвуй».

Я вновь покосился на ближайшее к столу окно, но обезьян за ним видно не было. Только дождь и ветер разгуливали между песчаных дюн, видневшихся за перилами веранды.

Одна из обезьян повернулась к окну спиной и прижалась к стеклу своей отвратительной голой задницей.

— Итак, — проговорил Бобби, — что произошло после того, как ты вломился во владения святого отца?

Почти физически чувствуя, как неумолимо истекает оставленное нам время, я сжато рассказал о том, что произошло на чердаке священника, в Форт-Уиверне и возле дома Мануэля Рамиреса.

— Мануэля можно только пожалеть, — печально покачал головой Бобби. Саша горько вздохнула, но ничего не сказала.

Обезьяна-самец принялась обильно мочиться на стекло.

— Это что-то новенькое, — заметил Бобби.

За окном начали появляться новые обезьяны. Визжа и кривляясь, они подпрыгивали высоко вверх, словно зерна кукурузы на раскаленной масляной сковороде, а затем вновь исчезали из виду. Казалось, что их здесь десятки, хотя мы знали, что это все те же шесть или восемь резусов, из которых состоял отряд.

Я допил остававшееся в бутылке пиво.

С каждой минутой сохранять прежнюю веселость становилось все труднее. Даже попытки казаться веселым требовали гораздо большей сосредоточенности и энергии, нежели у меня имелось.

— Орсон, — сказал я, — мне кажется, будет неплохо, если ты пробежишься по дому и поглядишь, что творится в других комнатах.

Пес сразу же понял, что от него требуется, и отправился на разведку. Но прежде чем он успел выбежать из кухни, я окликнул его:

— Эй, и никакого героизма! Если увидишь что-то не то, сразу же начинай лаять и бегом сюда.

Отправив пса на задание, я сразу же пожалел об этом, хотя и понимал, что принял правильное решение.

Первая обезьяна уже опорожнила свой мочевой пузырь, и теперь ее заменила другая — та, которая до этого показывала нам задницу. Она повернулась к нам мордой и стала поливать стекло горячей желтой струей. Другие тем временем носились по перилам веранды и висели на балках крыши.

Бобби сидел прямо напротив окна, расположенного возле стола, и смотрел на него так же подозрительно, как я. Царившее за ним спокойствие казалось обманчивым.

Молнии прекратились, но над морем продолжал грохотать гром, и его раскаты приводили обезьян в состояние еще большего возбуждения.

— Говорят, новый фильм Брэда Питта — это просто супер, — проговорил Бобби.

— Я его еще не видела, — откликнулась Саша.

— Когда посмотрите, дайте мне, — попросил я.

Кто-то попытался открыть заднюю дверь, ведущую с улицы на кухню. Дверная ручка задергалась и заскрипела, но дверь была надежно заперта.

Обезьяны, находившиеся на оконном карнизе, спрыгнули, их место заняли две другие и тут же принялись мочиться на стекло.

— Мне в жизни не отчистить всю эту пакость, — мрачно заметил Бобби.

— И можешь не сомневаться, я тебе в этом не помощник, — сообщила Саша.

— Возможно, они таким образом выпустят всю свою злость и после этого уберутся восвояси? — неуверенно предположил я.

Судя по всему, Бобби и Саша учились саркастическому выражению лица в одной и той же школе.

— А может, и не уберутся, — тут же пошел я на попятную.

Из темноты вылетел камешек размером с вишневую косточку и ударился в стекло. Визжавшие на карнизе обезьяны спрыгнули вниз, чтобы очистить линию огня. Сразу за этим на стекло обрушился целый град таких же маленьких камней.

И в то же время ни один камень не ударился в ближайшее к нам окно.

17 Зак. № 693 Кунц

Бобби вынул ружье из-под стола и положил его себе на колени.

Обстрел достиг кульминации и внезапно прекратился.

Обезумевшие обезьяны визжали еще более истерично. Эта какофония казалась каким-то дьявольским хором, наполнявшим ночь демонической энергией и заставлявшим дождь хлестать с еще большей силой. Чудовищный молот грома расколол скорлупу ночи, и ее черную плоть снова прорезали ослепительные лезвия молний.

В окно ударил камень гораздо большего размера, чем прежде: «дзынь». За ним последовал второй такой же.

К счастью, лапы обезьян слишком малы и слабы для того, чтобы управляться с пистолетами и револьверами, а если бы какая-то из них и сумела выстрелить, отдача наверняка сшибла бы ее с ног. Однако эти твари были достаточно умны, чтобы понимать предназначение и принцип действия огнестрельного оружия. Счастье еще, что гении из лабораторий Форт-Уиверна не додумались до того, чтобы поработать с гориллами. Если бы эта светлая мысль посетила их головы, они наверняка получили бы под свой проект еще более щедрое финансирование и научили бы горилл обращаться не только с огнестрельным, но и с ядерным оружием.

В оконное стекло ударились еще два крупных камня.

Я прикоснулся к сотовому телефону, висевшему у меня на поясе. Ведь должен же быть хоть кто-то, к кому можно обратиться за помощью. Не полиция, не ФБР. Позвони я в местную полицию, ее сотрудники приедут разве что для того, чтобы обеспечить обезьянам огневую поддержку. Но у нас ничего не выйдет даже в том случае, если мы сумеем добраться до ближайшего отделения ФБР и наш рассказ прозвучит более правдоподобно, нежели повествования многочисленных психов о том, что они были похищены инопланетянами с летающей тарелки. Куда бы мы ни сунулись, нам придется общаться с врагом. Мануэль Рамирес сказал, что решение о том, чтобы этот кошмар шел своим чередом, было принято «на очень высоком уровне», и я верил ему.

В отличие от предыдущих поколений, мы легкомысленно уступили часть своей ответственности другим, вручив заботу о наших жизнях, безопасности и будущем профессионалам и экспертам, сумевшим убедить нас в том, что у нас самих недостаточно знаний и мудрости для того, чтобы решать, как нам жить. И вот — последствия нашей лени и мягкотелости. Апокалипсис, сотворенный лапами приматов.

В окно ударился камень побольше. Стекло дало трещину, но не разбилось.

Я взял со стола еще две запасные обоймы и рассовал их по карманам джинсов.

Саша сунула руку под салфетку, которой был накрыт ее «чифс спешиал».

Я последовал ее примеру и взялся за рукоятку «глока».

Мы переглянулись. Во взгляде Саши отчетливо читался страх, и я уверен, то же самое она увидела в моих глазах.

Я попытался ободряюще улыбнуться, но мне показалось, что лицо мое стянуто застывшей глиной и вот-вот даст трещину.

— Все будет в порядке. Диск-жокей, сумасшедший серфер и человек-слон — отличная команда для того, чтобы спасти мир.

— Постарайтесь держать себя в руках и не пристрелить первую же макаку, которая ворвется в дом, — предупредил Бобби. — Пусть их здесь наберется побольше. Держитесь, сколько сможете. Пусть они почувствуют себя увереннее, пусть обнаглеют. Обманем маленьких сволочей. А потом я первый задам им перцу, научу уважению. У меня — картечь, мне даже целиться не надо.

— Так точно, генерал Боб! — отрапортовал я.

Два, три, четыре камня размером с персиковую косточку ударились в окно. Стекло треснуло, и из него вывалился длинный зазубренный осколок, по форме напоминающий молнию.

Мне казалось, что в организме у меня происходят метаморфозы, которые заставили бы обратиться в соляной столб любого врача. Мой желудок поднялся и, оказавшись в груди, давил на горло, а сердце упало и находилось теперь там, где раньше был желудок.

На два окна одновременно обрушился шквал крупных камней, пущенных с гораздо большей силой, нежели прежние, и оба стекла взорвались градом осколков, со звоном брызнувших на мойку из нержавеющей стали, на мраморные крышки кухонных шкафов и на пол. Несколько острых осколков долетели даже до стола, посыпались на недоеденные куски пиццы. Я непроизвольно закрыл глаза.

Открыв их через несколько секунд, я увидел, что на окне уже находятся две визжащие обезьяны — такого же размера и вида, как та, которую описывала мне Анджела Ферриман. Аккуратно, стараясь не порезаться о торчащие из рамы острые зазубрины и настороженно поглядывая на нас, резусы перебрались на кухонную стойку. Ветер из разбитого окна шевелил их мокрую от дождя шерсть.

Одна из них посмотрела на шкафчик для швабр, где Бобби обычно хранил свое ружье. С первого момента своего появления обезьяны не видели, чтобы кто-то из нас подходил к нему, и, конечно же, они не могли знать, что ружье 12-го калибра лежит под столом на коленях у Бобби.

Бобби бросил взгляд в сторону вторгшихся обезьян, но я видел, что в основном его внимание приковано к окну, напротив которого он сидел.

Юркие и ловкие твари уже двигались по кухонной стойке в противоположном направлении от раковины. В царившем на кухне сумраке их отвратительные желтые глаза горели, словно огоньки свечей. На пути одной из обезьян оказался тостер, и она злобно сбросила его на пол. Розетка выскочила из стены, и от оголившихся проводов посыпались искры.

Я вспомнил рассказ Анджелы о том, как обезьяна швырнула в нее яблоком, причем с такой силой, что разбила ей губу. На кухне у Бобби всегда царил образцовый порядок, но если эти бестии примутся открывать кухонные шкафы и швырять в нас тарелками и стаканами, они смогут нанести нам серьезные ранения, даже если мы ответим огнем. Суповая тарелка, запущенная с большой силой, попади она вам в переносицу, может сработать не хуже пистолетной пули.

Еще два маленьких дьявола с горящими желтыми глазами запрыгнули с веранды на оконную раму. Они оскалили на нас зубы и зашипели.

Бумажная салфетка поверх Сашиной руки заметно дрожала, и, я думаю, не только из-за ветра, врывавшегося в разбитые окна.

Мне показалось, что за визгом, шипением и бормотанием обезьян, за раскатами грома и барабанной дробью дождя, за свистом мартовского ветра в оконных рамах я услышал, как Бобби что-то напевает. Так оно и было. Не обращая внимания на обезьян, бесновавшихся в дальнем конце кухни, и напевая про себя, он не сводил взгляда с не тронутого пока окна рядом с нами. Губы его шевелились.

То ли разозлившись из-за того, что на них не обращают внимания, то ли посчитав, что мы парализованы страхом, парочка новоприбывших обезьян, все больше возбуждаясь, перепрыгнула с подоконника на кухонную стойку и двинулась в противоположном направлении от двух своих сородичей, первыми оказавшихся в комнате.

И еще две обезьяны вспрыгнули на окно у мойки, цепляясь за рамы и изливая на нас желтую злобу своих дьявольских глаз.

Четыре твари, которые уже находились внутри, разорались пуще прежнего, потрясая в воздухе маленькими кулачками, скаля зубы и плюясь в нашу сторону.

Да, они были умны. Но — недостаточно. Ярость застила их ум.

— Истребляем, — бросил Бобби.

Понеслась!

Вместо того чтобы отодвинуть стул и встать из-за стола, Бобби ловко нырнул в сторону и тут же оказался на ногах, а в следующую долю секунды ствол его ружья уже был направлен в сторону пришельцев. Можно было подумать, что в свое время он учился военному делу и одновременно брал уроки танцев. Из ствола вырвался сноп пламени, и первый же оглушительный залп начисто срезал тех двоих, которые вскочили на подоконник последними, вышиб их обратно в ночную темень, словно они были всего лишь плюшевыми детскими игрушками. Второй выстрел поразил парочку, плясавшую на кухонной стойке слева от раковины.

В ушах у меня гудело так, будто я оказался внутри большого церковного колокола, голова шла кругом. Однако не успел прогреметь второй выстрел Бобби, как я был уже на ногах и с «глоком» в руке. Саша также вскочила со стула и выпустила две пули в сторону второй пары обезьян, в то время как Бобби разбирался с номерами три и четыре.

Пока они стреляли и кухня сотрясалась от выстрелов, окно рядом со мной взорвалось осколками, брызнувшими фонтаном прямо на меня. На волне битого стекла, словно серфер, в комнату влетела визжащая обезьяна, приземлилась прямо на середину стола и отряхнула мокрую от дождя шкуру, повалив обе свечи, одна из которых погасла, и сшибив на пол доску с остатками пиццы.

Я повернул «глок» в ее сторону, но тварь молнией прыгнула на спину Саши. Я уже не мог стрелять. Прошив обезьяну, пуля непременно попала бы в Сашу, а на таком близком расстоянии это означало бы для нее неминуемую смерть.

К тому времени, когда я успел откинуть со своей дороги стул и подскочить к Саше, она уже пронзительно кричала, а визжавшая обезьяна вцепилась ей в волосы и таскала их из стороны в сторону. Саша уронила револьвер и слепо шарила у себя за спиной, пытаясь схватить противника, а обезьяна уворачивалась от ее руки, щелкая зубами и пытаясь укусить ее за пальцы. Саша стояла, прислонившись спиной к столу, а нападавший резус пытался запрокинуть ее голову назад, чтобы добраться до горла.

Я вспомнил мучившее меня предчувствие невосполнимой потери. Я был уверен, что они захотят убить Сашу, чтобы вразумить меня. Поэтому сейчас я бросил «глок» на стол и вцепился в обезьяну сзади, правой рукой схватив ее за шею, а левой — за шкирку. Я впился в ее шкуру с такой силой, что животное завизжало от боли.

Бобби выстрелил в третий раз. Стены коттеджа затряслись, как при землетрясении, и я было подумал, что последней паре незваных гостей пришел конец, но тут услышал, как Бобби принялся ругаться на чем свет стоит, и понял, что грядут новые неприятности.

Даже не свет одной оставшейся гореть свечи, а желтое пламя в глазах помогло мне увидеть двух новых пришельцев — настоящих камикадзе, — запрыгнувших на подоконник.

А Бобби в это время перезаряжал ружье.

В противоположной стороне дома громко залаял Орсон. То ли он спешил к нам, чтобы принять участие в схватке, то ли звал на помощь.

Я услышал собственный голос и необычайно образные ругательства, срывавшиеся с моих губ. Теперь на шее обезьяны сомкнулись уже обе моих руки. Я душил ее, душил до тех пор, пока ее лапы не разжались и она не отпустила Сашу.

Обезьяна весила около двенадцати килограммов — шестую часть моего веса, но ее тело представляло собой клубок мускулов, костей и ненависти. Тонко визжа и плюясь в борьбе за глоток воздуха, она пыталась наклонить голову, чтобы укусить мои руки, сжимавшие ее глотку, извивалась, лягалась, дрыгала ногами в воздухе. В другой ситуации я наверняка не смог бы удержать этого маленького дьявола, но сейчас мои руки сделались стальными. Их силу питала ненависть к этой твари за то, что она пыталась сделать с Сашей. Наконец я почувствовал, как шея обезьяны хрустнула под моими пальцами. Она обвисла в моих руках безвольным мертвым предметом, и я швырнул ее на пол.

Плюясь от отвращения, пытаясь выровнять дыхание, я взял со стола «глок». Саша тем временем тоже подобрала с пола свой револьвер и, подойдя к разбитому окну возле стола, стала палить в ночную темень.

Перезаряжая ружье, Бобби, видимо, потерял из виду двух оставшихся обезьян, поэтому сейчас он подошел к выключателю у двери и стал подкручивать реостат, делая свет ярче. Я был вынужден прищуриться.

Одна маленькая гадина стояла на стойке возле плиты. Из лотка, прикрепленного к стене, обезьяна достала небольшой кухонный нож и, прежде чем кто-либо из нас успел выстрелить, метнула его в Бобби.

Трудно сказать, изучали ли члены отряда боевые искусства или этой обезьяне просто повезло, но лезвие ножа, просвистев в воздухе, вонзилось в правое плечо Бобби.

Он выронил ружье.

Я выпустил две пули в метательницу ножей, и она, бездыханная, рухнула спиной на конфорки.

Вторая обезьяна, видимо, была знакома с известным изречением, гласившим, что осторожность есть оборотная сторона доблести, свернула хвост в кольцо, перепрыгнула через мойку и выскочила в окно. Я дважды выстрелил ей вслед, но оба раза промахнулся.

У другого окна Саша на удивление хладнокровно уверенной рукой вытащила из футляра на поясе скоростной зарядник и поднесла его к своему револьверу. Затем загнала одновременно все патроны в гнезда барабана, швырнула пустой зарядник на пол и защелкнула барабан.

«Интересно, — подумал я, — на каких курсах готовят диск-жокеев, которые так блестяще владеют оружием и так уверенно чувствуют себя во время перестрелки?» До сего момента я полагал, что Саша — единственный оставшийся в Мунлайт-Бей человек, который является тем, кем кажется, но теперь подумал, что, возможно, и у нее есть какие-то свои секреты.

Она снова начала выпускать пулю за пулей в ночную тьму. Я не знал, стреляет ли она по определенной цели или просто хочет запугать и подавить огнем уцелевших обезьян.

Выкинув из рукоятки «глока» наполовину пустой магазин и заменив его полной обоймой, я подошел к Бобби. Он вытащил из плеча нож. Лезвие проникло в тело всего на два или три сантиметра, и по рубашке расползалось пятно крови.

— Здорово задело? — спросил я.

— Чер-рт!!!

— Что, так больно?

— Это была моя лучшая рубашка!

Значит, с Бобби все нормально.

Из той части дома, которая выходила к фасаду, по-прежнему слышался лай Орсона, но теперь в нем звучали визгливые нотки страха.

Я сунул «глок» сзади за пояс брюк, схватил полностью заряженное ружье Бобби и побежал в ту сторону, откуда доносился лай.

Лампы в гостиной были включены, но едва горели. Я прибавил света.

Одно из больших окон было разбито, и сильный

боковой ветер бросал через него в комнату струи дождя.

На спинках стульев и ручках дивана прыгали четыре визжащие обезьяны. Когда свет в комнате стал ярче, они, как по команде, повернули головы ко мне и злобно зашипели.

По оценкам Бобби, отряд включал в себя восемь-десять животных, но теперь стало ясно, что их намного больше. Мы уже видели двенадцать или четырнадцать тварей, и, хотя они исходили бешенством и ненавистью, я не думаю, что обезьяны были настолько сумасшедшими — или глупыми, — чтобы пожертвовать всем отрядом в первой же атаке.

Они скрывались на протяжении двух или трех лет. Вполне достаточный срок для того, чтобы расплодиться.

Орсон стоял посередине комнаты, окруженный этим квартетом гоблинов, которые теперь снова стали визжать на него. Он крутился на одном месте, стараясь не выпускать из поля зрения ни одну из тварей.

Одна из обезьян находилась на таком расстоянии и под таким углом от меня, что я мог выстрелить в нее, не опасаясь задеть собаку. Не колеблясь ни секунды, я всадил в мерзкую гадину заряд картечи. Обезьяньи кишки и кровь разлетелись широко вокруг. По-видимому, теперь ремонт этой комнаты обойдется Бобби не меньше чем в пять тысяч баксов.

Три оставшиеся обезьяны, не переставая визжать, стали перепрыгивать с одного предмета обстановки на другой, направляясь к окну. Я прикончил еще одну, но на третий раз шрапнель угодила в обшитую тиковыми панелями стену. Этот выстрел обойдется Бобби еще в пять, а то и в десять кусков.

Я отшвырнул ружье, потянулся назад и, выхватив из-за пояса «глок», кинулся за двумя обезьянами, приготовившимися выскочить через разбитое окно на террасу. Однако не успел я сдвинуться с места, как кто-то схватил меня сзади. Одной рукой неизвестный обвил мою шею, заставив меня кашлять и задыхаться, а второй вцепился в «глок», пытаясь вырвать его у меня из руки.

В следующее мгновение меня, словно ребенка, оторвали от земли, подняли в воздух и швырнули в сторону. Я врезался в кофейный столик, и тот разлетелся под моим весом в щепки.

Лежа на спине в обломках мебели, я посмотрел вверх и увидел возвышающегося надо мной Карла Скорсо. Из этого положения он показался мне еще более огромным, чем был на самом деле. Бритая голова. Сережка в ухе. Несмотря на то что я включил слабый свет, царивший в комнате полумрак позволил мне заметить звериный блеск в глазах маньяка.

Именно он являлся вожаком обезьяньего отряда — теперь на этот счет сомнений не оставалось. На нем были кроссовки, джинсы и фланелевая рубашка, а на запястье — часы. Если бы в комнате для полицейского опознания его поставили в ряд с четырьмя гориллами, любой без труда признал бы в нем homo sapiens. Но сейчас, несмотря на человеческую одежду и обличье, вокруг него ощущалась злобная аура некоего существа, не имеющего ничего общего с человеком. И даже не из-за звериного огня в глазах, а потому, что его черты были искажены гримасой, в которой не было ничего человеческого. На нем была одежда, но с таким же успехом он мог бы быть голым; он был гладко выбрит, но тоже мог бы быть покрыт шерстью, как его подопечные, — это не изменило бы ровным счетом ничего. Если Скорсо вел двойную жизнь, то наверняка более по душе ему приходилась ночная, когда он находился в обезьяньем отряде, нежели дневная, которую он проводил в окружении тех, кто не являлся таким же оборотнем, как он.

Скорсо держал оружие так, как держат его палачи, — в вытянутой руке, целясь мне в лицо.

Орсон с бешеным рычанием бросился на мужчину, но тот оказался проворнее и нанес моему псу страшный удар ногой в голову. Не успев даже взвизгнуть, Орсон отлетел в сторону, грохнулся на пол, затих и больше не шевелился.

Мое сердце упало, словно камень в колодец.

Скорсо снова повернулся ко мне и выстрелил мне в лицо. По крайней мере, так мне показалось в ту секунду. Однако, как выяснилось, за долю мгновения до того, как он успел нажать на курок, в дверях появилась Саша и всадила пулю ему в спину. Выстрел, который я услышал, был сделан не из «глока», а из «чифс спешиал».

Сашина пуля кинула Скорсо вперед, и ствол «глока» ушел в сторону. Пуля, выпущенная им, выбила щепки из тикового паркета рядом с моей головой.

Скорсо был серьезно ранен, но, казалось, даже не обратил на это внимания и резко развернулся, одновременно с этим начав стрелять.

Саша кинулась на пол и откатилась назад, исчезнув из дверного проема, а Скорсо опустошил обойму, выпустив все пули в то место, где только что находилась Саша. Он нажимал на курок до тех пор, пока вместо выстрелов не стали раздаваться сухие щелчки.

Я видел, как на его спине по фланелевой рубашке расползается темно-красное кровавое пятно.

Наконец Скорсо бросил «глок» и повернулся ко мне, раздумывая, раздавить ли мне лицо каблуком или, вырвав глаза, оставить меня здесь ослепленным и умирающим. Затем, решив отказаться от обоих этих удовольствий, он направился к разбитому окну, через которое убежали две последние обезьяны.

Стоило ему выпрыгнуть из окна на веранду, окаймлявшую фасад дома, как в следующий момент на пороге комнаты появилась Саша и — это было невероятно! — кинулась вдогонку за ним.

Я крикнул ей вслед, веля остановиться, но у нее был настолько страшный вид, что я не удивился бы, увидев в глазах Саши тот же смертоносный желтый огонь. Пока я выбирался из обломков кофейного столика, она успела пересечь комнату и оказалась на веранде. После этого снаружи послышался треск «чифс спешиал», затем еще и еще раз.

События последних нескольких минут показали, что Саша вполне способна постоять за себя, и все же мне хотелось последовать за ней и втащить ее обратно в дом. Даже если она прикончит Скорсо, в ночи может скрываться еще много обезьян — слишком много даже для первоклассного диск-жокея, а ночь эта принадлежит им, а не ей.

Прогремел четвертый выстрел. Затем — пятый.

Я колебался, поскольку Орсон по-прежнему лежал неподвижно. Эта неподвижность была страшной, я даже не видел, чтобы его бока вздымались и опускались в такт дыханию. Он был либо мертв, либо без сознания. В последнем случае ему немедленно нужна была помощь. Пес получил страшный удар по голове, и, даже если он остался жив, у него мог быть поврежден мозг.

Я почувствовал, что из глаз моих текут слезы, и, как обычно, прикусил свое горе зубами.

Бобби шел ко мне через комнату, зажимая здоровой рукой рану в плече.

— Помоги Орсону, — сказал я.

Я отказывался верить в то, что моему псу уже нельзя помочь. Мне казалось, что сама мысль об этом сделала бы его смерть страшной реальностью.

Пиа Клик поняла бы меня.

Возможно, сейчас меня понял бы и Бобби.

Лавируя между мебелью и мертвыми обезьянами, давя подошвами битое стекло, я кинулся к окну. Ветер бросал серебристые струи дождя на торчавшие из рамы острые осколки. Стараясь не порезаться, я вылез из окна, сбежал по ступеням крыльца и кинулся в дождевую пелену по направлению к Саше. Она стояла между дюнами, в десятке метров от дома.

Карл Скорсо лежал на песке лицом вниз.

Промокшая, дрожащая, она стояла над ним, всовывая третий — и последний — патронозарядник в барабан револьвера. Похоже, все выстрелы, которые я слышал, поразили цель, но Саше, видимо, казалось, что этого недостаточно.

И правда, Скорсо дернулся и загреб песок распростертыми руками, словно пытаясь закопаться в него подобно крабу.

Вскрикнув от страха, Саша наклонилась и выстрелила еще раз, на этот раз всадив пулю в затылок оборотня.

Затем она повернулась ко мне, плача и даже не пытаясь удерживать слезы. Я уже не плакал, решив, что хотя бы один из нас обязан держать себя в руках.

— Эй, — ласково произнес я.

Она упала в мои объятия.

— Эй, — прошептала она, уткнувшись мне в шею.

Я крепко обнял ее.

Дождь лил так, что я даже не видел городских огней, находившихся меньше чем в миле к востоку отсюда. Казалось, еще чуть-чуть, и эти небесные потоки растворят Мунлайт-Бей, смоют его с лица земли, словно городок, слепленный из песка.

Но город тем не менее стоял на своем месте. Он переживет эту бурю. И ту, которая последует за ней, и все остальные — до скончания века. От Мунлайт-Бей не убежать. По крайней мере, не нам. И не сейчас. Он уже находится в нашей крови. В прямом смысле этого слова.

— Что теперь с нами будет? — спросила Саша, все еще прижимаясь ко мне.

— Дальше будет жизнь.

— Это не жизнь, а дерьмо.

— Она всегда была такой.

— Но обезьяны все еще остаются.

— Может быть, они теперь отстанут от нас. Хотя бы на время.

— Куда мы отсюда поедем, Снеговик?

— Обратно. Домой. Выпьем пива.

Сашу все еще трясло, но не только из-за дождя.

— А потом? Мы же не можем вечно пить пиво.

— Завтра придут хорошие волны.

— Неужели все так просто?

— Нужно ловить волну, пока ты способен на это.

Мы вернулись к коттеджу. Бобби и очнувшийся Орсон сидели на широкой верхней ступени крыльца. Между ними как раз оставалось место для нас с Сашей.

Не могу сказать, что мои братья находились в приподнятом настроении.

По мнению Бобби, он нуждался лишь в неоспорине и перевязке.

— Рана поверхностная, — успокоил он нас. — Тонкая, как порез от бумаги, и неглубокая — не больше сантиметра.

— Прими мои соболезнования по поводу рубашки, — сказала Саша.

— Спасибо за сочувствие.

Поскуливая, Орсон поднялся на ноги, спустился по ступеням под дождь, и его вырвало на песок. Этой ночью мы отрыгнули прошлое.

Дрожа от страха, я не мог отвести от него глаз.

— Может, отвезти его к ветеринару? — проговорила Саша.

Я отрицательно покачал головой. Никаких ветеринаров.

Я не заплачу. Я не плачу. Какая горечь возникает внутри, когда глотаешь так много слез!

Обретя способность говорить, я сказал:

— Я не верю ни одному ветеринару в городе. Они скорее всего тоже участники всего этого. Если они сообразят, кто такой Орсон, поймут, что он имеет отношение к проекту Форт-Уиверна, они отберут его у меня и отправят обратно в лабораторию.

Орсон стоял, подставив морду под освежающие струи дождя.

— Они вернутся, — проговорил Бобби, имея в виду обезьяний отряд.

— Не сегодня, — ответил я. — Возможно, они еще долго не вернутся.

— Но рано или поздно — обязательно.

— Да.

— А кто еще? Или что? — вымолвила Саша.

— Кругом царит хаос, — сказал я, припомнив слова Мануэля. — Формируется совершенно новый мир. Откуда нам знать, какой он будет или что рождается в нем в эти самые минуты.

Несмотря на все, что нам пришлось увидеть, и все, что мы узнали о проекте Форт-Уиверна, мы до самого последнего момента не осознавали, что живем на пороге армагеддона и являемся свидетелями конца цивилизации. Это осознание пришло к нам только теперь, когда мы сидели, прижавшись друг к другу, на ступенях крыльца. Дождь колотил землю, словно громогласные барабаны, возвещающие начало Страшного суда.

Эта ночь была самой заурядной, и в то же время она не могла бы показаться более странной, даже если бы в просвете между облаками появились три луны вместо одной и небо, полное незнакомых созвездий.

Орсон принялся лакать дождевую воду, скопившуюся в углублении нижней ступеньки, а потом гораздо более уверенно, чем прежде, взобрался на крыльцо и устроился рядом со мной.

Боясь, что у него на самом деле либо сотрясение мозга, либо что-то похуже, я задал ему несколько вопросов, используя изобретенную мной методу кивания головой. Пес был в порядке.

— Господи правый! — выдохнул Бобби.

Еще никогда в жизни я не видел, чтобы он был до такой степени потрясен.

Я вошел в дом и через минуту вернулся на крыльцо, неся в руках четыре бутылки пива и плошку, на которой рукой Бобби было выведено слово «РОЗАНЧИК».

— Пара картин Пиа пострадали от картечи, — сообщил я.

— Мы свалим вину на Орсона, — откликнулся Бобби.

— Нет ничего опаснее, чем собака с ружьем, — наставительно произнесла Саша.

Некоторое время мы сидели молча, прислушиваясь к звукам дождя и вдыхая сладкий, напоенный свежестью воздух.

Неподалеку от нас на песке распростерлось тело Карла Скорсо. Вот и Саша, подобно мне, стала убийцей.

— Это и есть жизнь, — сказал Бобби.

— Настоящая, — подтвердил я.

— Крутая.

— Безумная, — добавила Саша.

Орсон согласно фыркнул.

34

Той же ночью мы завернули мертвых обезьян и тело Скорсо в простыни. До последнего момента мне казалось, что он вот-вот поднимется, сядет на земле подобно ожившей мумии, высунет из-под развевающейся простыни руку и схватит меня. Такие сцены часто встречались в старых фильмах, когда сверхъестественное пугало людей больше, чем могла напугать сегодняшняя реальность. Затем мы уложили этот страшный груз в багажник «Эксплорера».

В гараже у Бобби нашелся целлофан, оставшийся с тех пор, как рабочие олифили деревянные потолки и расстилали его на полу. Мы использовали целлофан для того, чтобы по мере возможности закрыть разбитые окна.

В два часа ночи Саша отвезла всех нас в северо-восточную часть города, проехала по длинной подъездной дорожке, мимо выстроившихся в шеренгу изящных перечных деревьев, напоминающих плакальщиц, мимо бетонной «Пьеты» и остановила машину у крыльца массивного дома в георгианском стиле.

Свет внутри не горел. Сэнди Кирк то ли спал, то ли его вообще не было дома.

Затем мы выгрузили завернутые в простыни трупы и свалили их прямо перед дверью похоронной конторы.

Когда мы отъезжали, Бобби сказал:

— Помнишь, мы прибегали сюда мальчишками, чтобы понаблюдать за тем, как работает отец Сэнди?

— Еще бы.

— Представляешь, если бы как-нибудь ночью мы наткнулись на такой «подарочек» у его дверей?

— Это было бы классно!

Для того чтобы отчистить и отремонтировать дом Бобби, понадобится много дней, но сейчас мы не были готовы этим заниматься. Мы отправились к Саше и провели остаток ночи на ее кухне, прочищая мозги с помощью пива и дочитывая рассказ моего отца о том, как зарождался новый мир, в котором нас ждала совсем иная жизнь.

* * *

Моя мать придумала принципиально новый подход к созданию ретровирусов для внедрения генов в клетки пациентов, и окопавшаяся в секретных лабораториях команда яйцеголовых мирового класса по достоинству оценила ее изобретение. Эффективность и избирательность этих новых микроскопических мальчиков-разносчиков превзошла все ожидания.

— И тут появляется Годзилла. — Так прокомментировал Бобби дальнейшее развитие событий.

Новые ретровирусы, хотя и были выхолощены, оказались настолько «умными», что не просто доставляли по назначению груз генетического материала, но были способны определить ту часть нуклеотидной последовательности пациента — или лабораторного животного, — которую им надлежало заменить. Таким образом, они как бы совершали маршрут в два конца — сначала в ДНК, а потом оттуда. Доставляли хороший материал и вывозили плохой.

Они также оказались способными захватывать в плен другие вирусы, находившиеся в данный момент в организме пациента, и переделывать себя под них. Они мутировали гораздо быстрее и радикальнее, нежели способны мутировать любые другие вирусы, и изменялись до неузнаваемости буквально в течение нескольких часов.

Прежде чем кто-либо в Форт-Уиверне осознал, что происходит, мамины «детишки» стали забирать из организма подопытных столько же генетического материала, сколько туда доставляли, а затем распространяли его не только среди различных животных, но и среди ученых и других сотрудников лабораторий. Заражение происходило не только через физиологические жидкости, как я полагал раньше. Даже простого прикосновения было достаточно для того, чтобы вирусы перешли от одного человека к другому, поскольку на коже любого из людей существуют микроскопические ранки, порезы и трещины, в которые проникает зараза.

С течением лет, когда все мы будем заражены,

ДНК каждого из нас начнет развиваться совершенно необычным путем. Эффект будет особым в каждом отдельном случае. Некоторые вовсе не изменятся, поскольку получат столько различных и противоречивых фрагментов генетической информации из разных источников, что эти пришельцы нейтрализуют друг друга. По мере того как наши обычные клетки начнут отмирать и заменяться другими, внедренный в них генетический материал может дать знать о себе, а может и не дать. Однако многие люди вполне могут превратиться в чудовищ — и психически, и физически.

Если перефразировать Джеймса Джойса, то можно сказать: все помрачнеет, почернеет в этом мире, и будут лишь оттенки черноты.

Сейчас нам не дано знать, проявится ли действие ретровируса сразу, сделав перемены в людях быстрыми и очевидными, или этот процесс растянется на десятилетия, а может быть, даже на века. Нам остается лишь ждать. Поживем — увидим.

Папа считает, что все пошло наперекосяк вовсе не из-за просчетов в теории. По его мнению, виноваты были люди из Уиверна, которые воплощали идеи матери в практику и занимались непосредственно лабораторными разработками. Они допустили кое-какие отклонения от ее теории. Тогда эти отклонения казались незначительными, но впоследствии привели к катастрофе.

Как бы то ни было, моя мама действительно уничтожила тот мир, который мы знали, но при этом она оставалась моей мамой. Она сделала это, руководствуясь любовью и почти несбыточной надеждой на то, что сможет спасти мне жизнь. Я и сейчас люблю ее так же сильно, как прежде, и поражаюсь тому, каким образом на протяжении последних лет жизни маме удавалось скрывать от меня терзавшие ее страх и боль. Ведь она уже знала, ЧТО происходит, предвидела, ЧТО грядет на смену привычному миру.

Мой отец не очень-то верил в то, что мать покончила с собой, однако в своих записках признал, что такое возможно. И все же ему казалось, что скорее всего ее убили. Хотя зараза распространялась слишком быстро и уже не было возможности ее остановить, мама наконец решила предать эту историю гласности. Возможно, ей просто заткнули рот. Впрочем, сейчас это уже не имеет значения. Покончила ли она с собой или была убита генералами и бюрократами из правительства, которым решила противостоять, ее уже нет.

Теперь, гораздо лучше понимая свою мать, я понимаю и то, откуда мне удается черпать силы — или фанатичное упрямство? — для того, чтобы подавлять свою боль, когда становится невмоготу. Я изменю это в себе. Почему бы и нет? В конце концов, именно в этом и заключается сущность нового мира — в изменениях. В непрекращающихся изменениях.

* * *

Несмотря на ненависть некоторых людей, вызванную только тем, что я — сын своей матери, мне позволено жить. Учитывая жестокость моих врагов, даже мой отец не рассчитывал на подобное «послабление». Он, кстати, полагал, что для создания этих апокалиптических ретровирусов мама использовала фрагменты моего собственного генетического материала. Поэтому не исключено, что ключ к тому, чтобы повернуть страшные перемены вспять или хотя бы ограничить их масштабы, со временем может быть найден именно в моих генах. Каждый месяц у меня берут анализ крови. Говорят, что это связано с моей болезнью — XP, но изучают анализ в Уиверне. Возможно, меня рассматривают в качестве ходячей лаборатории, в которой планируют найти либо противоядие от чумы третьего тысячелетия, либо разгадку того, чем в итоге обернется весь этот ужас. До тех пор пока я нахожусь в Мунлайт-Бей и живу по установившимся здесь новым правилам, я буду оставаться в живых и на свободе. Если же я попытаюсь сказать остальному миру хоть слово о том, что здесь происходит, можно не сомневаться: я проведу остаток жизни в подземном бункере без окон глубоко под полями и холмами Форт-Уиверна.

Папа тоже боялся, что рано или поздно они наложат на меня лапу и посадят под замок для того, чтобы иметь возможность исследовать мою кровь в любое удобное для них время. Пока что мне это не грозит, а думать о том, каким образом избежать подобной участи, я начну только после того, как такая угроза возникнет.

* * *

Все утро и часть дня в воскресенье, пока над Мунлайт-Бей бушевала гроза, мы проспали, и из нас четверых только Сашу не беспокоили ночные кошмары.

Провалявшись четыре часа в Сашиной постели, я встал, спустился на кухню, окна которой были плотно закрыты ставнями, и сел за стол. Некоторое время я рассматривал слова «ЗАГАДОЧНЫЙ ПОЕЗД», вышитые на моей кепке, и думал, какое отношение они могут иметь к работе моей матери. Но хотя их смысл оставался для меня непостижим, я ощущал, что Мунлайт-Бей все же нельзя сравнить с серфером, который несется на гигантской волне прямиком в преисподнюю, как сказал мне Стивенсон. Мы действительно находимся в загадочном поезде, который везет нас в неизвестность. Что ожидает нас там, впереди? Возможно, нечто чудесное. А возможно, ужас, по сравнению с которым померкнут все муки ада.

Затем я взял ручку, блокнот, зажег свечу и принялся писать. Я намерен записывать все, что будет происходить со мной в течение отпущенного мне срока.

Вряд ли мои записи когда-либо увидят свет. Те, кто охраняет тайны Уиверна, никогда не позволят мне сказать ни одного лишнего слова. Так или иначе, Стивенсон был прав: спасти мир уже невозможно. Кстати, ту же самую истину пытался вбить в мою голову Бобби на протяжении всех лет нашей долгой дружбы.

Пусть мои записи не будут опубликованы, но я считаю очень важным вести подробную летопись нынешней катастрофы. Будущие поколения должны знать, почему исчез тот мир, каким он был до них. Человек, конечно, весьма высокомерное животное и полон низменных инстинктов. Но вместе с тем мы обладаем огромным потенциалом любви, дружбы, щедрости, доброты, веры, надежды и радости. То, как мы появились на свет, — загадка, которую нам не суждено разгадать. Гораздо важнее знать, каким образом и почему мы собственными руками уничтожили себя.

Я могу пунктуально фиксировать все, что будет происходить в Мунлайт-Бей, а затем и на всей планете по мере того, как чума станет распространяться, но, возможно, мои хроники окажутся никому не нужны, поскольку, может статься, в один прекрасный день на всей Земле не останется никого, кто сможет прочесть мои слова. Или вообще никого. И все же я попробую. Если бы я был азартен, я поспорил бы, что со временем какие-нибудь другие живые существа восстанут из хаоса и придут на наше место, став хозяевами планеты, какими некогда были мы. И если бы я был азартен, в этом споре я поставил бы на собак.

* * *

Воскресной ночью небо было чистым, как лицо Всевышнего, а звезды — прозрачными, как его слезы. Мы вчетвером отправились на пляж. От далекого Таити без устали катились и гулко разбивались о берег огромные хрустальные монолиты волн. Они были такие прекрасные. И такие живые.

Литературно-художественное издание

Дин Кунц

ЖИВУЩИЙ В НОЧИ

Редактор *В. Татаринов*
Художественный редактор *В. Щербаков*
Художник *В. Остапенко*
Технические редакторы *Н. Носова, Л. Панина*
Корректор *Т. Пикула*

Изд. лиц. № 065377 от 22.08.97
Налоговая льгота — общероссийский классификатор продукции ОК-005-93, том 2; 953000 — книги, брошюры

Подписано в печать с готовых монтажей 15.07.99.
Формат 84×108 1/32. Гарнитура «Таймс». Печать офсетная.
Усл. печ. л. 28,5. Уч.-изд. л. 21,4. Доп. тираж 7 000 экз.
Заказ № 693.

ЗАО «Издательство «ЭКСМО-Пресс»,
123298, Москва, ул. Народного Ополчения, 38.

Отпечатано с оригинал-макета в Тульской типографии.
300600, г. Тула, пр. Ленина, 109.